suhrkamp taschenbuch 3118

Ein Mädchen, das sich – entgegen gängigen Rollenklischees – wie ein Junge benimmt, wird im Amerikanischen »Tomboy« genannt. Aber ist ein Tom nicht auch immer schon ein Boy und der Begriff damit verräterisch tautologisch? Warum wird dieser doppelt männliche Ausdruck ausschließlich für Mädchen verwendet? Und warum kann ein Mann nicht lesbisch sein? Thomas Meineckes Roman ist ein bizarres Kabinett der *gender troubles*. Da ist die »zwangsheterosexuelle« Vivian Atkinson, damit beschäftigt, in ihrer Magisterarbeit die Philosophie der amerikanischen Feministin Judith Butler und die Irrtümer Otto Weiningers über Geschlecht und Charakter in Verbindung zu bringen. Da sind der feministische Gelegenheitsarzthelfer Hans Mühlenkamm, die bisexuelle Tennisspielerin Korinna Kohn und die lesbische Doktorandin Frauke Stöver, die mit Vivian Bücher und Platten tauschen. Und da ist Fraukes »phallische Verlobte« Angela, ehemals Angelo, die das katholische Frauenmagazin abonniert hat, weil sie »ganz einfach Frau« sein will.

Thomas Meinecke, 1955 in Hamburg geboren, ab 1977 in München lebend, ist 1994 in ein oberbayerisches Dorf gezogen. 1997 erhielt er den Förderpreis des Heimito von Doderer-Literaturpreises sowie den Rheingau-Literaturpreis, 1998 den Kranichsteiner Literaturpreis. Im Suhrkamp Verlag sind erschienen: *Mit der Kirche ums Dorf* (1986), *The Church of John F. Kennedy.* Roman (1996), *Tomboy.* Roman (1998) und *Mode & Verzweiflung* (1998).

Thomas Meinecke

Tomboy

Roman

Suhrkamp

Umschlag:
Zeichnung »Tomboy« von Michaela Melián

suhrkamp taschenbuch 3118
Erste Auflage 2000

Druck: Nomos Verlagsgesellschaft, Baden-Baden
Printed in Germany
Umschlag nach Entwürfen von
Willy Fleckhaus und Rolf Staudt

1 2 3 4 5 6 – 05 04 03 02 01 00

Meiner Mutter,
meiner Frau,
meiner Tochter.

Rosarot leuchteten die Steinbrüche vom nahen Odenwald herüber. War der künstliche Eingriff in die Natur zum Bestandteil sogenannter natürlicher Schönheit geworden? Hatte sich Vivian nicht gerade deshalb von ihrer Arbeitsplatte erhoben, war sie nicht, mit nahezu traumwandlerischer Bestimmtheit, ans Fenster getreten, eben weil die Steinbrüche an diesem sonnigen Spätnachmittag so ganz besonders rosarot, knallrosarot gleichsam, herüberleuchteten? Vivian genierte sich ein bißchen, daß die Berge überhaupt, ein vernarbtes Mittelgebirge zudem, eine gewissermaßen sinnliche Ausstrahlung auf sie auszuüben imstande waren, wandte sich also vom Fenster wieder ab und ließ sich kurz aufs Sofa plumpsen, um die Laufmasche zu begutachten, welche sich seit dem späten Vormittag an ihrer rechten Fessel hinaufzog. Ein ungeschlachter Rüpel, zwei Meter lang, hatte ihr im Supermarkt, unmittelbar vor der Kasse, eine monströse Zwillingskarre in die Ferse gerempelt. Würde nun Vivians Laufmasche, den Steinbrüchen des Odenwalds gleich, jemals als sexy gelesen werden können? Oder war das unverletzte Chemiefasergewebe selbst bereits textiler Euphemismus und damit als künstliche Überhöhung der Natur zu bewerten, die ihre ambivalente Entsprechung in jenen Glanzlichtern fand, welche die Abendsonne dem von Steinmetzen blankgelegten und zerfurchten Odenwaldgestein aufsetzte? Lag die Betonung derer, Männer, wußte Vivian, welche die synthetische Damenstrumpfhose dereinst erfunden hatten, nun in der Transparenz des Kleidungsstückes oder in seiner dennoch graduell verhüllenden Funktion? Vivian Atkinson hatte Lust, sich diese Frage zu notieren, erhob sich von der Couch und lief zu ihrer Arbeitsplatte zurück; zweifellos ließ sich Durchsichtigkeit gar nicht ohne ihren stofflichen Gegenpart denken. Auf dem Bildschirmschoner tauchten soeben, von rechts, die Worte Vivian Atkinsons Bildschirmschoner auf. Die Studentin drückte eine Taste, und schon stand jener Text erneut vor ihren Augen, den sie, der rosarot leuchtenden Steinbrüche halber, vorübergehend verlassen hatte. Kaum hatte sie sich gesetzt, bemerkte sie irritiert, daß sich, womöglich seit geraumer Zeit, eine Langspielplatte, nämlich die neue der Gruppe Bikini Kill, Reject All American betitelt, in ihrer Auslaufrille drehte. Also stand sie abermals auf und drehte die bei Kill Rock Stars in Olympia, Washington, erschienene Schallplatte auf ihre B-Seite.

Riot Girls wie Bikini Kill hatten sich seit jeher absichtlich Laufmaschen in die Nylons gemacht. Vivian aber hatte ihren Gecken im Supermarkt typisch männlicher Achtlosigkeit bezichtigt, woraufhin sich dieser völlig unsinnigerweise ermächtigt gefühlt hatte, auf die atemberaubende Anmut ihrer, wie er fachmännisch befand, perfekt weiblich geschwungenen Waden hinzuweisen. Danke für die Beine, diese blödsinnigen Worte hatte er Vivian, als sie den mäßig belebten Selbstbedienungsladen verließ, noch hinterhergerufen. Darauf aber wollte der jungen Frau Atkinson nichts mehr einfallen, und also hielt sie ihren Mund, welchen als den betörendsten der Welt zu preisen der geile Galan mit Sicherheit als nächstes angehoben hätte. In Marjorie Garbers Buch Vested Interests hatte Vivian vor einigen Wochen von den Hasty Pudding genannten Shows an der Harvard University gelesen, bei denen alle Rollen von Männern gespielt wurden. 1917, wenige Wochen vor dem Kriegseintritt der USA, waren die Bostoner Zeitungen voller ausführlicher Berichterstattungen über eine Streitigkeit zwischen dem örtlichen Zensor und der Universität gewesen, nachdem sich die genetisch männlichen Darsteller der Tanzmädchen angeblich geweigert hatten, auf der Bühne Seidenstrümpfe zu tragen. Die Bostoner Legislative aber, doppelzüngig genug, fand Vivian, hatte es strikt verboten, daß Revue Girls mit nackten Beinen aufträten, weshalb sich nun der gestrenge Zensor genötigt sah, die aufreizende Bestrumpfung auch der Damenimitatoren obrigkeitlich durchzusetzen. Vivian saß längst wieder an ihrem Computer. Ein Junge im Tanzkleid war, 1917 in Boston, kurz bevor er in den Kriegsdienst eingezogen wurde, so sehr ein Mädchen, daß auch sein bloßes Bein als das eines solchen gedeutet wurde, weshalb es, hauchdünn bestrumpft, welcher geschlechtlichen Bestimmung eigentlich zugeführt wurde? Einer doppelt feminisierten? Und war damit der bezeichnenden Funktion von Kleidung eine quasi tautologische Qualität zugewachsen oder vielmehr deren Dialektik unter Beweis gestellt worden? Der jungen Studierenden brummte der Kopf: Das Weibliche schien ihr nicht mehr zu sein als eine Hülle, ein Kostüm, ein Paar durchsichtiger Strümpfe. Doch welchen kategorischen Stellenwert würde in diesem Szenarium ein unbestrumpftes, genetisch weibliches Tanzmädchen besetzen? Ein solches, professionelles, hat es, im Dienste der Männerwelt, wahrscheinlich nie gegeben, schloß Vivian Atkinson ihren wissenschaftlichen Fragenkatalog für heute ab.

Es hatte die Studentin im vergangenen Herbst einige Überredungskünste gekostet, bis sie ihren Professor davon überzeugt hatte, den zentralen Gedankengang ihrer Magisterarbeit ausschließlich interrogativ formulieren zu dürfen. Stundenlang hatte sie ihm in diversen Heidelberger Cafés, bei schönem Wetter auch auf den Neckarwiesen, aus den mehr oder weniger dekonstruktivistischen Werken jüngerer, mehrheitlich US-amerikanischer Feministinnen vorgelesen, dabei sogar in Kauf genommen, daß der Dozent glauben konnte, sie habe sich in ihn verschossen, aber der postlacanistische Gelehrte, bei dem Vivian über die vertrackte Triade von Haben, Sein und Scheinen arbeitete, machte sich offenbar gar nichts aus Frauen, so gleichsam autistisch, nicht einmal schwul, wirkte er, bis er eingesehen hatte, daß eben die Stärke vieler jüngerer, noch nicht kanonisierter Feminismen in deren tatsächlich revolutionären Fragestellungen lag. Fassen Sie doch, pro forma, wenigstens Ihre Überschriften ohne Fragezeichen ab, hatte die bleiche Lehrkraft, am staubigen Leinpfad des Neckars lungernd, auf einem albernen Lolli herumlutschend, eingelenkt, und Vivian Atkinson hatte endlich grünes Licht, den misogynen Repliken Otto Weiningers einige intelligente, eben ganz und gar nicht nach billigen Antworten heischende Fragen zu-, womöglich auch überzuordnen. Keine Gretchenfragen, großes Ehrenwort.

Die Magistrandin hatte ihrem Professor die Hand gereicht, ihn aus dem Staub zu sich heraufgezogen und seine mageren Schultern abgeklopft, damit er im Hörsaal nicht aussähe, als wäre er beim Kaulquappenfangen ausgerutscht. Tatsächlich hatte der Professor einmal ein stinkendes Glas mit Kaulquappen in der Mensa stehengelassen, halbtote Kreaturen, die er auf seinem täglichen Weg zur Arbeit aus den morastigen Uferauen des Neckars gefischt hatte; denn er kam immer, bei absolut jedem Wetter, den Philosophenweg mit seinem Rad herunter, und dann, scharf links, den Fluß entlang, herauf bis zu der alten, nicht erst von Goethe besungenen Karl-Theodor-Brücke. In jüngeren Jahren sei er den Philosophenweg, von den Physikalischen Instituten aus, oberhalb derer er ein Gartenhäuschen bewohnte, auch hinan geradelt, um, hoch über der Alten Brücke, sein Rad zu schultern und den halsbrecherischen Schlangenweg hinab zu tragen. Dann hatte der Professor ein Damenfahrrad geschenkt bekommen und feststellen müssen, daß sich Damenfahrräder, ohne die nötige Mittelstange, so gut wie gar nicht schultern ließen. Der Amerikaner Allen Ginsberg hatte einst oben am Philosophenweg gestanden und gleich über die gesamte, zumeist dunstige Ebene, welche sich vor ihm ausbreitete, ein Beat Poem verfaßt, das sogar die chemischen Werke Ludwigshafens inkorporierte. Vivians Mutter hatte daraus die folgenden Zeilen auswendig gekonnt: Highdelbergh below, orange roofed, misty under grey cloud flowing over oak ridge, across the red stone bridge, over brown Neckar waters, flowing west to the Rhine plains; supporting BASF. Nicht lange nach der Zerschlagung der IG Farben standen sogar am unteren Mississippi BASF-Werke, hatte Vivians Daddy zu berichten gewußt, und natürlich gab es auch ein kleines Heidelberg im Staate Mississippi. Vivians Professor schrieb keinerlei Gedichte, aber angeblich war er einmal mit Judith Butler in einer seit vielen Jahrhunderten von studentischen Gesäßen blankgewetzten Heidelberger Schwemme Bier trinken gegangen. Hoffentlich hatte er damals noch nicht die Angewohnheit besessen, dachte die Studentin heute, sein Oberhemd so absolut unübersehbar in der Unterhose zu tragen. Wahrscheinlich aber schon.

Bei aller unfreiwilligen Komik landläufigen maskulinen Gebarens, wollten Vivian und ihre Kommilitoninnen in einer Welt ganz ohne Männer nicht leben. Wobei eine von ihnen, Frauke Stöver, welche soeben der OEG entstieg, einer Art Überland-Trambahn, deren Streckennetz ein Dreieck zwischen Mannheim, Heidelberg und Weinheim beschrieb, der körperlichen Liebe zum männlichen Geschlecht bereits als Teenager abgeschworen hatte. Frauke schlenderte, inmitten eines trägen Grüppchens Ortsansässiger, um das kleine Bahnhofsgebäude herum und machte sich auf den Weg zu dem alten, in den neunziger Jahren zu einem Mietshaus umgebauten Tabakspeicher, in welchem ihre, wie sie befand, zwangsheterosexuelle Freundin Vivian auf Daddy Atkinsons Kosten wohnte und arbeitete. Neben den Treppenstufen zum Eingang, geklingelt hatte sie schon, fand Frauke einen Stapel amtlicher Flugblätter, windige, fettige Zettel, welche die Überschrift Zeugenaufruf trugen, Untertitel: Auftreten britischer Teerkolonnen im Gemeindegebiet. Doch da summte schon der Summer, und Frauke ließ die Zettel Zettel sein. Oben am Fahrstuhl stand, frisch gekämmt, blumig duftend, Vivian, was für ein Jammer, dachte Frauke, und doch hatten beide, die sich 1995 über Weiningers Geschlecht und Charakter kennengelernt hatten, seit dem letzten, weitgehend verregneten Sommer ein gemeinsames Hobby gefunden in dem zweisamen Abhören aufständischer nordwestamerikanischer Mädchenpunkrockplatten, bei zartem Jasmin-Tee oder kräftigem Eichbaum-Bier, je nach der Tageszeit und Tagesform. Nun war der backsteinerne Tabakspeicher wahrhaft solide ausgebaut worden, so daß die beiden Frauen ihre Schallplatten, ungestört, mit dem Lautstärkeknopf auf Rechtsanschlag anhören konnten. Frauke gab Vivian einen flüchtigen Kuß und öffnete ihren Rucksack. Darin klemmte Vivians geliebte Team Dresch-LP Captain My Captain, die Frauke sich ausgeliehen hatte, nachdem die beiden sie bereits gemeinsam durchgehört hatten, bei Vivian, denn Frauke Stöver, um einige Jahre älter als ihre schallplattenversessene Freundin, lebte mit drei Lehrerinnen in einer ungewöhnlich hellhörigen Wohngemeinschaft an der gewerblichen Peripherie von Handschuhsheim, wo sie, seit Jahren und einfach nicht zu Rande kommend, über die Vorhaut Jesu promovierte. Eben die bei Frauen eher seltene Schallplattenversessenheit Vivian Atkinsons war Frauke einst trügerisches Indiz dafür gewesen, daß ihre hübsche Kommilitonin gleichfalls lesbisch sein mußte. Nachdem sie nun die Schallplatte aus dem Sack gezogen und ihre Gastgeberin zum Sofa bugsiert hatte, zog die platinblonde, an der Ostsee aufgewachsene Stöver auch die Innenhülle aus dem Cover und übersetzte umständlich, es nützte nichts, daß Vivian genervt bekräftigte, ihn bereits mehr als ausreichend zu kennen, den darauf faksimilierten Fanbrief einer gewissen Ann an Kaia Lynn Wilson, eine der beiden Sängerinnen und Gitarristinnen der Mädchengruppe.

7. 7. 95. Liebe Kaia. Okay. So befinde ich mich also hier mitten in den Wäldern des nördlichen Minnesota. Ich habe ja solchen Spaß hier. Ich arbeite, für kein Geld, in einem klitze-

kleinen Stützpunkt von Kanufahrerinnen, Pfadfinderinnen, inmitten der Wälder. Weiß ich doch alles, unterbrach Vivian, die ungeduldig aufgesprungen war, ihr Cord-Kleid glattgestrichen hatte und den Tonarm ihres professionellen Technics-Plattenspielers, das aufmerksame Geschenk eines gefeierten Ludwigshafener House DJ's, über Sleater-Kinneys Call The Doctor-LP schweben ließ, Frauke, mit dieser Epistel wirst du mich auch nicht herumbekommen. Wir ziehen in Gruppen von ungefähr acht Personen los und paddeln etwa zehn Meilen pro Tag, fuhr Frauke fort, es ist sehr ruhig hier, und das Wasser so klar, daß wir es direkt aus dem See trinken können, aber laß mich mal einige Absätze überspringen, Vivian, wo es um das dem Pfadfinderinnen-Lager nächstgelegene Kaff geht: Vor einigen Tagen spazierten vier unserer Führerinnen die Hauptstraße entlang, und sie hatten eine Begegnung mit einem seltsamen Typen. Der Kerl sagte zu einer der Führerinnen: Hey, wenn du ein Mann mit nur einem Quentchen Verstand bist, solltest du diese Dame da heiraten, wobei er auf eine andere Führerin zeigte. Das war irre lustig, weil sie, erstens, alle Frauen waren, zweitens, zwei von ihnen Kesse Väter, und zwar die beiden, mit denen er gesprochen hatte, und schließlich, seit wann geht eine Person herum und sagt den Leuten, wen sie zu heiraten haben? Genau, bemerkte Vivian und ließ den Tonarm hinunter, woraufhin, täuschend echt konserviert, Carrie Kinney und Corin Tucker ihr Call The Doctor zu singen begannen, aber die Doktorandin war noch nicht fertig, denn Fan Ann hatte zwei Briefe geschrieben, und den zweiten, gleichfalls faksimiliert, an die gesamte Band.

Vivian Atkinson ließ sich an ihrer Arbeitsplatte nieder. Gegen Mitte des umständlichen Schriftstücks verlangsamte die mittlerweile dank Sleater-Kinneys donnerndem Getöse fast heisere Frauke Stöver ihr Lesetempo und deklamierte in feierlichem Tremolo: Wir schleppen riesige Kanus durch den Sumpf, machen Lagerfeuer und hängen unseren Proviant so hoch, daß ihn die Bären nicht erwischen können. Jedenfalls war ich ungefähr eine Woche in diesem Kanutinnen-Lager, als ich feststellte, daß ich mich, und hier kommt sie jetzt aus dem Schrank, so Frauke, total in eine der Führerinnen verknallt hatte. Sie war so ehrfurchtgebietend, steht wirklich so da, Vivian, und da war etwas, vielleicht sollte ich es mit lag etwas in der Luft übersetzen, japste Frauke, das mich total kribbelig, Querstrich, zermatscht fühlen ließ. Sie schreibt: Und es war so ganz anders, als auf einen Jungen zu fliegen. Wenige Zeilen später wiederum: Es ist so aufregend, draußen in den Wäldern zu sein, fern aller Zivilisation, zehn Tage lang mit nur einem Paar Hosen, nur einem Hemd, Schlafsack, einem Zelt, einem kleinen bißchen Rüstzeug, etwas Nahrung, einem Kanu und sechs weiteren Mädchen. Ich könnte stundenlang davon erzählen. Sagst du oder sagt Ann, fragte Vivian ermattet. Schreibt Ann, sagte Frauke und fuhr abermals fort: Es handelt sich um eine Gruppe von rund zwölf Mädchen im Alter von circa sechzehn bis vierundzwanzig Jahren, und wir schmeißen das gesamte Kanutinnen-Lager. Vivian fiel ein, wie Frauke sie einst in eine retrospektive Kino-Nacht mit den Filmen des Doktor Fanck geschleppt hatte, düstere, erotisch aufgeladene Bergstreifen, in denen meistens Wildfang Leni Riefenstahl über die Abhänge und vor die Kamera tollte. Warum eigentlich, beckmesserte sie, während Sleater-Kinneys I Wanna Be Your Joey Ramone aus den Lautsprechern schmetterte, konnte denn Luis Trenker nicht lesbisch sein? Zeit, das erste Paar Eichbaum aufzumachen, antwortete die Ältere, um einige Zentimeter Kleinere, auffallend unwirsch, abgesehen davon: Die größten Sängerinnen des Blues, alles Lesben.

Tatsächlich war Luis Trenker, der die sehnige Leni für Doktor Arnold Fanck hatte küssen müssen und bald selbst ganz ähnliche Bergfilme zu drehen begann, während die untote Riefenstahl, so Vivian, noch bis vor kurzem auf virilistisch heroisierten Rassekörpern herumzoomte, ein blutsverwandter Ahne Giorgio Moroders gewesen, welcher mit seinen stimulierend repetitiven Münchner Disco-Entwürfen der siebziger Jahre so mancher schwulen nicht nur Zimmerparty zu unvergeßlichen Höhepunkten verholfen hatte. Und hatte nicht Moroders berühmteste Protagonistin, Donna Summer, Afroamerikanerin, entdeckt für die deutsche Version des Musicals Hair, in Mannheim gewohnt, mit einem deutschen Mann, unweit des zwischen zwielichtigen Etablissements wie der Texas oder der Dallas Bar liegenden Judo Clubs, in welchem die junge Vivian Atkinson sich zu verteidigen, selbstzuverteidigen, wie es hieß, erlernt hatte? Und hatte sich Donna Summer, deren frühe Platten sowohl Fraukes als auch Vivians antiquarische Sammlung zierten, nicht später ganz undankbarerweise entblödet, homosexuellenfeindliche Hetze zu verbreiten? Stand Vivian, sogenannter Army Brat, die in den US-amerikanischen Kasernen bei Heidelberg aufgewachsen war, an ihrem kleinen OEG-Bahnhof, konnte sie sich entscheiden, ob sie den elektrischen Zug nach Heidelberg oder jenen nach Mannheim nehmen wollte. Der nach rechts fuhr zielstrebig Richtung Mannheim, das waren elf Kilometer, der nach links steuerte das nur sieben Kilometer entfernte Heidelberg an. Manchmal nahm die Studentin, vor allem in den Semesterferien, einfach den erstbesten Zug, egal wohin, manchmal aber befiel sie eine enorme Lust gerade auf das verrufene Mannheim, das meistens sogenannte häßliche Mannheim, das ihr, sie gestand es offen ein, unter dem Strich besser gefiel als das niedliche Alt-Heidelberg. Dann ließ sie die OEG nach links sausen und wartete, es mochte Hunde und Katzen regnen, der karge Warteraum verrammelt sein, auf den rotweißen Triebwagen nach Mannheim; wie schon mit dreizehn Jahren, von Heidelberg aus, dem Recreation Center entfliehend, zum Judo Club, in dem ihr allererster Schwarm, der Grieche Joe aus Schwetzingen, die Kinder und Heranwachsenden trainierte. Heimlich hatte sie sich damals, kaum aus der Haustür, die knospenden Brüste abgebunden; weite Jokkey Shorts umspielten ihren erwachenden Schoß.

Vivians befreit sich wähnende, rund um die Uhr Doors-Platten hörende Mutter aber, ein deutsches Fräuleinwunder namens Gerlinde, wäre am liebsten ganz oben ohne, also mit nacktem Oberkörper, durch das Patrick Henry Village gelaufen, den verspiegelten Kleiderschrank voller hauchdünner Blusen, durch welche hindurch ihr die feierabendlichen GI's auf den Busen zu starren beliebten. In den USA wäre sie mit derlei durchsichtigem Fummel sofort ins Kittchen gewandert. Erst Ende der achtziger Jahre hatte ihr hochaufgeschossenes einziges Kind auch mit der Frauenrolle umzugehen gelernt und die protestantische Brustbandage durch den katholischen Büstenhalter ersetzt. Als Zeichen geschlechtlicher Reife, womöglich des Erwachsenseins, wollte die ausgeflippte Mami dieses unzweifelhaft ambivalente Kleidungsstück aber erst recht nicht anerkennen. Die Hole-Schallplatten, welche Vivian bald darauf zu sammeln begonnen hatte, verdammte sie genauso wie diejenigen Madonna Ciccones, mit welchen Gastarbeitersohn Joe regelmäßig vorbeikam, und bald nach der Wiedervereinigung Deutschlands war Gerlinde Atkinson mitsamt ihrem ganzen Klimbim sowie einem blutjungen, sehr deutschen Siemens-Ingenieur nach Atlanta, Georgia, abgeflogen; rund ein Jahr vor ihrem verlassenen Ehemann, der noch einiges, nämlich die seit dem Ende des Kalten Krieges hinfällige US-amerikanische Besatzungsarmee zwischen Rhein, Main und Neckar, abzuwickeln hatte und später in Washington, D.C., landen sollte. Also war Vivian Atkinson, mittlerweile volljährig, abgesehen von den sporadischen Kontaktversuchen ihrer Hanauer Großmutter, ganz ohne Familie in Deutschland zurückgeblieben, in dessen American Sector sie 1973 geboren und dessen komplizierte Muttersprache ihr zur zweiten Natur geworden war, hatte sich, außerhalb der Barracks, einst bevorzugtes Angriffsziel antiimperialistischer westdeutscher Freischärler, an der Ruprecht-Karls-Universität Heidelberg eingeschrieben und dort zunächst, bevor sie sich an die philosophischen Fersen Judith Butlers heftete, an die historisch objektive Sicherung des Sozialistischen Patientenkollektivs gemacht.

Du siehst ja ganz anders aus, irgendwie verändert. Hans Mühlenkamm drehte verlegen an den Knöpfen seiner UPS-Jacke. Nicht, daß er je für den weltweiten Paketdienst gearbeitet hätte, aber er liebte dessen braune Uniformen und hatte auch eine Spur krimineller Energie zum Erlangen einer solchen aufwenden müssen; Jacke wie Hose wurden jedoch strikt voneinander getrennt ausgeführt. Vivian behauptete forsch, sie wisse nicht, inwiefern sie sich verändert haben sollte. Innerlich aber ging ihr ein Licht auf: Galt es in ihren aufgeklärten Kreisen als sozial komplett unmöglich, explizite Komplimente zur körperlichen Anziehungskraft von, Korinnas neuester Lieblingsausdruck: Leibesinseln zu machen, war Hänschen Mühlenkamm hier quasi durch eine Lücke der außerparlamentarisch korrektiven Gesetzgebung geschlüpft. Mit seiner offensichtlich anerkennend gemeinten, latent einschmeichelnden Anspielung auf Vivians herausgewachsene Kurzhaarfrisur hatte er die in mehrfacher Hinsicht hierarchisierende, immer unter Sexismusverdacht stehende Preisung körperpartikulärer Schönheit durch die tendenziell zunächst einmal positiv gefaßte Kategorie einer, wenngleich hier ausdrücklich unbestimmten, Abweichung ersetzt und damit Qualität durch Differenz, die galante Konstruktion durch äquivoke Empirie. Hierzu würde sich die Vierundzwanzigjährige, der ahnungslose Hans war eben pinkeln gegangen, einmal in aller Ruhe gründliche Gedanken machen, vielleicht auch ein paar offene Fragen notieren wollen. Überhaupt kein Problem dagegen, als Vivian nun, im ungleichen Gegenzug, des fröhlich zurückkehrenden Freundes hochmodische Aufmachung lobte. Sie hatte den zwanzigjährigen Gelegenheitsarzthelfer letztes Jahr, oben am Schloß, auf einer Veranstaltung der unabhängigen Plattenfirma Source kennengelernt. Beide schwärmten für deren klangvolle, instrumentale Veröffentlichungen, weshalb Hans Mühlenkamm auch nicht verstehen wollte, inwiefern sich seine neue Bekannte überhaupt noch mit textlastigen Schallplatten wie denen von Bikini Kill aufhalten konnte. Was ein bißchen prätentiös war, denn schließlich exzerpierte Hans seit einigen Monaten regelmäßig Lyrics wie, gerade gestern erst, Jeannie C. Rileys He Made A Woman Out Of Me, um sie, verbal, der feministischen Wissenschaft zuführen zu können. Aber auch Vivian Atkinson, regelmäßige wie begeisterte Besucherin kleinerer House und Techno Clubs, war bereits des öfteren aufgefallen, daß die abstrakte elektronische Popmusik in erster Linie von Männern hergestellt wurde, während sich das Bandwesen in den neunziger Jahren ganz extrem feminisiert und damit den ihm anhängenden Phallozentrismus sozusagen kastrativ überwunden hatte. Das mag ansatzweise angehen, hatte Hans Mühlenkamm auf einem Spaziergang zur Molkenkur erwidert, wenn auch nicht unbedingt für deine letztendlich doch wieder phantombeschwänzten Lesben-Combos aus dem pazifischen Nordwesten der USA. Kaum jemals hingegen war Hans etwas so wenig phallisch ins Gehör gedrungen wie die sanfte Elektronik von RO 70 aus dem Hause Source.

Was waren das nun für Männer, neue Männer, mit großem N womöglich, die diese faszinierende Musik produzierten? Selbst Elvis Presley, Nachfahre der pfälzischen Presslers, wie des bezeichnenderweise auch Das Becken, The Pelvis, genannten Künstlers Erben erst kürzlich herausgefunden hatten, war dereinst, abgesehen davon, daß er selbst in der Grand Ole Opry Lidschatten trug, so ein Neuer Mann gewesen, als er sich nämlich, wußte Vivian, vor seinem Auftritt eine leere Klopapierrolle in die Unterhose gehängt und damit, per abnehmbarem Teil ja nur vermeintlich maskulinisiert, die

Verfügbarkeit auch der Männerrolle, im wahrsten Sinne des Wortes, herausgestellt hatte; zumindest mal für sich und seinen privaten Kreis. Und ganz besonders für die Öffentlichkeit herstellenden Exegeten, mehr noch Exegetinnen, ergänzte Hans, der diese ambivalente Anekdote in jener unwesentlichen Abwandlung kannte, bei der die hohle, lose Papprolle durch einen massiven, in die Wäsche eingenähten Stahlbarren ersetzt worden war. Der Mann als Männerdarsteller? Eigentlich Frauendarsteller, fand Vivian, denn nur eine Frau hätte Verwendung für einen Penis-Ersatz. Und schon bald waren Legionen intuitiver Elvis-Imitatoren aller Rassen und Geschlechter aufgetreten. Der kleine Eingriff im Schlüpfer als großer Schritt für die menschliche Erkenntnis, kalauerte der Arzthelfer, und für einen kurzen Augenblick ereilte Vivian Atkinson der Anflug eines Gefühls, als habe sich die von ihren Eltern hochgerüstete Welt um eine wesentliche Winzigkeit verbessert. Direkt spürbar, bemerkte auch Hänschen Mühlenkamm, der im selben Moment allerdings nichts elektrisierender zu finden schien, als neben dem Army Brat mit dem herausgewachsenen Bubikopf zu sitzen, in dieser von per Handzetteln rekrutierten, überwiegend weiblichen Studenten frequentierten Handschuhsheimer Pizzeria, auf Frauke Stöver wartend, welche bereits vor gut zwanzig Minuten ein Referat über die Lesbierin in der aktuelleren Popmusik begonnen haben wollte.

Die Stöver kommt immer zu spät, wußten sowohl Vivian als auch Hans, mit dem Frauke 1996 zwischenzeitlich einmal sogar beinahe zur Seite gesprungen wäre; stümperhaft hergestellte Ecstasy-Pillen hatten die beiden damals ganz unmittelbar ins sexuelle Aus befördert, und noch beim gegenseitigen Ankleiden am folgenden Morgen hatte sich Frauke hoch und heilig geschworen, nie wieder bei einem Mannsbild zu schlafen, und sei es auch ein nahezu unbehaartes wie Hans, den Frauke Hänschen Pompadour getauft hatte. Tut mir schrecklich leid. Klatschnaß trat Frauke Stöver, die doch eigentlich knapp um die Ecke, am Gewerbegebiet, wohnte, aus dem Regen in die Trattoria. Die Country-Sängerin k.d. lang, zu der Madonnas berühmte Bemerkung kolportiert wurde: ich sah Elvis, und sie war wunderschön, hatte sich einst, männlich gekleidet, für ein Titelfoto der Zeitschrift Vanity Fair von dem Fotomodell Cindy Crawford, auf einem Barbierstuhl zum Rasieren, nein, wie zum Rasieren, einseifen lassen, womit das an einer weiblich heterosexuellen, Frauke triumphierte, zwangsheterosexuellen Leserschaft orientierte Magazin einen überraschend großen Verkaufserfolg landen konnte. Nichts Neues auf dem Zeitschriftenmarkt, derlei die Geschlechter überschreitendes Käuferverhalten, führte die Vortragende, deren WC von mannshohen Stapeln alter Playboy-Nummern flankiert wurde, aus, wer aber hatte nun dieses Vanity Fair-Heft so massenhaft erworben? Sapphische Lesezirkel? Brave Männer, die für den Anblick lesbischer Ensembles schon immer zutiefst empfänglich gewesen waren? Mitsamt ihren koketten, unverbindlichem Lesbian Chic ergebenen Ehefrauen? Hier flogen nun zahlreiche Hände zappelnd in die Luft. Dermaßen suggestiv hatte die kühle Frauke ihre schwierige Angelegenheit in den mikroklimatisch heftig dampfenden Raum gestellt, daß sie sich kaum mehr das Wort zurückzuerobern vermochte. Doch schließlich beruhigte sich das speziell interessierte Publikum wieder, jemand kippte gar das Fenster zum Hof, und Frauke Stöver aus Travemünde referierte fort: Phranc, eine herbe Folksängerin mit Bürstenhaarschnitt, hatte einigen subkulturellen Erfolg mit ihrem Lied I Enjoy Being A Girl landen können, die studentisch niedliche Jill Sobule einen Smash Hit mit I Kissed A Girl; der Junge da hinten hat alles fein säuberlich exzerpiert. Frauke hatte alle potentiellen Fragestellerinnen auf den Schluß ihrer Ausführungen vertröstet.

Eine der drei Lehrerinnen, mit denen sie im Norden Handschuhsheims gemeinschaftlich wohnte, hatte den Mädchennamen Schayszhaus besessen, vielmehr noch dieser sie besessen gehabt, und zwar so sehr, daß die damalige Referendarin sehr früh, viel zu früh, meinte Frauke, jedenfalls, bevor sie sich ihrer gleichgeschlechtlichen Veranlagung bewußt geworden war, einen zwielichtigen Leimener Studienrat namens Schulze geheiratet hatte. Nach drei wahrhaft höllischen Ehejahren sowie der alptraumhaften Geburt ihres Sohnes Hartmut reichte die von vorn und hinten betrogene Frau Schulze die Scheidung ein und nahm lieber ihren Mädchennamen wieder an, woraufhin bald die ganze Gemeinheit der Grundschülerschaft über sie hereingebrochen war, welche keine Gelegenheit ausließ, die Lehrerin, höhnisch bellend wie unangreifbar, bei ihrem lächerlichen Namen zu nennen. Kurzum, fuhr sich Frauke durch das platinblonde Haar, die Schayszhaus ging aufs Amt und ließ ihren Namen ändern, in Lehrerin, so daß die grundgemeine Schülerschaft sie fortan nur noch mit Frau Lehrerin anreden durfte. An sich ein prima Zug, schloß Frauke Stöver ihre wahre Anekdote, das Da Capo dieses Abends in der Lesben-Pizzeria, ab, zumal sich von nun an auch der mittlerweile zweiundzwanzigjährige Hartmut mit Lehrerin ansprechen lassen durfte. Ilse Lehrerin, die aufrecht unter einem mit Caprifischern vollgemalten Ölschinken saß, klatschte als erste in die Hände. Sie liebte es, wenn ihre Mitbewohnerin von ihrem nominalen Werdegang erzählte, und so ganz hatte sie auch jene Hoffnung noch nicht aufgegeben, welche Frauke seit bald zwanzig Semestern ein festes Dach über dem Schopf zusicherte, nämlich eines sonnigen Tages als Ilse Stöver aus einem süßen Heidelberger Standesamt treten zu dürfen.

Frauke aber, die auf des Heilands Vorhaut über ihre Studien zu der katholischen Sängerin Madonna Ciccone als postmoderner Verkörperung der phallischen Mutter Sigmund Freuds gestoßen war, zeigte sich schon seit Jahren genervt von Ilse Lehrerin und hatte es darum heute abend auch allen Ernstes vorgezogen, noch eine Runde im Regen zu drehen, als mit der wie immer viel zu zeitigen Wohngenossin konversieren zu müssen. Nicht viel besser sah es mit Genoveva und Pat aus, zwei tristen Tribaden aus dem Darmstädter Raum, Untermieterinnen seit 1980 bei Ilse, welche die Wohnung am frisch aus dem Boden gestampften Gewerbegebiet, direkt nach der Scheidung, zunächst allein mit ihrem kleinen Hartmut, angemietet hatte; fälschlicherweise noch unter dem abgelegten Namen Schulze. Frauke, die kaum jemals selbst Mädchen nach Handschuhsheim mitgenommen hatte, erinnerte sich daran, daß der frühreife Hartmut einen ganzen Reigen aparter Frauen in diese von melancholischem Hauch benetzten Räumlichkeiten zu locken vermocht hatte. Doch Ilses Sohn war letzten Sommer aus- und in die neue deutsche Hauptstadt umgezogen, wo er, wie Frauke auf ihrer nächsten Veranstaltung erzählen würde, als Domina im Diplomatenviertel jobbte. Was natürlich didaktisch erstunken war, denn Hartmut Schulze-Lehrerin, wie Frauke Stöver den um nur neun Jahre jüngeren kennengelernt hatte, würde, bei aller offenkundigen Anziehungskraft auf das andere Geschlecht, eher noch selbst zu einer kommerziellen Zuchtmeisterin pilgern, als daß er überhaupt imstande wäre, geschweige denn Lust hätte, eine solche überzeugend zu verkörpern. Daß der Handschuhsheimer im neuen deutschen Reichstag untergekommen war, und dort sogleich, für seine jungen Jahre, ziemlich weit oben, paßte nun partout in keine von Frauke Stövers zum öffentlichen Vortrag geeigneten Geschichten.

Vivian und Hänschen hatten sich voneinander verabschiedet; am Heidelberger Hauptbahnhof war der engagierte Kavalier in eine Straßenbahn umgestiegen und seine unbeugsame Freundin in der OEG, für Oberrheinische Eisenbahngesellschaft, sitzengeblieben. Es war durchaus möglich, daß sich die beiden ein weiteres Vierteljahr nicht zu Gesicht bekommen würden. Ohne Hans Mühlenkamms vorherigen Anruf wäre die Studentin heute auch sicher nicht nach Handschuhsheim gefahren. Ja, sie wäre letzten Endes keine Sekunde lang eifersüchtig gewesen, wenn Hans Frauke 1996, im gemeinsamen Ecstasy-Rausch, umgepolt hätte. Als sie die ausgestorbene Edinger Bahnhofsstraße zu dem in der Dunkelheit thronenden Tabakspeicher mit seinen modernen Apartments, Frauke schimpfte sie Lofts, hinunterbummelte, vernahm Vivian, wie die Straßenlaternen lebhaft in der Luftfeuchtigkeit summten. Ganz verzaubert hielt sie inne und drehte sich einmal im Kreis. Offensichtlich hatten sich alle Wolken am Odenwald abgeregnet, und von Westen her klarte langsam ein tiefschwarzer Nachthimmel auf, der seit einiger Zeit allabendlich vom langen Schweif eines Kometen bekränzt wurde, welcher nur alle zweitausend Jahre an der Erde vorbeizog. Der Frühling war eben eine Stunde alt geworden; also bimmelte artig zuerst die römisch-katholische Kirchenglocke in der Ferne, dann die protestantische an der Hauptstraße, welcher sich Vivian mittlerweile näherte, da sie auch ihrem anno Tobak unweit des Neckars errichteten Speicher die Adresse lieh.

Einige Tage später hatte sich in den USA eine ganze Sekte ins Jenseits befördert, um mit dem luziden Kometen auf intergalaktische Reise zu gehen. Ihre sterblichen Hüllen hatten die Abergläubischen derweil in einer kalifornischen Luxussiedlung zurückgelassen. Knapp darunter lächelte einem Courtney Love, Hole-Sängerin, Cobains Witwe, in Hollywood, der Traumfabrik, aus einem jungfräulich weißen Abendkleid entgegen, das sie auch am Fürstenhof Monacos hätte tragen können: Vivian Atkinson konnte nicht eine einzige Laufmasche ausmachen, faltete nachdenklich den Mannheimer Morgen zusammen und magisterte weiter an ihrem Thema herum. Bedeutete das Tragen einer transparenten Strumpfhose, egal von wem, per se Female Impersonation? Darüber hinaus: Wie ließe sich dieser angloamerikanische Terminus überhaupt ins Deutsche bringen? Damenimitation wäre gewiß nicht die richtige Vokabel. Und kann Female Impersonation jemals Feminist Impersonation sein? Bereits vor ihrem einstigen Idol Courtney Love hatte Vivian damit begonnen, spielerisch, wie sie für sich befunden hatte, auch damenhafte Garderobe überzuziehen. Wo aber begann der Mode Ernst, ab wo erlag die als attraktiv attribuierte Soldatentochter in diesem womöglich nur vermeintlichen Spiel den, sprichwörtlich, kaum verhüllten Interessen männlicher Couturiers? Und wie konnte es kommen, daß diese sogenannten Modeschöpfer, Schamanen gleich, als wenig maskulin, ja verweiblicht galten, wo sie doch gleichzeitig den schmutzigsten Männerphantasien, Gewaltphantasien in der Regel, nicht nur dienten, sondern diesen gewissermaßen erst Farbe und Kontur verliehen? War dies einer der miesesten Tricks der alteingesessenen Männerherrschaft, die schwulen Schneider für ihre überheblichen Vergewaltigungsstrategien zu instrumentalisieren? Zeit, daß Vivian einmal wieder mit einem Jungen ausgehen würde, in den sie tatsächlich verliebt wäre. Am Telefon, Leitung nach Handschuhsheim, hörte sich das wie folgt an: Ich sollte, liebe Frauke, anläßlich meiner für das sogenannte starke Geschlecht wenig schmeichelhaften Studien, endlich einmal wieder auch meine Zwangsheterosexualität unter Beweis stellen. Frauke aber, die, schon den ganzen Tag in Rage, über Slavoj Žižeks frauenverachtender, pseudolacanistisch verbrämter, kürzlich in Wien erschienener Ode an, ausgerechnet, so beide Kommilitoninnen wie aus einem Mund, Otto Weininger hockte, konnte ihrer glühend verehrten Freundin darin im Augenblick tatsächlich weniger denn je zustimmen, spulte darum lediglich rasch eine kurze, wenngleich spitzfindige Navratilova-Anekdote ab, und schon lagen beide Hörer wieder auf ihren Gabeln.

Vivian erinnerte sich ihres ersten privaten Treffens mit Frauke im Tabakspeicher. Damals waren sie über einen geschwindigkeitsfanatischen Song namens Miles Per Hour, zu hören auf dem Debüt-Album der Gruppe The Third Sex aus Portland, Oregon, aneinandergeraten, und die schon damals ewige Doktorandin hatte die angehende Magistrandin schließlich mit einer typisch deutsch-französischen Anekdote auf ihre Seite zu bringen vermocht, in welcher der französische Philosoph Jacques Lacan den von ihm hochgeschätzten deutschen Philosophen Martin Heidegger mitsamt dessen Gattin in seinen weißen Mercedes Benz gepackt und dermaßen auf die Tube gedrückt hatte, daß seine beiden Passagiere im Nu um ihr Leben zu fürchten begannen. Ein andermal, 1962, hatte Lacan einen sowjetrussischen Psychologen fast zur Weißglut gebracht, indem er behauptete, es gäbe keine Kosmonauten, da es keinen Kosmos gäbe; der Kosmos sei nichts weiter als eine Sichtweise des Geistes. Ein Geniestreich, hatte Vivian, welche, im Umkehrschluß, absolut alles für möglich hielt, gejubelt, das Ostseekind aber hatte dagegengehalten, es gäbe keine Genies. Und wirklich hatte sich ja auch Vivian vorgenommen, fragwürdige Termini fragwürdigen Typen, in diesem Fall jenen des Genies Weininger und den männerbündischen Seinen zu überlassen. Merksatz: Begriffe, die von falschen Gruppen genutzt werden können, sind eben die falschen Begriffe. Frauke Stöver war jedenfalls randvoll mit solchen Anekdoten. Anstatt sich um des Heilands auf Erden verbliebenes Präputium zu kümmern, reicherte sie allerhand weltanschaulichen Klatsch in ihrem Gedächtnis an. Vivian Atkinson, nun, beschloß vorläufig, heute abend doch nicht auszugehen, keinen Hurenbock auszuführen, und kritzelte einen Schwall Worte auf den schmalen Rand ihrer Tageszeitung, um die meisten von ihnen allerdings gleich wieder durchzustreichen: Eintracht, Zwietracht, Niedertracht. Die Tracht Prügel. Und schließlich, ins Reine, also in das bereitwillig schnarrende, elektronische Notizbuch: Von der Tracht zur Mode; zweihundert Jahre Geschlechterpolarität. Die Studentin lehnte sich zufrieden zurück; diese Überschrift könnte ihrem Professor gefallen.

1789 hatte die Bourgeoisie große Energien darauf verwendet, sich auch äußerlich von dem entmachteten, als prunksüchtig, denaturiert, verweichlicht und effeminiert diskreditierten Hofgeschmeiß zu unterscheiden; 1793 dann das Jahr, in dem Rousseau sein denkwürdiges Hosenverbot für Frauen erlassen hatte. Mit der Monarchie war auch die Zeit der mächtigen Regentinnen abgelaufen, denn das Bürgertum war ein durch und durch männliches Ding und sollte ein solches bis an sein Ende bleiben; noch 1990 konnte Luise F. Pusch mit einem Buch namens Alle Menschen werden Schwestern verblüffen. Schillernde Weiblichkeit galt es ab der Französischen Revolution möglichst ausschließlich in generative Frauenkörper einzuschreiben, denn die Frau reflektierte dekorativ, was der Mann war; dies, fand Vivian, wäre einen vermutlich lohnenden Querverweis zu ihrem noch unfertigen Exkurs über die Haute Couturiers wert. Dabei durfte die Studierende, neben allem abenteuerlustigen, interdisziplinären Querfeldein, nicht ganz den irrwitzigen Weininger aus den Augen verlieren, dessen degradierende Mutmaßungen zur Weiblichkeit immerhin den Untertitel ihrer Magisterarbeit mitbestimmt hatten. Stöckelschuh, Rock, Gürtel, Korsett und Mieder unterzogen, ja unterwarfen das Feminine dem rassistisch klassifizierenden, aggressiven Blick des Biedermannes, notierte Vivian Atkinson, legte den Füllhalter beiseite und überlegte kurz, ob sie anstatt rassistisch nicht abermals sexistisch hätte schreiben sollen, oder gar biologistisch; andererseits, erinnerte sie sich, war ihre Kommilitonin Korinna, passionierte Tennisspielerin, die eine alte tschechoslowakische Tatra-Limousine fuhr, in einem ähnlich verzwickten feministischen Zusammenhang einmal sogar mit dem Begriff Kolonialismus ziemlich weit gekommen. Schon wieder die Steinbrüche; Vivian würde sich Vorhänge anschaffen müssen. Sie lief ins Bad, setzte sich auf die Toilette und betrachtete den kaum wahrnehmbaren Flaum an ihren Unterarmen. Wollte der Herrgott, hatte sie sich als pubertierende Halbstarke gefragt, mit ihr als Herr spielen? War es bereits das Fach Damenimitation gewesen, als sie sich später einmal, für einen amerikanischen Liebhaber aus dem Patrick Henry Village, einem Neffen jenes GI's, der bei dem Bombenanschlag der Rote Armee Fraktion vom 24. Mai 1972 unter einem Coca-Cola-Automaten begraben worden war, ihre Achselhöhlen ausrasiert hatte? Demnach der pastellfarbene Ladyshave-Apparat ihrer Mutter, bestimmungsgemäß, ein schnödes Transvestiten-Utensil? Ein schlechter Scherz der Weltgeschichte, die ihr größtes emanzipatorisches Potential mit dem gutbürgerlichen Sturm auf die Bastille entfesselt haben sollte? Und war denn überhaupt erwiesen, daß Gott ein Herrgott war?

Die lärmenden Mädchenpunkrockplatten von der nordamerikanischen Pazifikküste eigneten sich wenig als Hintergrundmusik für derlei Überlegungen. Also drückte Vivian abermals auf den Startknopf ihres Discman, in welchem seit dem frühen Nachmittag Curd Ducas Switched-On Wagner zirkulierte, in ironischer Anlehnung an Walter, heute Wendy, Carlos' famoses Switched-On Bach. Der arme Walter Carlos hatte sich einst sein primäres Sexualorgan abschneiden lassen und durfte sich seitdem als Organistin bezeichnen. Feministinnen aber hatten immer wieder stichhaltige Einwände gegen die sogenannte Geschlechtsumwandlung, eine klassische Männererfindung, so Frauke, vorbringen können, und auch Vivian schien es schleierhaft, wie eine Person als Endziel ihres geschlechtliche Festschreibungen transzendierenden Verhaltens eben jene überwunden geglaubten Kategorien, in einem neuen Personalausweis etwa, erneut und fälschungssicher bestätigt haben wollte. Angeblich führte auch die Zweisprachigkeit unmittelbar in die Transsexualität. Hatte sich Vivian, als Tochter einer deutschen Mutter und eines amerikanischen Vaters, deshalb einst den Busen abgebunden? Nein, sie hatte ihren Körper zu keinem Zeitpunkt einschneidend verändern wollen, ihn vielmehr schon früh als sozialen Effekt zu begreifen gelernt, und sie konnte sich auch nicht erinnern, jemals einen Wechsel des anatomischen Geschlechts überhaupt nur erwogen zu haben. Von anderen hatte sie sich wohl ab und zu, auch gern, für einen Jungen halten lassen, und während deutsche Standesämter geschlechtlich absolut eindeutig bestimmbare Vornamen verlangten, ließ der ambige Name Vivian im englischen Sprachraum des Kasernengeländes tatsächlich beiderlei Zuschreibung zu. Sie selbst war sich ihres Sexus jedoch immer gewiß gewesen.

Soweit okay. Was hieß das nun aber? Bevor Vivians Füller austrocknete: Wo lagen die Teilmengen von anatomischem und sozialem Geschlecht? Warum, eben, konnte Luis Trenker nicht ganz einfach, selbstverständlich, lesbisch sein? Frauke Stöver, einunddreißig, hatte sich diese leichtfertige Bemerkung ihres widerspenstigen Augensterns tatsächlich hinter den Spiegel geheftet. Als 1993 mit dem Abtreten Martina Navratilovas ganze Kolonnen dummdreister Sportreporter die erneute Heraufkunft fraulich parfümierter Tennisspielerinnen in sexy Rüschen-Dessous beschworen hatten, waren Vivian und Korinna, Frauke hatten sie damals noch nicht kennengelernt, in einen heftigen Disput über die politische Bewertung von Unterwäsche schlechthin geraten; wobei keine von beiden hatte mutmaßen können, welchen Zuschnitts auch immer wohl die der jungen Leni Riefenstahl gewesen sein mochte. Und was waren eigentlich Hemdhosen? Korinna hatte der kontroversen, tatsächlich noch munteren Greisin daraufhin sogar einen diesbezüglichen, wie Vivian fand, pikanten Brief nach Oberbayern geschrieben, hingegen, kein Wunder, so Vivian, keinerlei Antwort erhalten. Telefon.

Jemand aus Kuba wollte, in fließendem Deutsch, ein Mitglied des hanseatisch bremischen Tabakhändlergeschlechts sprechen, das dieses badische Gebäude dereinst gewerblich genutzt hatte, und war vollkommen ahnungslos, daß der schöne alte Speicher zu einem modernen Mietshaus umfunktioniert worden war. Höflich gab die Mieterin dem Unbekannten in der Leitung mehrere Telefonnummern durch, darunter diejenige ihrer Hausverwaltung, und hatte ihn schon bald in eine aufschlußreiche Plauderei über die aktuelle Subkultur Havannas sowie die, nach ihrer Überzeugung, seiner weniger, selbstverständliche Vereinbarkeit von Kommunismus und Katholizismus verwickelt.

Faust-Plakate in der Unteren Straße. Würden die Gnome des Odenwalds in die verwinkelten Gassen der Heidelberger Altstadt herabsteigen, um sich die urzeitliche Kraut-Rock-Formation im Konzert anzuhören? Rodney Atkinson hatte eine beträchtliche Sammlung solch kauziger westdeutscher Schallplatten besessen und seine kleine Tochter sehr schnell ehrfürchtigen Respekt vor Fabelwesen wie dem Elektrolurch der Odenwälder Pilzraucher-Combo Guru Guru entwickelt; Vivian konnte sich daran erinnern, im zarten Vorschulalter eine geheimnisvolle Langspielplatte der Kosmischen Kuriere in ihr Kinderzimmer geschmuggelt zu haben. Später, als Tomboy, nach ihren allabendlichen Streifzügen mit Joe, hatte sich die kleine Atkinson über ganz andere Schallplatten ihrer Eltern hergemacht, niemals jedoch, Ehrenwort, Hans, über die schauderhaften Doors der Mutter. Nun brachten die sphärischen Klänge, welche Hänschen Mühlenkamms kleine Mansardenwohnung durchwehten, Erinnerungen an die Gerüche ihrer frühen Kindheit zurück, an die mit getrockneten Fliegenpilzen gefüllte Schatulle ihrer in den Vietnamkrieg verwikkelten Eltern. Hans freute sich, die ausgesprochen frühlingshaft gekleidete Freundin schon nach so wenigen Tagen wiederzusehen, denn er war ebenso hoffnungslos in sie verliebt wie Frauke Stöver. Er hatte Vivian gerade seine neueste Handtasche gezeigt, aus schockfarbenem Knautschlack. Hans Mühlenkamm, für Frauke damit Monsieur Pompadour, sammelte historische Handtaschen, seit eine seiner Lieblingsmusiken nach diesem Gegenstand benannt worden war, und seine Besucherin, die solch einen Beutel selbst nie besessen hatte, Handtaschen sogar grundsätzlich verabscheute, war so kokett gewesen, ein zweideutiges Kompliment über ihres Freundes neuen Fund und seinen damit abermals angewachsenen Fundus auszusprechen. Nun ging auch der Gelegenheitsarzthelfer mit seinen Täschchen keineswegs auf die Straße, geschweige denn in die Praxis, sondern er hatte sie alle, fein säuberlich, über seiner improvisierten Bettstatt an die Wand genagelt. Von Fetischismus konnte gleichfalls nicht die Rede sein; all die zierlichen Abendbeutel, die dem aschblonden Hans im sogenannten wirklichen Leben, wie so vielen Männern, immer wieder Angst gemacht, nicht selten auch, Büchsen der Pandora gleich, die Liebe abgetötet hatten, dienten ihm lediglich als profane Illustration einer hedonistischen Geräuschspur namens House Music.

Vivians Blick war unterdessen über ihres Verehrers zerwühltes Lager gestreift sowie schließlich an einem Buch hängengeblieben, welches auf dem Kopfkissen lag und Kritische Männerforschung hieß, Untertitel: Neue Ansätze in der Geschlechtertheorie. Hänschen hatte sich diesen Schmöker in einer Männerbuchhandlung gekauft, seiner Ansicht nach stellte er einen ersten männlichen Beitrag zur bisherigen Frauendomäne der Gender Studies dar. Vivian hatte eine anonyme Besprechung dieses Readers in einer neuen Münchner Zeitschrift, die in ihrer Frauenbuchhandlung auslag, gelesen, in der, zu Recht, befand auch Hans, fundamental bemängelt worden war, daß hier jemand eine eigene, entschieden männliche Perspektive auf dieses objektive gesellschaftliche Herrschaftsproblem zu entwickeln versuchte. Ein Standpunkt, der, wenngleich minoritär, in dem Kompendium selbst vertreten war. Darüber hinaus lesenswert, so Hans, sei ein Aufsatz über den sogenannten Gebärneid des Mannes, der dem in aller Munde befindlichen Penisneid, welchen Freud den Frauen sprichwörtlich angehängt hatte, zumindest übergeordnet gehörte, nämlich, ergänzte Vivian Atkinson ein bißchen herablassend, ganze Weltkriege entfesselt hatte. Auch das Namensrecht, mit dem der Gatte seinem Sprößling wenigstens den väterlichen Stammbaum anhängen darf, ist natürlich, so Hans, nichts weiter als eine, verzeih den Ausdruck, Kopfgeburt seines Gebärneids. Klingt logisch, bemerkte Vivian und zog dennoch ihre Brauen zusammen. Sie überlegte augenblicklich, ob sich hinter solchen Thesen in letzter Konsequenz nicht doch wieder revanchistische Haltungen verbergen mußten. Ihr diesen Text doch bitte einmal bei Gelegenheit zu fotokopieren, bat die Vierundzwanzigjährige ihren Gastgeber und erhob sich von dessen Schaumstoffmatratze. Innerlich war sie ziemlich beunruhigt über die Operation Kritische Männerforschung und auch ein bißchen besorgt, daß Hans seinen bisherigen, letztendlich ehrenvollen, autodidaktischen Feminismus leichtsinnig verraten und auf die immer wieder verheerend auf ihre Macht bedachte Männerseite überwechseln könnte. War es deshalb durchtrieben von ihr, als sie ihn nun auf den Scheitel küßte und sogleich zum äthiopischen Mittagstisch einlud?

Einige Stunden später, die Sonne war bereits untergegangen sowie der Winter überraschend noch einmal zurückgekehrt, saß Vivian, die für einen Abendbummel ohnedies zu dünn bekleidet gewesen wäre, erneut an ihrer Arbeitsplatte, hier ein Wort mit ihrem Füller zu Papier bringend, dort eine ganze Sentenz in das Notizbuch hämmernd. Hänschen Mühlenkamm, die reflektierende Jacke einer DDR-Straßenmeisterei über die Schultern gelegt, war schließlich allein zur Schloßruine hinaufspaziert, deren rosiger, vom französischen Sonnenkönig höchst pittoresk in Schutt und Asche gelegter Sandstein bereits manch deutschen Romantiker zu typisch deutschen Untergangs-Sentimentalitäten hingerissen hatte. Wäre das Schloß einst siegreich verteidigt worden, hätte sich auch Hölderlin nicht so schick daran ausheulen können, lautete Ilse Lehrerins Kommentar diesbezüglich; weshalb bloß, mutmaßte die Studierende still für sich, zog es den possierlichen Hans, wann immer er sich erst bei seiner Freundin untergehakt hatte, zum alten, roten, explodierten Pulverturm hinauf? Warum abertausende japanischer und amerikanischer Touristen? Mark Twain? Sissi? Aphex Twin? Das Source Label? Aus Todessehnsucht? Liebeskummer? Mineralogisch katalysierter Melancholie? Fragestellungen, mit denen Vivian ein weiteres Mal in die Nähe ihres, aus dieser Hinsicht, ebensowenig hiebfesten, roten und gelben Porphyrgesteins über Schriesheim geraten war, welches grau im Dunkel der angebrochenen Nacht schlummerte. Vivian Atkinsons Bildschirmschoner schon wieder. Wenn sie nun ihren Verehrer abermals hatte sausen lassen, sollten doch wenigstens ein paar kluge Fragen in den Flüssigkristall gehauen werden.

Wie hatte es kommen können, daß das Männliche, als lauthals tönendes, identitätsstiftendes Prinzip, dem Weiblichen lediglich die stille Nebenrolle als dessen diffuses Anderes eingeräumt hatte? Beziehungsweise: Lag in der damit identitätszersetzenden Funktion des Femininen nicht gerade dessen Qualität? Ein über das Theoretische hinausweisendes, gleichsam politisches Versprechen? Und wann würden die Frauen dieses endlich einlösen können? Würden auch Männer an diesem Projekt beteiligt werden können? Hans Mühlenkamm zum Beispiel, dessen dandyistischer Lebenswandel den Schein über das Sein stellte, gäbe womöglich eine hübsche Marianne der feministischen Kulturrevolution ab, schade eigentlich, dachte Vivian, daß Hänschens topmodisch aufgeladener Körper so wenig sexuelle Anziehungskraft auf mich auszuüben imstande ist. Schnell rief sie ihn an und fragte, ob er denn gut nach Hause gekommen sei. Hans saß, mit einem Steigenberger-Hotel-Bademantel bekleidet, in seiner Küche und hatte sich gerade einen Lindenblütentee aufgebrüht. Auch in Edingen graupelt es seit Stunden, versuchte die mittlerweile in ein bequemes Holzfällerhemd Fraukes gehüllte Brünette ihren Kameraden zu trösten. Darüber hinaus tat Hans der Magen weh; erstmals in seinem Leben hatte er eine abessinische Hauptmahlzeit zu sich genommen. Als Gelegenheitsarzthelfer besaß er aber auch hiergegen einen Tee im Schrank, also dann, Hänschen Pompadour, einen schönen Abend noch; und damit rasch zurück an das gemütlich im Halbschlaf surrende Texas Instrument. German Gemutlichkeit, zitierte Vivian schmunzelnd ihren Daddy, als sie quer durch ihr großes, halbdunkles Zimmer zu ihrem Arbeitsplatz ging, einer ramponierten, von ihrer Mutter aufgetriebenen, womöglich historisch wertvollen Tischplatte aus dem kurpfälzischen Rokoko, welche auf vier Beinen ruhte, die ihr ein ehemaliger Liebhaber, damals wie heute House DJ in Ludwigshafen, aus ausrangierten Zwölfzollplatten errichtet hatte. Wie oft schon war Hans um die vier pechschwarzen, verheißungsvoll glänzenden Schallplattentürme geschlichen, aber Vivian hatte ihm bis heute nicht gestattet, das diese versiegelnde Rokoko-Brett zu lüften; er würde mit Sicherheit fündig werden, und Vivian könnte auf einer wackelnden oder zu niedrigen Unterlage weiterarbeiten. Es gab noch ganz andere Besucher, die ihr die altrosa verschnörkelte Auflage neideten. Die Besitzerin selbst empfand ihren Arbeitstisch als etwas übertrieben, konnte aber nicht umhin, ihn, aus diversen Gründen, in Ehren zu halten; einer davon die so empfindsame wie nachhaltig wirkende Lektüre von General de Maistres beiden Meisterwerken, Die Reise um mein Zimmer sowie Die nächtliche Reise um mein Zimmer, während ihres wohlgemuten Einzugs in den Tabakspeicher.

Am folgenden Morgen erhielt Vivian einen aufgeregten Anruf von Korinna, was in den letzten Wochen, nämlich seit diese mit Frauke ging, seltener vorgekommen war, nur noch Frauke rief dauernd an, und Korinna berichtete, daß Genoveva verhaftet worden sei, in der Handschuhsheimer WG also ein Zimmer, für wie lange, wisse sie allerdings selbst nicht, frei geworden sei. Mach mal dein Faxgerät an, Viv, und kurz darauf nudelte die folgende Schlagzeile aus dem Apparat: Reizgas gegen Verkäufer. Handschuhsheimer Lehrerin fühlt sich verfolgt. Wie sich aus dem dazugehörigen Zeitungsartikel herauslesen ließ, hatte Genoveva in einem Weinheimer Supermarkt Waren im Wert von lächerlichen sechs Mark in eine mitgebrachte Plastiktüte gesteckt und diese dann in einer leopardengemusterten Umhängetasche verstaut. Weiter hieß es, daß die zweiundvierzigjährige Lehrkraft urplötzlich, und zwar, um sich vor einem, so wörtlich, befürchteten chemischen Angriff zu schützen, ein sogenanntes K.O.-Spray aus der Tasche gezogen und drei Angestellte des Supermarktes damit besprüht habe, welche tatsächlich sofort komplett benommen zur Seite getaumelt seien und sich unmittelbar ins nächste Krankenhaus hätten begeben müssen. Was für ein chemischer Angriff, fragte Vivian erstaunt, nachdem sie den Hörer wieder aufgenommen hatte, keine Ahnung, entgegnete Korinna, die bereits alle Sachen gepackt hatte, um bei Frauke, Pat und Ilse einzuziehen.

Ladendiebstahl allein wäre in Vivians bohemistischen Kreisen nichts Besonderes gewesen; Hans etwa hatte sich, im Lehrlingsalter, sogar eine ganz eigene, fröhliche Wissenschaft aus dem ausgesucht wegnehmenden Einsacken geschustert. Genovevas wahnwitziges Gehabe bei ihrer Festnahme allerdings gab doch zu denken auf. Vivian erinnerte sich, daß Frauke des öfteren von den ungeheuerlich begeisterten Verschwörungstheorien ihrer beiden aus Darmstadt zugezogenen Wohnungsgenossinnen berichtet hatte, von denen diejenige, daß die CIA den AIDS-Erreger entwickelt hätte, noch die plausibelste war. Pat, zum Beispiel, hatte oberhalb der Dossenheimer Steinbrüche einen sogenannten festen Ausguck installiert, im schwer zugänglichen Gestrüpp, von welchem aus sie überwiegend nachts, mit Hilfe diverser optischer Analysegeräte, die am westlichen Horizont wahrhaft gigantisch vor sich hin stinkende Badische Anilin- & Soda-Fabrik, BASF, ausspionierte. Es stinkt, hatte auch Gerlinde Atkinson immer formuliert, wenn das Patrick Henry Village bei Westwind in den Geruch der heftig emissionierenden BASF geraten war. Dann aber hatte der Wind immer wieder plötzlich gedreht, und es stank im Pfälzerwald, bei den französischen Besatzungstruppen, die den IG-Farben-Riesen von den Nazis übernommen und bis in die fünfziger Jahre hinein kontrolliert hatten; Heimatkunde für Vivians deutsche Spielkameraden Martin und Torsten. Jedoch nicht alles, was die Ludwigshafener Fabrik erzeugte, roch zum Himmel, ein Großteil, ließ sich regelmäßig in den Zeitungen nachlesen, wurde gleich in den Rhein geleitet. Nun waren Genoveva und Pat aber überhaupt keine erklärten Ökologinnen; was also konnte das Gefasel vom chemischen Angriff bedeuten? Vivian fand es bemerkenswert, daß Korinna sich diesbezüglich gar keine Gedanken zu machen schien. Und so direkt versessen darauf wirkte, augenblicklich zu Frauke und ihren beiden Scharteken zu ziehen.

Korinna, fünfte Tochter eines hohen Karlsruher Richters, war schon immer ein bißchen sonderbar gewesen. Vor einigen Jahren hatte sie sich, zwar vorübergehend, aber über einen längeren Zeitraum hinweg, in übertriebener Anlehnung an Michel Foucault, der geäußert hatte, daß Sex ein gemeines, fiktives Herrschaftsinstrument sei, das dem derzeitigen Regime gegenüber keinerlei kritische Kraft entwickeln könne, erst gar nicht in irgend jemanden verliebt. Vivian hatte sich eine Avocado aufgeschnitten und saß nun, diese auslöffelnd, im Schneidersitz auf dem Fußboden, unter der großen Landkarte Ohios, die schon in ihrem Kinderzimmer gehangen hatte, sowie vor einem Haufen antiquarischer Bücher, die sie diverser signifikanter Stellen wegen für ihre wissenschaftlichen Zwecke heranzuziehen erwog: Die Weibeslehre; Von Weibes Wohl und Mannes Macht, Verlag Psychokratie, Hattenheim, 1927; Schule des Charmes für Mädchen und junge Frauen, Rüschlikon-Zürich, 1964; Helga, Wiesbaden, 1968; The American Woman 1988-89, A Status Report, New York, 1988; Luise Büchners Die Frau und ihr Beruf, Darmstadt, 1855, eine kostbare Leihgabe Genovevas, der verhafteten Studienrätin, die über Goethes Darmstädter Freund, den Selbstmörder Merck, promoviert hatte. Und ein zweibändiger Nachdruck des von 1899 bis 1923 erschienenen Jahrbuches für sexuelle Zwischenstufen, herausgegeben im Namen des wissenschaftlich-humanitären Comitées von Magnus Hirschfeld. Wichtig, befand die Studentin und stellte den Hirschfeld zu seinem Antipoden Weininger, welcher 1903 nahegelegt hatte, die Summe der Haarlängen zweier Verliebter müsse immer genau gleich groß sein. Korinna hatte, fanden alle, ganz komisch ondulierte Haare, schätzte männliche Frauen und fuhr der großen Navratilova zum Gedenken eine weiße Tatra-Limousine aus der Tschechoslowakei. Als McJob, so ihre Worte, hatte sie letzten Sommer das aufreizende Modell eines windigen Volkshochschulkurses namens Perfekte Mädchenfotos abgegeben, welchen Frauke Stöver, in wiederum nahezu perfekter Fehleinschätzung dessen tieferer Absichten, belegt hatte. Frauke liebte weibliche Frauen und wollte tatsächlich erlernen, von diesen hübsche Bilder abzunehmen. Natürlich hatte sie nicht mit einem solchen Riesenarschloch wie dem Eberbacher VHS-Dozenten Gisbert Gimmel gerechnet, der sich, Stunde um Stunde, vor allem angesichts seines neuen Fotomodells, das alte würde kommende Woche nach Bosnien-Herzegowina abgeschoben werden, zu immer größeren, nicht nur handwerklichen Unverschämtheiten gegen die Frauenwelt hinreißen ließ, auf welche allein er seine brünstig erigierten Objektive, Tele-Objektive, ausnehmend subjektiv gerichtet hatte. Korinna war interessanterweise nach eben jenem, dem dritten Unterrichtstag ausgestiegen, an dem sich Frauke in sie verliebt hatte.

Beide Frauen haßten, jede für sich, Gimmel bis aufs Blut, aber sie hatten geglaubt, ihren jeweils eigenen Nutzen aus dem Kursus ziehen zu können. Das Thema der bewußten Stunde, nach welcher Korinna nie wieder auf des Mädchenfotografen wackeliges Podium zurückkehren würde, lautete, eigentlich ganz unverfänglich: Außenaufnahmen am Wasser. Korinna, Tochter aus gutem Hause, trug ein unbedrucktes T-Shirt ihres soeben verflossenen Liebhabers Jens, und Gimmel lehrte die, bis auf Frauke, schnauzbärtige Kursteilnehmerschaft, sie müsse ganz besonders auf die Brustwarzen ihrer Modelle achten, denn diese sollten sich abzeichnen, so der Pauker an der Tafel unmittelbar neben dem rostigen Spülbecken, möglichst deutlich abzeichnen unter dem T-Shirt. Deutete auf sein Anschauungsmodell, drehte den Wasserhahn auf, hielt einen Joghurtbecher darunter und klatschte ihn der armen Korinna auf die Brust. Allein schon der Gedanke an kaltes Wasser, prahlte Gimmel, der diesen Lehrgang alljährlich, seit 1981, abhielt, könne Mädchenbrustwarzen sekundenschnell erhärten lassen. In seinem Eberbacher Atelier sei er fähig, die freie Natur mit sparsamst eingesetzten Requisiten zu simulieren; um aber freigemachten Mädchenkörpern den täuschend echten Anschein zu verleihen, sie befänden sich im wirklichen Freien, der Wildnis, so Gimmel, sei es mitunter nötig, den folgenden Trick anzuwenden; der Eberbacher zwinkerte mit seinem Auge: Unmittelbar vor dem Abdrücken des Fotografen reibt sich das Modell mit einem Eisblöckchen, der feiste Gimmel sagte tatsächlich Eisblöckchen, über die Warzenhöfe seiner Brüste. Zwischenfrage aus der Teilnehmerschaft: Wie sei es überhaupt möglich, ein Model, sexy wie Korinna, aufzutun, beziehungsweise dessen Willen, Zwischenruf Fraukes: Widerwillen, zu brechen? Gimmel: Gerade gestern, im Heidelberger Schwimmbad, liefen zwei zuckersüße Girlies an mir vorüber. Ich hatte nichts weiter zu tun, als meine Sonnenölflasche abzusetzen, ihnen zu folgen und meine guten, ehrlichen, nämlich honorigen Absichten glaubhaft zu machen. Viele Mädchen seien nun einmal sehr daran interessiert, bekannt zu werden, und jede Lady, so Gimmel, fühlt sich geschmeichelt, sobald ihr erst einmal nachgestiegen wird. Suchen Sie Badestrände auf, Gisbert Gimmel hatte sich ausgerechnet an Frauke festgeguckt, oder wenden Sie Ihren Blick einmal jenen jungen Damen zu, Gimmel kratzte sich tatsächlich am Sack, die in den kosmetischen Abteilungen großer Warenhäuser arbeiten. Korinna, hinter des Eberbachers Rükken, hatte sich derweil mißgelaunt abgewandt und wrang ihr nasses T-Shirt, so gut dies eben ging, über dem dreckigen Spülbecken der Volkshochschule aus.

Im achtzehnten Jahrhundert war einmal eine ganze Ladung Odenwälder an Pennsylvanias Strand nicht ausgebootet, sondern, stehenden Fußes, weil nämlich die mittellosen Hinterwäldler ihre Passage nicht hatten auslösen können, mit demselben Seelenverkäufer in die Alte Welt zurückgeschickt worden. Von diesen Leuten stammte Gisbert Gimmel aus Eberbach ab. Auch die Eisenhauers waren einst aus dem Heidelbergischen, genauer, aus Eiterbach im südlichen Odenwald, in die Neue Welt aufgebrochen, und einer von Rodney Atkinsons Vorgesetzten im Patrick Henry Village war ein direkter Verwandter President Eisenhowers. Es sollte aber auch Eisenhowers geben, die aus Schriesheim stammten, wo sich das Mittelgebirge aus der Tiefebene erhob. Ein amerikanischer Major mit Namen William Beiderlinden, Nachfahre eines ausgewanderten rheinischen Vormärz-Revolutionärs, soll die Stadt Heidelberg dann in den letzten Tagen des Zweiten Weltkrieges vor der vernichtenden Bombardierung bewahrt haben. Woraufhin ein Odenwälder Pilzraucher namens Werner Pieper in den achtziger Jahren vergeblich herauszufinden versucht hatte, weswegen Heidelberg, das zukünftige europäische Hauptquartier der US Army, so überaus offensichtlich von allen Bombenteppichen der Alliierten verschont geblieben war. Pieper hatte in seiner Broschüre Heidelberg zur Stunde Null verschiedene Theorien dazu entwickelt, denn angeblich waren die Tagebücher der Siebten Armee ausgerechnet im Pentagon verschollen; die wahrscheinlichste war, daß Dwight D. Eisenhower, 1945 Oberbefehlshaber der US-Streitkräfte in Deutschland, die historische Brutstätte seines Geschlechts hatte schützen wollen. Nach der erfreulichen Kapitulation der deutschen Wehrmacht requirierten die Amis unweit des Bahnhofs das sogenannte Landfried-Haus, P. J. Landfrieds alte Tabakfabrik, in welcher Zigaretten und Zigarren aus örtlichen sowie türkischen Tabaken hergestellt worden waren; heute befanden sich darin das Heidelberger Jugendamt sowie zwei Billigsupermärkte. In der unmittelbaren Nachkriegszeit waren Zigaretten ja, wie Kaugummi oder Nylonstrümpfe, zu einer festen Währung im besetzten Deutschland geworden, und während die BASF im benachbarten französischen Sektor auf Hochtouren Perlon, der IG Farben Äquivalent zum amerikanischen Nylon, fabrizierte, waren die GI's im Landfried-Haus dermaßen freizügig im Ausgeben amerikanischer Zigaretten, daß die Deutschen bald nur mehr Viriginia-Tabake rauchten und schließlich auch der Edinger Tabakspeicher zu einem Wohnhaus hatte konvertiert werden müssen.

Bis die lesbische Frauke Stöver und die bisexuelle Korinna Kohn eine körperliche Liebesbeziehung eingegangen waren, hatte noch einige Monate, wie auch Vivians andauernd hartnäckige Widerspenstigkeit gegenüber Fraukes Avancen, gedauert. Die Platinblonde hatte dann auch gar nicht erst angefangen, perfekte Mädchenfotos zu schießen, sondern wandte, wie schon seit Jahren, ihr ganzes fotografisches Augenmerk weiterhin auf die ideologiekritisch detaillierte Dokumentation sich prügelnder Knaben, mit welcher sie bereits Anfang der achtziger Jahre, gerade selbst erst fünfzehn-, sechzehnjährig, auf den zahlreichen Schulhöfen der Hansestadt Lübeck von sich reden gemacht hatte; tatsächlich war es ja augenfällig, wie die gesamte Knabenwelt auf absolut nichts als das Wettkämpfen eingestellt war, blutrünstiges Erigieren von Geschützen, gewalttätiges Ejakulieren von Munition. In Hänschens rekapitulierten Thesen zum Gebärneid hieß dies, daß des Sohnes zum Scheitern verurteilte Identifikation mit der lebensspendenden Mutter ihn zur Todesmaschine entarten ließ. Siehe auch des erwachsenen Mannes dichotomes Weltbild globaler Vernichtung: Weiblichkeit ist gleich Natur, Männlichkeit ist gleich Kultur.

Fraukes Idee war es nicht gewesen, daß ihre mädchenhafte Geliebte zu ihr zöge, und Korinna hatte wirklich keine Woche in Handschuhsheim gewohnt, als Genoveva aus der Untersuchungshaft wieder entlassen wurde. Wozu die aktuelle Schlagzeile des nordbadischen Käseblättchens lautete: Chemische Keule gegen Verkäufer. Studienrätin schuldunfähig? Wie sich erwies, hatte Genoveva den Kriminal- und Justizbehörden all jene Komplotte geklagt, denen sie sich täglich, seit ihre Mutter bei Merck, Darmstadt, an der Hochentwicklung des Flüssigkristalls beteiligt gewesen sei, ausgesetzt sah. Immer wieder habe man ihr Chemikalien über den Kopf geschüttet; an jedem Ort werde, sprichwörtlich eimerweise, Terror auf sie ausgeübt. Darüber hinaus sei es ganz besonders in Weinheim Mode, daß Lebensmittel, durch die Bank, so die Angeklagte, mit Chemie besprüht würden; weshalb eben sie ihre Anschaffungen im Supermarkt, vorsorglich schon vor der Kasse, in eine undurchlässige Tüte gesteckt hatte. Um sich gegen die gemeinen alltäglichen Chemie-Attacken wehren zu können, habe sie jederzeit eine kleine sowjetische Reizgas-Keule bei sich. Wer, außer verständlicherweise den beiden Verkäufern, sei nun so hartherzig, ihr zu verdenken, wenn sie von dieser schließlich erstmals auch Gebrauch gemacht hatte, schloß die Pädagogin ihre wortreiche Selbstverteidigung ab. Demnächst sollte ein vereidigter Gutachter für Rechtsmedizin in Handschuhsheim aufkreuzen, um über den Grad ihrer Schuldfähigkeit zu befinden. Es paßte natürlich exakt in Genovevas System, daß ihr politischer Fall mit einem pathologisierenden Psychiater beantwortet wurde. Aber jetzt erst mal raus mit dir, Korinna Kohn. Pat Meier, in einem gefleckten Tarnanzug, den Genoveva gar nicht kannte, drückte sich verlegen im Flur herum; schien sich momentan zu schämen, so ganz ohne weiteres zugelassen zu haben, daß Korinna die private Bude ihrer Genossin bezogen hatte. Die Beziehung der beiden Darmstädterinnen hatte sich im Laufe der letzten Jahre ohnehin deutlich abgekühlt, und keine vierundzwanzig Stunden nach ihrer Entlassung war Genoveva Weckherlin spurlos über alle Berge verschwunden. Pat wirkte deswegen, wie die anderen drei, nicht weiter betrübt und verbrachte von nun an um so mehr Zeit in ihrem Ausguck, während sich Korinna und Frauke abermals gemütlich über zwei Zimmer ausbreiten konnten. Ilse wurde krank vor Eifersucht, und der Nervenarzt ließ sich vielleicht vier- bis fünfmal blicken, danach nie wieder.

Gegen Mitte April waren fast alle Bäume grün geworden, und Vivian Atkinson saß in einem ebenso grünen Hosenanzug an ihrem elektronischen Notizbuch. Sie hatte sich dieses Kleidungsstück aus Frottee während des vorletzten Besuches bei ihrem Daddy, unweit des Pentagons, in einem afroamerikanischen Ramschladen gekauft, in erster Linie, weil ihr der riesige Reißverschluß so gut gefallen hatte, mit welchem der eng anliegende Einteiler symmetrisch geschlossen wurde. Ein Kommilitone Vivians hatte sich so sehr angewöhnt, Afroamerikaner zu sagen, daß er auch seinen nigerianischen Zeitungsausträger andauernd, da konnte er noch so oft verbessert werden, als afroamerikanischen Zeitungsausträger bezeichnete. Tatsächlich lagen in Washington Glanz und Elend der USA ganz unmittelbar nebeneinander; schon Lincolns Mörder war aus dem Hinterfenster des piekfeinen Ford's Theatre direkt in die finstere Rat Alley gesprungen. Haben, Sein, Scheinen; diese drei Vokabeln hatte sich Vivian seit letztem Semester hinter beide Ohren geschrieben. Unter welchen Umständen, zu wessen Lasten stand ja fest, war die Vorstellung des Scheinens, das hieß, des Schönen Scheins, nämlich jenem des domestizierten Schönen Geschlechts, mit der Oberfläche, dem rein Äußerlichen, und dieses wiederum mit negativen Termini wie Maskerade oder Täuschung verknüpft worden? Beziehungsweise: Weshalb repräsentierte das mit dem männlichen Prinzip assoziierte Sein die vermeintlich untrügerische, sogenannte reale Existenz? Eine typische Männer-Chimäre, befand die Studierende; was aber war von jener sich feministisch gerierenden Vision zu halten, nach welcher in eben dieser Dualität von maskulinem Sein und femininem Schein eine Chance bestünde, den politischen Körper zu subvertieren?

Wo winkte dieses Schlupfloch, das versprach, dem fatalen Diktat der Mode je durch die Lappen gehen zu können? Und würde Vivian Atkinson, vierundzwanzig, ein Meter einundachtzig, dem schwungvollen Kanon der Moden denn überhaupt entfliehen wollen? Bot die teilnehmende Beobachtung der Mode nicht gleichzeitig, seit zwei Jahrhunderten, die allerbeste Gelegenheit zur politischen Orientierung? Walter Benjamin hatte geschrieben, die Mode sei die ewige Wiederkehr des Neuen: Gäbe es trotzdem gerade in der Mode Motive der Rettung? Ganz klar, ja. Also grübelte die Magistrandin und spielte dabei gedankenverloren mit dem überdimensionalen Ring an ihrem afroamerikanischen Reißverschluß. Nein, Vivian war keine unkritische Mitläuferin der

Mode, und tatsächlich, fand sie, könne per ästhetischer Differenz, im Benjaminschen Circulus, durchaus politische Dissidenz zum Ausdruck gebracht werden. Inwiefern diese individuelle Ausdrücklichkeit jedoch in soziale Wirkungsgeschichte zu münden in der Lage sei, konnte sie vorerst nicht beantworten; der Army Brat war sich nicht einmal sicher, ob sie in ihrem grünen Hosenanzug auf die farblosen Straßen des verschlafenen Edingen hinaustreten würde. Warum überhaupt hieß ein Frauenanzug Hosenanzug, wohingegen ein Männeranzug einfach nur Anzug hieß? Weil die Hose ursprünglich ein weibliches Kleidungsstück war? Und wenn die Bluse das weibliche Pendant zum männlichen Hemd sein sollte, für wen war dann eigentlich das Hemdblusenkleid geschneidert worden? Waren denn nicht auch Hermann Görings Uniformen letzten Endes hundertprozentige Fummel gewesen? Magnus Hirschfeld hatte herausgefunden, daß ganz besonders Offiziere, außerhalb ihrer Kasernen, gern in Frauenkleider schlüpften. Angesichts all dieser wuchernden Fragestellungen nahm sich Vivian vor, demnächst einmal wieder in ihres schrulligen Professors Sprechstunde vorbeizuschauen.

Wenige Tage später saß sie auf ihrem amerikanischen Mountain Bike und legte die sieben Kilometer nach Heidelberg entlang des südlichen Neckarufers zurück. In Wieblingen wechselte die Studentin vom Radweg auf die alte Bundesstraße 37, die Heidelberg mit Mannheim, eigentlich Mosbach mit Kaiserslautern verband, kaufte sich an einem Kiosk Süßigkeiten und radelte weiter Richtung Heidelberg, wo sie wenig später die Ernst-Walz-Brücke, das Thermalbad sowie die Kliniken der 1386 gegründeten Universität passierte; Vivian hatte diese einst im Zusammenhang ihres lebhaften Interesses für das SPK, das legendäre Sozialistische Patientenkollektiv der Jahre 1968 bis 1976, besichtigt. Als Mark Twain 1878 für längere Zeit hierher gekommen war, hatte Deutschland den Ruf des Weltkrankenhauses besessen. Nicht, daß alle Deutschen krank gewesen wären, sie hatten vielmehr für die internationale Rekonvaleszenten-Elite an beinahe jeder Ecke ihres Reiches einen gemütlichen Kurort eingerichtet. Heute gab es nicht nur eine Mark-Twain-Straße in Heidelberg, sondern auch ein unter GIs als MTV abgekürztes Mark Twain Village in den ehemaligen Nazi-Kasernen Rohrbachs, und Mutter Atkinson hatte einmal ein süßes Foto von ihrem einzigen Kind vor dem Kasernenschild gemacht, welches Twain als neunmaligen Heidelberg-Besucher auswies. Vivian war damals noch ein unschuldiges Schulmädchen gewesen, Gerlinde Atkinson dagegen glühende Verehrerin Twains, ganz besonders seiner umwälzenden Ausführungen zur Selbstbefriedigung. Als sie nun durch Heidelbergs Altstadt radelte, tauchten die verschiedensten Erinnerungen in Vivians Gedächtnis auf. Ihr ruinöser Job im Second-Hand-Laden des Deutsch-Amerikanischen Frauenvereins etwa; oder wie sie einmal auf einem Stadtbummel mit ihrer aus Hanau angereisten Oma in eine Menschenmenge geraten war, welche auf die schwedische Königin Silvia wartete.

Ein unheimliches Zischen hatte sich urplötzlich aus einem der an die Heiliggeistkirche geklebten Verkaufsstände vernehmen lassen. Die Hanau-Oma, die so hieß, weil es in Cincinnati noch eine Cincinnati-Oma gab, war daraufhin todesmutig ins Halbdunkel der engen Bude getreten und hatte dort die schwer keuchende, an ein Regal mit Porzellanfiguren gelehnte Ladenbesitzerin ausmachen können. Reinkommen, hatte diese nur geröchelt und sowohl der Oma als auch ihrer kleinen Enkelin einen dicken Stoß mit Königin-Silvia-Postkarten in die Hand gedrückt. Ordnen, so die nächste Order der nervösen Asthmatikerin, denn zwischen den Porträts der 1943 in Heidelberg als Silvia Renate Sommerlath geborenen Monarchin, 1972 Chef-Hosteß bei den Olympischen Spielen in München, hatten zahlreiche alberne Motive gesteckt, die hier überhaupt nicht hin- und also von Vivian nebst ihrer

Oma aussortiert gehörten: pfeiferauchende Hunde mit Gamsbarthüten, schöne Zigeunerinnen, Adolf Hitler. Die Hanau-Oma war im Nu selbst total naßgeschwitzt gewesen; unheilvoll hatte der Touristen-Nepp im Regal hinter der kreidebleichen Geschäftsfrau geklirrt. Erst in jenem Moment, als Silvia von Schweden, geborene Sommerlath, mit ihrem ganzen Gefolge schon in Sichtweite geraten war, hatten auch Vivian und ihre vitale Großmutter ihr ehrenamtliches Werk vollbracht, und die schwer angeschlagene Marketenderin war wortlos, mit letzter Kraft sowie natürlich ihren wertvollen Karten, ins dichte, royalistische Volksgetümmel gestürzt.

Nur einmal hatte Vivian ihre Großmutter in Hanau besucht, einer faszinierend trostlosen Stadt, deren atomindustrielle Betriebe sie immer wieder in die Schlagzeilen brachten. Eigentlich war die Hanau-Oma zu allen Zeiten lieber ins Patrick Henry Village gereist, um, vollbepackt mit Barbecue-Saucen, synthetischer Schlagsahne und parfümiertem Root Beer, das sie, des amerikanischen Englischen rudimentär kundig, mein Wurzelbier nannte, wieder in ihre kontaminierte Witwenwohnung abzuziehen. Und hier stand auch schon Vivians Professor, wie verabredet, an der Straßenecke und wedelte mit seinem Mützchen. Er hatte es vorgezogen, die Sprechstunde mit der interessierten amerikanisch-deutschen Studentin abermals nicht in der Uni, sondern an der frischen Luft abzuhalten. Vivian Atkinson kettete ihr Bergfahrrad an eine Laterne, spazierte neben ihrer höflich plappernden Lehrkraft her, die Gassen hinunter, den Neckar entlang, und setzte mit der kleinen Personenfähre aufs andere Ufer, die Neckarwiesen, über. Der schlaksige Dozent hatte ein beigefarbenes Buch in seinem gleichfalls beigefarbenen Leinen-Sakko stecken, welches sich als englischsprachige Ausgabe der Memoiren des 1838 geborenen Hermaphroditen und Selbstmörders Herculine Barbin herausstellte, im Februar 1868 tot aufgefunden, eingeleitet im Januar 1980 von

Michel Foucault, dessen berühmtes Vorwort der englischsprachigen Ausgabe der nutty Professor nun, auf einem Stein am Leinpfad zusammengesunken, in der für ihn typischen ataktischen Aussprache vorzulesen begann: Do we truly need a true sex? Vivian, unmittelbar am Ufer stehend, mit einem frischen Weidenzweig im braunen Neckarwasser fischend, lachte auf: wenn das nun keine Gretchenfrage ist, und angelte schon ihre eigenen, viel zu vielen Fragen aus dem Rucksack. Aber Michel Foucault, den Hans, seiner oft unbeteiligt wirkenden Kälte wegen, dicht neben Niklas Luhmann eingeordnet hatte und den Ilse, Habermas-Schülerin jüdischen Glaubens, sogar mit Carl Schmitt in einen Topf zu werfen beliebte, hatte zu seiner suggestiven Frage auch eine gut zehn Seiten lange Exposition formuliert, welche nicht auch noch abzustottern Vivians Professor gar erst nicht einfiel. Die Studierende erinnerte sich vage, bei Nancy Fraser gelesen zu haben, daß Foucault bedauerlicherweise nicht in der Lage gewesen sei, die vordergründigen Habermasschen Vorwürfe gegen ihn zu entkräften. Moderne versus Postmoderne, dialektische Kritik versus negativistische Kritik, Humanismus, Ablehnung des Humanismus; sollte sich 1997 von einer dieser Plattformen aus politisch progressiv handeln lassen? Ist das eigentlich von Betty Barclay? Ein Passant mittleren Alters hatte diese Worte fallen gelassen, woraufhin auch der Lehrbeauftragte die Herculine Barbin in den Schoß sinken ließ, um seinen wissenschaftlich hehren Blick auf Vivians in Frage gekommenen Rocksaum zu heften.

Als die amerikanische Textilfirma Betty Barclay ihre Geschäfte in den USA beendet hatte, war sie am Odenwald bei Heidelberg, West Germany, neu hochgezogen worden als Betty Barclay Kleiderfabrik GmbH, aktuelle Anschrift: 69226 Nußloch, Heidelberger Straße 9. Tausende von nordbadischen Arbeitnehmerinnen und Arbeitnehmern hatten hier ihre Beschäftigung gefunden, selbst einige von Vivians

Freundinnen und Freunden hatten hier gejobbt. Der historische Minirock, den sie heute trug, stammte tatsächlich aus dem Hause Betty Barclay, doch die Brünette antwortete nur brüsk: Irrtum, mein Herr, von Herculine Barbin. Hinterher ärgerte sie sich, daß sie den fachkundigen Gentleman, der mittlerweile, wenig weiter flußabwärts, immer wieder herüber starrend, an einer Schiffahrtsmarkierung lehnte, nicht wegen ihrer Frage zum Hemdblusenkleid ins Gebet genommen hatte. Der Professor hingegen hatte sein blasses Gesicht für einen kurzen Moment überraschend zu einer Art schiefem Lächeln verzogen und setzte dann fort: Brought up as a poor and deserving girl in a milieu that was almost exclusively feminine and strongly religious, Herculine Barbin, who was called Alexina by her familiars, was finally recognized as being truly a young man. Judith Butler hatte später bemängelt, daß Michel Foucault in letzter Instanz noch immer Körper unterstellte, die ihren kulturellen Einschreibungen vorgängig seien. Vivian Atkinson, die es bemerkenswert fand, daß das Substantiv Hermaphrodit, zumindest im Deutschen, einen maskulinen Artikel besaß, fiel abermals Nancy Frasers Verteidigung Foucaults gegen Habermas ein: Der Humanismus hatte sich als zentrales Scharnier für die abschätzig dichotomische Unterdrückung der Frau herausgestellt; denn er spielte den Geist gegen den Körper aus, den Verstand gegen das Gefühl, den Willen gegen die Natur und damit die männliche Autonomie gegen die als dessen Anderes projizierte, zu domestizierende Weiblichkeit. Auch der Dozent auf seinem Stein befand, daß Humanismus, jenseits sowohl von Habermas als auch Foucault, feministisch bewertet und neu aufgezogen werden müsse wie Betty Barclay in Heidelberg. Und doch: When Alexina composed her memoirs, she was not far from suicide; for herself, she was still without a definite sex, but she was deprived of the delights she experienced in not having one, or in not entirely having the same sex as the girls among whom she lived and whom she loved and desired so much. Zwei minderjährige Kanutinnen, womöglich auch Kanuten, die ihr Boot ganz in der Nähe gewassert hatten und nun an Vivian und ihrem Professor vorbeipaddelten, winkten freundlich herüber. Aus einem tragbaren Kassettenabspielgerät schepperte Björks Venus As A Boy. Und wenige Kilometer flußaufwärts lag Ziegelhausen mit seinem Textilwarenmuseum, begründet von Betty Barclays neuem deutschen Chef Max Berk. Hatte dieser Mann unter Umständen auch das Hemdblusenkleid entwickelt, erfunden, beziehungsweise entdeckt?

Als die noch kleine Vivian von ihrer kessen Mutter Gerlinde zum ersten Mal das Wort Unisex gehört hatte, dachte sie zuerst, es handelte sich dabei um sexuelle Praktiken am Campus. Schau dir meine Blue Jeans an, hatte Gerlinde Atkinson erklärt und eine albern aufreizende Pose eingenommen, Blue Jeans sind Unisex. Aber Vivian hatte längst bemerkt, daß der Hosenschlitz ihrer Mutter nach links wies, derjenige Rodney Atkinsons dagegen nach rechts, und die Granny aus Cincinnati trug im Familienalbum sogar Jeans, deren Schlitz völlig unnütz, seitlich, an der Hüfte angebracht war. Unisex, kam Vivian damals mit sich überein, kann dies alles noch nicht sein; genausowenig wie diese Röcke für Männer, welche alle paar Jahre durch die Illustrierten gingen, steife, kegelförmige Wickel, wie aus billigen italienischen Gladiatorenfilmen. Nein, die humanistische Gilde der Modeschöpfer hatte zu allen Zeiten darauf geachtet, den noch so kleinen Unterschied einseitig, dichotomisch repressiv, hochleben zu lassen; kein Mann hatte jemals im Hosenrock, geschweige denn im Hemdblusenkleid, Karriere gemacht. Was hatten dagegen die schicken, auf Damenfiguren geschneiderten Herrenanzüge zu bedeuten, mit denen dreißigjährige Frauen durch die Chefetagen diverser Betriebe kreuzten? War der Globus damit männlicher oder weiblicher geworden? Kein Herr würde in so einen Damenanzug passen, bemerkte Vivians Professor spitzfindig, und wie herum seien die Dinger überhaupt geknöpft? Er selbst trüge seit 1982 nur noch helle toskanische Sommeranzüge.

Zerknitterte, verstaubte, befleckte, dachte Vivian im hellblauen Minirock amüsiert und getraute sich fast, ihrem plötzlich persönlich gewordenen Universitäts-Dozenten davon zu berichten, wie sie sich in der Pubertät den Busen abgebunden hatte. Aber nur fast. Kennen Sie Anna Muthesius? Die Magistrandin kannte Anna Muthesius nicht. Also hob der Professor an, daß diese 1903 ein lesenswertes Buch mit dem Titel Das Eigenkleid der Frau geschrieben hatte, in dem sie an die zeitgenössische Weiblichkeit appellierte, von der patriarchal diktierten Mode unabhängige Kleidung zu wählen, welche ihre jeweiligen körperlichen Vorzüge hebe, beziehungsweise etwaig vorhandene Nachteile mildere. Die Definition dieser Qualitäten oblag natürlich, 1903 wie 1997, der Männerwelt, ergänzte Vivian interessiert, ein schöner Begriff aber: Das Eigenkleid der Frau. Zumal es jenen des Reformkleides ablöste, Frau Atkinson. Was war eigentlich aus dem damaligen Berliner Verein zur Verbesserung der Frauenkleidung geworden? Alles letztendlich zum Scheitern verurteilte Modelle aus den Kinderjahren der Sozialdemokratie, faßte Vivians Lehrkraft auf seinem Findling zusammen. Der Studierenden war es durchaus bewußt, daß sich ihr Büstenhalter unter dem T-Shirt abzeichnete; sie hatte bereits in jungen Jahren von der italienisch-amerikanischen Sexbombe Madonna gelernt, daß der Griff zum BH quasi emanzipatorische Sprengkraft entfesseln konnte. Selbst die heranwachsenden Schülerinnen des bis in die siebziger Jahre strikt für Jungen vorbehaltenen Bunsen-Gymnasiums, welche, lauthals ihre Hausaufgaben lösend, dicht neben der Studentin und ihrem Professor im Rasen kampierten, trugen unübersehbar ihre, mit Anna Muthesius, körperlichen Vorzüge hebenden BHs. Etymologisch in diesem Zusammenhang zu klärende Vokabeln: Atombusen,

Bikini; Vivian schrieb sie sich mit einem Kuli auf den linken Handrücken. Und inwiefern, wenn überhaupt, hatte die historische Oben-Ohne-Bewegung zum Fortschritt der Frauen beigetragen? Ein Büstenhalter, bemerkte der Professor, denken Sie nur an Godard, signifiziert natürlich alles andere als das Gegenteil eines entblößten Busens.

Ab wann galt ein Busen überhaupt als entblößt? Korinna Kohn, die Vivian, kaum wieder zu Hause, an der Strippe hatte, arbeitete an diesem Problem schon seit längerem, nämlich im Zusammenhang ihrer von Hermann Schmitz ausgehenden Untersuchung kolonialisierter Leibesinseln. Korinna hatte auf ihren regelmäßigen empirischen Exkursionen Frauen kennengelernt, angeblich Hausfrauen, die sich im Mannheimer Rosengarten, mit freigemachten Oberkörpern, nichts als gummierte Briefmarken auf die Brustwarzen geheftet, in keinerlei Hinsicht nackt gefühlt hatten, sowie Künstlerinnen, professionelle Tänzerinnen, die den Striptease-Verboten gewisser Etablissements per Bindfaden durch den Po ausgewichen waren, welcher lediglich ein kleines Sternchen aus Straß auf ihrem Venushügel fixierte. A propos kolonialisierte Leibesinseln, Korinna, fiel Vivian ihrer Kommilitonin, während sie eine Detonation von den Steinbrüchen herüber zu hören glaubte, ins angeregte Wort, ich brauche ganz dringend Materialien zum Bikini-Atoll. Geht sofort in Ordnung, versprach die um circa drei Jahre ältere, recht zuverlässige Richterstochter prompt, aber dann kam sie einfach nicht herüber mit ihren Kopien, redete sich mit diesem und jenem, selbst mit dem Versagen der Post heraus. Als die wißbegierige Studentin aus dem Edinger Tabakspeicher ihre zugesagten Unterlagen schließlich drei Wochen später persönlich in Handschuhsheim abholen wollte, brach Korinna Kohn, völlig unvermutet, unter der Wohnungstür in bittere Tränen aus, und kurz danach spazierten beide Frauen gemeinsam durch den Odenwald. Der bisexuellen Tennisspielerin war ganz offensichtlich die Handschuhsheimer Decke auf den Kopf gefallen, doch zunächst einmal war kein Sterbenswort aus ihr herauszubekommen, wovon sich dieser plötzliche Trübsinn speiste. Dafür erzählte sie ihrer besorgten Freundin sprunghaft das Talkshow-Fernsehprogramm eines einzigen Tages nach. SAT 1, elf Uhr: Immer Ärger mit dem Personal. Zwölf Uhr: Eure Armut kotzt mich an. Dreizehn Uhr: Warum will mich keiner? Pro Sieben, vierzehn Uhr: Im Bett bin ich der Größte. RTL, vierzehn Uhr: Mit mir will jede ins Bett. Sechzehn Uhr: Die jungen Wilden, ehrgeizig, erfolgreich, erotisch. Und immer so weiter.

Erst hinter dem nebligen Heiligenberg, als sich die Freilichtbühne der Nazis vor ihnen auftat, kam Korinna vom allgemeinen, daß nämlich, laut Mona Lisa, dem Frauenmagazin des ZDF, obwohl nach heutigem Wissensstand ein junger Mann für Leonardos Gemälde Modell gesessen hatte, fünfzehn Millionen braver deutscher Frauen tagtäglich und tonnenweise sogenannte östrogene Schadstoffe ausschieden, jene, die die Pille nahmen, waren das, erklärte Korinna, die die Pille nicht mehr nahm, Vivian, die sich im bemoosten Rund des Amphitheaters niedergelassen hatte und sie auch nicht nahm, wodurch, denn kein noch so leistungsstarkes Klärwerk könne dies bewältigen, die gesamte, nicht nur Umwelt, so das gängige Wort, sondern Welt schlechthin, so das ZDF, feminisiert würde, zum besonderen, daß nämlich in der Handschuhsheimer Lesben-Pizzeria seit einigen Wochen ein weibliches Wesen aus der Po-Ebene namens Angela arbeitete, das eigentlich Angelo hieß und sich an Frauke herangemacht hatte, als diese an Christi Himmelfahrt, dem Vatertag, eine Veranstaltung zu dem Komplex Marienkult, Madonna und Lourdes, so auch der Taufname von Ciccones Tochter, abgehalten hatte, zu der Vivian nicht gegangen war. Die zwittrige Kreatur sei Frauke in den Arsch gekrochen, indem sie, völlig unaufgefordert, einige verblaßte Diapositive norditalienischer Marx-Engels-Denkmäler an die Wand geworfen und schließlich mit dem ganzen Lokal das Ave Maria angestimmt hatte. Wer hätte denn gedacht, daß gerade Frauke Stöver von uns allen als erste verheiratet sein würde, jammerte Korinna Kohn; ein Name, der eigentlich aus dem Jüdischen kam, aber welcher Jude hätte in der Bundesrepublik Deutschland zum hohen Richter in Karlsruhe aufsteigen können?

Dies war einer von Vivians ersten Gedanken gewesen, nachdem Korinna sich ihr vorgestellt hatte; nun aber war sie genau so baff wie ihre Kameradin, daß sich Frauke und Angela, in diesem Falle Angelo, bereits drei Tage nach dem bewußten Vatertag, am Muttertag 1997, miteinander verlobt hatten: Noch in derselben Nacht schaukelten Frauke und Angela über den Canal Grande. Die Pächterin des Lokals, eine resolute Magdeburgerin namens Heidemarie, die sich, ihrem dialektischen Kleidungsstil entsprechend, Heidemario rufen ließ, hatte die traurige Funktion übernommen, Korinna davon in Kenntnis zu setzen, und Heidemarie war es auch gewesen, welche die zusammengebrochene Bisexuelle daraufhin auf beiden Armen zu deren Ex-Freund, dem fleißigen Jura-Studenten Jens, getragen hatte. Jens wiederum hatte Korinna dann, in fataler Fehleinschätzung ihrer tatsächlichen Lage, die ganze Nacht hindurch von allen Seiten penetriert, bis sie sich, als Jens endlich nicht mehr konnte, ein Taxi rief und im Morgengrauen nach Hause fahren ließ. Frauke nicht da, Pat noch an ihren Infrarotgeräten, und Ilse mußte zur Frühstunde los, jammerte Korinna, am ganzen Körper zitternd, und lehnte ihren ondulierten Lockenkopf an Vivians Schulter, so löste sich meine ganze verzweifelte Anspannung erst, als ausgerechnet du, die zwangsheterosexuelle Atkinson, in der Tür standest. Vivian, im Angesicht der nachgemachten Heidelberger Thing-Stätte, strich sich verlegen eine Strähne aus der Stirn: Haben sie im ZDF wortwörtlich östrogene Schadstoffe gesagt, Korinna?

Hans Mühlenkamm war über Pfingsten bei seinen Eltern in Offenbach gewesen, und wie jedes Jahr hatte die gesamte Familie Mühlenkamm, das war, neben Hans und seinen Eltern, noch seine Schwester Grete, einen Ausflug in die Frankfurter Innenstadt unternommen, um dem sogenannten großen Frankfurter Stadtgeläut beizuwohnen; Frankfurt und Heidelberg als die beiden auf entgegengesetzteste Weise amerikanisiertesten Städte Deutschlands. Als sie die Paulskirche passierten, löste sich zufällig die 1830 gegossene, annähernd zwei Tonnen wiegende Christusglocke, welche schon 1848 für die erste deutsche Nationalversammlung geläutet hatte, aus ihrem Kugellager, stürzte dem Betonboden des historischen Turmes entgegen und wurde, mit unmusikalischem Krach, von der unter ihr schwingenden, achteinhalb Tonnen schweren Bürgerglocke in Stücke zerschlagen, woraufhin sich nicht nur das gesamte Glockengestühl verschob, sondern auch die nur fünfhundert Kilogramm auf die Waage bringende Dankesglocke im Gebälk verkantete. Tags darauf hatte Vivian in der Zeitung, welche ihr ein verliebter Nachbar jeden Morgen nach seinem gewöhnlich hektischen Aufbruch in die BASF auf die Fußmatte zu legen pflegte, gelesen, daß der gleichfalls am Boden zerstörte Direktor des Deutschen Glokkenmuseums auf Burg Greifenstein verlautbaren ließ, mit der Frankfurter Christusglocke sei jetzt ein, so wörtlich, deutsches Nationaldenkmal vernichtet. Doch damit nicht genug, Viv, setzte Hans Mühlenkamm fort: Denn unten im Schiff rumorte eine ungeliebte Wanderausstellung über die Verbrechen der Deutschen Wehrmacht im Zweiten Weltkrieg. Im Nu hatte ich mich mit meinen Eltern über die miesen Konnotationen deutscher Staatsangehörigkeit in der Wolle. Schon als Kind war ich angewidert gewesen, wenn mein Koblenzer Großvater seinen Mercedes Benz angehalten hatte, um schockweise lächerliche Fotografien von Grete und mir vor martialischen Denkmälern sogenannter deutscher Teilung beziehungsweise Einigung zu schießen, furchterregend versteinerten Landsknechten, dem finsteren Fürsten Bismarck, dem geharnischten Kaiser Wilhelm hoch zu Roß, vor nur oberflächlich abgeschliffenen Hakenkreuzen oder wuchtig in Granit gemeißelten Kilometerangaben nach Königsberg und Breslau. Hat du überhaupt eine Ahnung, Vivian, wie es sich anfühlt, die deutsche Staatsbürgerschaft zu tragen? Nun fing mein Vater an, immerhin aktiver Grüner, immerhin Gewerkschaftler seit 1966, kaum daß die alte Glocke zerschmettert war, in eben diese Kerbe zu hauen, indem auch er von der herben Unersetzlichkeit des Nationaldenkmals faselte, wie schon beim Frühstückstisch von der Unvermeidbarkeit des forcierten Sozialabbaus; du kannst dir vorstellen, daß das Pfingstfest der Mühlenkamms binnen weniger Minuten im Eimer war und ich erst wieder zu mir kam, als ich im Zug nach Hause saß und in meiner am Frankfurter Hauptbahnhof noch eben schnell geklauten Männer-Vogue blätterte.

Dann aber platzte Jessica, ein neunköpfiges Mädchen-Saxophon-Orchester, in den Großraumwagen, und ich konnte mich keine Sekunde mehr auf meine Lektüre konzentrieren, so Hänschen Pompadour, von einer Mannheimer Telefonzelle aus, auf seinem Weg zu einem Club mit Namen HD 800: Die Frauen, es fällt mir schwer, Mädchen zu sagen, trugen allesamt ungepflegte Hochfrisuren, Pullis und an den Beinen knallbunte, elastische Hosen; von ihren abstoßenden Handtaschen hätte ich keine einzige geschenkt haben wollen. Hysterisch wedelten sie mit der neuesten Ausgabe einer Boulevard-Zeitung durch den brechendvollen Waggon, in deren Klatschspalte, welche sie selbst dem armen Schaffner vorzulesen sich nicht entblödeten, eine Bonner Galaveranstaltung, samt Jessica, Gegenstand war. Darüber prangte, für alle Reisenden unübersehbar, ein großes Farbfoto der abgeschmackt aufgetakelten Damenkapelle, vor lauter alten, geilen Säcken, die Musikerinnen, vermutlich schon Dreißigerinnen, so Hans, auf ihrem Messing-Instrumentarium herumblasend, in grellen Plastik-Miniröcken und Pfennigabsatz-Stöckelschuhen. Eine von ihnen kam, ungefähr auf der Höhe des Atomkraftwerks Biblis, vom Kartentelefon zurück und berichtete atemlos, daß ihre eigene Mutter sie am Vorabend im Fernseher nicht wiedererkannt hätte, nein, was doch so ein professionelles Make-up und echte TV-Show-Kostüme gleich für einen Unterschied ausmachten. Some like it hot, so Vivian Atkinsons knapper Kommentar, die lieber wissen wollte, wer denn heute abend im HD 800 auflegte. Von seiner Schwester Grete, die, Stewardeß der Austrian Airlines, offenbar noch immer im Offenbacher Elternhaus lebte, hatte der zierliche Arzthelfer eigentlich noch nie Genaueres berichtet; auch dies, fand Vivian, sei eine gelegentliche Nachfrage wert. Doch heute wollte sie nach Mannheim, dem sündigen, quadrierten, wo Rhein und Neckar sandig ineinander fließen, tanzen gehen.

Am folgenden Morgen stand Frauke Stöver vor dem Tabakspeicher und klingelte ihre Freundin Vivian Atkinson aus dem Schlaf. Unter dem Arm trug die Travemünderin einen Stapel Langspielplatten von Sylvester, RuPaul, den New York Dolls, den Leaving Trains, Wayne County, Divine, sowie einige weitere auf Vinyl verewigte Zeugnisse männlicher Konstruktionen von Weiblichkeit am eigenen Körper. In ihrer flaschengrünen Lederjacke steckte dazu eine Kopie des Films Paris Is Burning von Jennie Livingston, die Frauke bereits auf den Anfang zurückgespult hatte, als die eben noch schlaftrunkene GI-Tochter Atkinson ziemlich munter aus der Dusche trat; trotz ihrer heißen Liaison mit Angela hatte es sich die Stöver nicht nehmen lassen, in Vivians Bad zu platzen, um ihrem Schwarm den Rücken abzutrocknen. Jennie Livingstons zwischen 1987 und 1989 in Spanish Harlems House-Häusern geschossener Dokumentarfilm über geschlechtliches Haben, Sein und Scheinen stellte seit einigen Jahren einen ganz zentralen Referenzpunkt der feministischen Gender Studies dar; und Fraukes vierundzwanzigjährige Freundin wollte ihn sich eigentlich an diesem prächtigen Mai-Morgen nicht zum einundneunzigsten Mal ansehen müssen. Aber da hatte die Dreißigjährige schon längst losgelegt: Punkt eins, liebste Vivian, ist die von Drag Queens so genannte Realness, wie soll ich das übersetzen, und wie übersetze ich überhaupt Drag Queen, in Judith Butlers Koordinatenkreuz von performativ dematerialisierender Wiederholung, Parodie und Ironie? Egal, laß mich lieber überfliegen, was Peggy Phelan von der New York University dazu eingefallen ist: Eine repräsentierte Frau ist immer die Kopie einer Kopie. Das Reale der Frau, beziehungsweise die reale Frau, kann gar nicht exakt repräsentiert werden, weil ihre Funktion ja diejenige ist, den Mann zu repräsentieren. Sie ist der Spiegel und deshalb, logischerweise, darin nie zu sehen. Vivian trocknete sich ihre Haare, trat ans Fenster und warf einen Blick auf die noch im morgendlichen Schatten liegenden, vom übermütigen Volksmund die Dossenheimer Dolomiten getauften Steinbrüche des Odenwalds.

Dann ist da so ein Typ, setzte die platinblonde Lesbierin ihre Einführung fort, der Willie Ninja heißt, eine bärtige Tunte, prominenter Voguing-Tänzer, du erinnerst dich doch an die Voguing-Tänzer der achtziger Jahre, und die Brünette an der Fensterbank erinnerte sich gut daran, dieser Typ unterrichtet junge Frauen, und zwar angehende Topmodelle, wie Frauen zu gehen. Noch einmal ganz genau, Vivian: Ein Mann bringt einer Frau bei, wie sie zu gehen hat, und sie wiederum reproduziert diesen Gang, damit ihn abermals ein Mann, in unserem Fall Venus Xtravaganza, einer der zahllosen Female Impersonators auf Harlems House-Bällen, imitieren kann. Dieser verkörpert damit eines anderen Mannes Idee davon, wie eine Frau sich bewegt und, Vivian, letzten Endes, was eine Frau ist. Irgendwann erkennen wir eine Frau nur noch daran, daß sie hereingestöckelt kommt wie ein Transvestit, ereiferte sich die Doktorandin. Nun frage ich dich: Bedeutet dies ein konstruktivistisches oder ein dekonstruktivistisches Perpetuum Mobile? Fraukes mit einem Cat Power T-Shirt und frischer Unterhose noch immer nur halbwegs bekleidete Kommilitonin drehte sich langsam um, drapierte ihr hellblaues Frotteehandtuch zu einem Turban und schnürte in Laufstegmanier auf ihre verdutzt dozierende Besucherin zu, bog dann in Richtung Ohio-Landkarte ab und nahm eine zerrissene Blue Jeans vom Fußboden auf, die sie sich im folgenden überzog. Woraufhin Frauke Stöver ihrerseits endlich die Pausentaste von Vivian Atkinsons koreanischem Video-Recorder losließ.

Was beide Frauen unterschwellig an Jennie Livingstons ansonsten von, wie sie befanden, geradezu symbolistischer Schönheit beherrschtem Streifen irritierte, war, daß darin das Feld sexueller Ambiguität, wie in so vielen Spielfilmen auch, afroamerikanisch, hispanisch, also rassisch different besetzt war und er damit einen wahrscheinlich unbeabsichtigten, aber doch strukturell rassistisch zu nennenden Unterton besaß. Darüber hinaus hatte sich die Filmemacherin ganz offensichtlich in Octavia St. Laurent, eine ihrer phallischen Protagonistinnen, verliebt, reflektierte aber diese ihre unterschwellige Betroffenheit, letztlich, laut Frauke, die Einmischung einer weißen Lesbierin in die Feminisierung des ehedem machistischen Latin Lovers in keiner Weise mit: Auch problematisch. Weitere Fragen, die aufkamen, während Paris Is Burning lief und Vivian eine Kanne schwarzen Tees bereitete: Wenn die Naturwissenschaften selbst, so nämlich stand es bei der Cyborg-Theoretikerin Donna Haraway, nichts weiter als eine spezifische Form des gesellschaftlichen Erzählens darstellten und damit eine kulturelle Praktik der Erzeugung von Bedeutungen, wovon kündete dann Angelas imposanter Schwanz? Inwiefern waren die Naturwissenschaften eine Fortsetzung der Politik mit anderen Mitteln? Konnten die

Objekte der Naturwissenschaften ihrerseits performativ wirken? War Vivians Vulva ein materiell-semiotischer Erzeugungsknoten? Fraukes Busen nichts als das zwingende Resultat einer ausschließlich diskursiven Konstruktion? Vivian und Frauke wußten nicht so recht, ob sie sich der kalifornischen Professorin Haraways Thesen zur sprichwörtlichen Science Fiction anschließen konnten, ohne diejenigen der einstigen Heidelberger Stipendiatin Butler zu verraten. Pilzraucher Rodney Atkinson hatte ein in Vivians Geburtsjahr bei den Kosmischen Kurieren erschienenes Doppelalbum von Klaus Schulze namens Cyborg besessen, dessen einzelne, je eine ganze Plattenseite dauernden Sätze Synphära, Conphära, Chromengel und Neuronengesang hießen. Dürfte ich nur eine Doppel-LP auf die Insel mitnehmen, würde ich momentan Kunststoff von Move D aus Heidelberg auf Source Records auswählen, schweifte Vivian weiter ab, während Pepper Labeija, die legendäre Mother Of The House Labeija, lasziv hingegossen von ihrer komplizierten Kindheit als Junge berichtete. Frauke Stöver wußte daraufhin zu erzählen, daß ihre Verlobte Angela Guida im zarten Jünglingsalter einmal mit großem Erfolg eine professionelle Veroneser Go-Go-Tänzerin vertreten hatte, nachdem diese auf einem Parteitag der italienischen Kommunisten wegen eines Drogendelikts verhaftet worden war. Was hatten die Genossen dabei nun vor Augen geführt bekommen? Was hatten sie gesehen? Angelo? Eine Frau? Das Weibliche? Ließe sich, mit oder gegen Donna Haraway, behaupten, das geschätzte Publikum sei durch Angelas famosen Auftritt getäuscht oder gar betrogen worden? Und was würde Barbara Duden, feministische Antipodin der Postmoderne, dazu sagen?

Als die von Frauke vor einigen Jahren aus einem dritten Fernsehprogramm mitgeschnittene Videokassette abgelaufen war, trat Vivian an ihren Discman und legte eine CD der Chicagoer Gruppe Falstaff ein, die einen Song mit dem raffinierten Refrain I gave my cock a woman's name enthielt, welchen die Magistrandin ihrer Besucherin unbedingt vorspielen wollte. Frauke zückte daraufhin belustigt ein pikantes Aktfoto von ihrer phallischen Verlobten aus dem Portemonnaie und betonte, auf die verkokste Veroneser Kokotte rekurrierend, daß die ausnahmslos männlichen Frauendarsteller auf Shakespeares Bühnen nicht selten auch Boy Actresses, Knabenschauspielerinnen, genannt worden waren. Was für eine aufschlußreiche, die Essenz über die Existenz stellende Wendung, resümierte Vivian: Ganz ähnlich der Begriff Tomboy, mit dem mich meine Eltern in jungen Jahren so oft belegt, ab und zu auch beschimpft haben und der doch in keinem Fall auf Jungen angewendet gehört. Frauke Stöver glaubte sich daran zu erinnern, vor Jahren einmal eine Postkarte aus einer Ghost Town namens Tomboy bei Telluride, Colorado, erhalten zu haben. Am schlimmsten fand meine Mutter an mir, daß ich nicht dauernd lächelte, fuhr Vivian Atkinson fort, das erste, was sie morgens sagte, wenn sie mein Kinderzimmer betrat, war: Smile. Und: Keep smiling. Mädchen lächeln, ganz klar, nicht nur amerikanische, das kannte auch die Schleswig-Holsteinerin, schon Shakespeares Female Impersonators hatten bestimmt, wie Leonardos Freund als Mona Lisa um 1503, zunächst einmal das Lächeln lernen müssen. Vivian nahm den von Frauke mitgebrachten Stapel überwiegend historischer Langspielplatten geschlechtsüberschreitender Interpreten an sich und händigte ihrer Freundin im Gegenzug Donna Haraways vieldiskutierten deutschsprachigen Reader Die Neuerfindung der Natur aus. Kannst du dir vorstellen, sagte die Jüngere, während sie die Ältere zur Tür brachte, daß mein Brunsbütteler Nachbar beim ersten Anblick der Odenwälder Steinbrüche völlig perplex bekundet hat, die Berge seien ja ganz kaputt?

Danach stand Vivian vor ihrem Spiegel und fand ihren Gesichtsausdruck auffallend kalt. War es die Möglichkeit, daß auch andere sie so wahrnahmen? Oder war sie es gar nicht selbst, die sie dort, womöglich in mehrfacher als nur optischer Hinsicht seitenverkehrt, zu erkennen glaubte? Ein Blick konnte sich doch nicht selbst begegnen; was für ein Betrug. Konnte er sich selbst brechen? Wie viele Stunden hatte ihre Mutter vor den verspiegelten Türen ihres Kleiderschranks zugebracht? Ihr Spiegelbild anlächelnd. Erst im Lächeln, hatte sie immer betont, fände die vollständige Verschmelzung des Aussehens mit der Persönlichkeit statt. Worin bestand nun aber ein Lächeln? Im Auseinanderziehen der Mundwinkel? Vivian starrte in ihren Spiegel und versuchte ihre Miene ganz bewußt aufzuhellen, eine leerlaufende, aber doch freundliche Miene aufzusetzen. Ein sogenanntes gewinnendes Lächeln. Was hatte ein gewinnendes Lächeln gleich wieder zu gewinnen? Vivian mußte über ihren eigenen Anblick lachen. Wenn es denn ihr eigener Anblick war. Sie atmete tief ein und ging ein paar Schritte auf den Spiegel zu. Die Cincinnati-Oma hatte immer gesagt, Mädchen sollten sich beim Gehen vorstellen, sie seien ein in die Senkrechte gebrachtes Sandwich. Die Vorderseite des Körpers die eine Weißbrotschnitte, die Rückseite die andere. Dazwischen der Brotbelag, welcher, flachgedrückt, fixiert werde. Gern hatte sie eine Liberace-Platte aufgelegt und das vorgemacht. Dazu weibische Handbewegungen vollzogen, mit denen sie die Bewegung von lodernden Flammen, rauschenden Baumwipfeln, leise fallenden Blättern, wogendem bis gekräuseltem Wasser nachahmte. Oder sie hatte, nach allen Himmelsrichtungen, mit leicht gespreizten Fingern Achterfiguren in die Luft gezeichnet. Ihr Oberkörper dabei total Sandwich. Vivian versuchte, das nun vor dem Spiegel nachzuvollziehen. Es war ihr absolut unmöglich, besaß aber eine gewisse Ähnlichkeit zu Willie Ninja.

Um ihren Weininger besser einkreisen zu können, hatte sich die Studentin einen ganzen Schwung Romane des 1918 im

Schützengraben gegen Deutschland gefallenen katholischen Wagnerianers und Okkultisten Josephin Peladan ausgeliehen: Das höchste Laster, 1884; Weibliche Neugier, 1885; Einweihung des Weibes, 1886; Das Weib des Künstlers, 1887; Der Androgyn, 1891, mit einem wütend pazifistischen, antikapitalistischen Nachwort des deutschen Übersetzers aus den frühen Jahren der Weimarer Republik. Sowie einen unglaublichen Essay mit dem Titel Wie man Fee wird, 1892. Den in Frankreich gleichfalls schon 1892 erschienenen Roman Gynandria, in Klammern: Lesbos, wie die 1923er Vorankündigung des Georg Müller Verlags, München, verriet, hatte die hilfsbereite Heidelberger Bibliothekarin leider nicht auftreiben können. Manche Passage aus diesen Büchern würde in einer Ablage landen, die Vivian bereits zu Beginn ihrer Recherchen mit dem vorläufigen Befund Verächtliche Frauenverehrung etikettiert hatte. Tatsächlich war es nur wenigen publizierenden Männern des neunzehnten Jahrhunderts überhaupt gelungen, das Weib auf nicht zusätzlich entmündigende Weise zu preisen. Noch Gerlinde Atkinsons 1966 in Mannheim verlegter Fremdwörter-Duden definierte Feminismus als körperliche und seelische Verweiblichung bei Männern. Heutzutage behaupteten Intellektuelle wie Frauke Stöver, daß allein die weibweibliche Liebe zu aufrichtigem Respekt gegenüber der Frau in der Lage sei. War es denn wirklich ausgeschlossen, hatte sich Vivian vorsichtig notiert, daß auch der homosexuellen Praxis sozialer Geschlechtlichkeit gelegentlich ein sexistisches Malheur unterlaufen konnte? Oder funktionierte Sexismus allein im konstruierten Gefälle zwischen dem einen und dem anderen biologisch nachweislichen Geschlecht? Wie der Rassismus nur in der das Fremde deklassierenden Abgrenzung? Konnte sexistische Gewalt sich nicht eventuell auch gegen sich selbst richten? Politisch gesehen, eine unzulässige Fragestellung, beschloß der Army Brat, wenngleich Angela mit ziemlicher Sicherheit einiges Anschauungsmaterial in Sachen Ausgrenzung des Eigenen feilbieten konnte. Vivian entfernte sich kurzzeitig von ihrer mit Peladans süßlichen Epen überladenen Rokoko-Arbeitsplatte und schlenderte barfuß in die kleine Küche, um einen kräftigen Schluck Milch zu sich zu nehmen.

Der Mannheimer Morgen ihres Brunsbütteler Nachbarn offenbarte an diesem Vormittag groß und breit die Hiobsbotschaft, daß Mannheims Boehringer-Werke von dem Pharma-Riesen Roche geschluckt worden seien. Wieder einmal standen Zehntausende von Arbeitsplätzen auf dem Spiel; und wieder einmal würden Zehntausende sogenannter Arbeitnehmer auf ihren Lohn verzichten wollen, um ihre Arbeitskraft weiterhin geben zu dürfen. Ein Herr Engelhorn aus dem Hause Boehringer sprach dazu beruhigende Worte. Gehörte er jenem Industriellengeschlecht an, das schon die BASF, aber auch das Mannheimer Modehaus Engelhorn & Sturm hervorgebracht hatte? Im kostenlosen Käseblättchen, das Vivian als nächstes durchblätterte, stand ein Artikel darüber, daß die sogenannte Wehrbereitschaft der deutschen Jugend deutlich zugenommen hätte, seit die Bundeswehr aktive, sie nannten es humanitäre, Kriegseinsätze leistete. Kaum noch Kriegsdienstverweigerer? Die Studierende glaubte ihren Augen nicht zu trauen, nahm einen weiteren kühlen Schluck aus der Milchflasche, blieb, abermals irritiert, an einem Fan-Steckbrief des afrodeutschen Schlagersängers Roberto Blanco hängen, wobei sie kurz überlegte, ob nicht womöglich auch Ernst Neger, des Mainzer Karnevalisten Name, ein Pseudonym gewesen sei, und wollte eben zurück zu Josephin Peladan und seinen wollüstigen Scheinzwittern im Beichtstuhl fliehen, als der Postbote klingelte und gleich noch einmal klingelte, so schwer war das Paket, das die Cincinnati-Oma diesmal geschickt hatte. Die Enkelin schleppte es zu ihrem Sofa und begann all die Schnüre und Klebebänder zu lösen, welche die lukullische Sendung zusammenhielten. Seit der Berliner Luftbrücke war die mittlerweile hochbetagte Cincinnati-Oma, die selber nie ein Flugzeug betreten hatte, nicht müde geworden, regelmäßig leckere Versorgungs-Päckchen nach Deutschland zu schicken, und mit dem Auszug der Atkinsons aus dem Patrick Henry Village waren alle Freßpakete schnurstracks nach Edingen gelangt, das, nach einfachem amerikanischen Weltbild wie jenem der Cincinnati-Oma, nicht in der bösen kommunistischen, sondern der braven, wie sie gedankenlos sagte, faschistischen Hälfte des geteilten Landes lag. Wie konnte Vivian ihrer uramerikanischen Großmutter, die auch glaubte, daß deutsche Frauen ihre Wäsche noch immer unten am Fluß auf den Steinen zum Trocknen ausbreiteten, bloß erklären, daß Deutschland inzwischen wieder ein Ganzes war und daß, darüber hinaus, in dieser erschreckenden Gänze ein großes sowohl außen- wie innenpolitisches Verderbnis lag?

Am selben Abend noch machten sich Vivian, Hans, Frauke und Korinna gemeinsam und mit Heißhunger über all die Tuben, Gläser, Tüten und Dosen aus Ohio her; auf dem Fußboden, da die verschnörkelte Platte noch immer von den Peladans überquoll und der Küchentisch für vier Personen einfach zu wenig Fläche bot. Angela hatte leider nicht mitkommen können, was Korinna weniger bedauerte als Vivian und Hans, die extrem neugierig auf Fraukes Verlobte waren, welche sie nur als Kellnerin, beziehungsweise Kellner, in der Handschuhsheimer Lesben-Pizzeria erlebt hatten. Wann er denn heute Feierabend habe, fragte Korinna gehässig, doch Frauke antwortete seelenruhig: Bis sie nach Hause komme, könne es zwei Uhr werden. Korinna Kohn wirkte nichtsdestotrotz vergleichsweise gefaßt und aß mit großem Appetit. Als Frauke sich zwischenzeitlich ihre Hände waschen ging, erzählte die Tennisspielerin Hans und Vivian mit gedämpfter Stimme, daß sie sich sowieso schon wieder neu verliebt habe und bereits kommende Woche zu Heiner, einem Drogenhändler, in den hinteren Odenwald ziehen werde. Das kann doch nichts werden, Korinna, platzte es, gänzlich unverblümt, aus Hänschen Pompadour heraus, und Vivian konnte ihm nur beipflichten. Der Drogenhändler, welcher in seinem Kaff ein echter König war, immer weiß gekleidet, wie aus dem Ei gepellt, weißen Panamahut auf dem Kopf, schneeweiße Sneakers an den Füßen, kam regelmäßig, zu Wochenenden, nach Heidelberg herunter und war sowohl Hans als auch Vivian kein Unbekannter. Aber da kehrte schon Frauke aus dem Bad zurück, und das Thema sollte gewechselt werden.

Der Platinblonden, welche in dieser Runde nur mit Vivian, die sie von allen am meisten begehrte, noch nicht im Bett gewesen war, lag es bereits auf den Lippen, als sie die Badezimmertür hinter sich zuzog: Urinale Segregation, so der stehende Ausdruck Lacans, bezeichnete eines der zentralen Alltagsprobleme nicht nur Angelas. Die symbolischen Darstellungen des Geschlechts auf den Türen öffentlicher Aborte hielten sich nämlich keinesfalls mit der wenigstens biologistisch verläßlichen Abbildung sogenannter Genitalien, wie sie im Pissoir ja auch herausgehängt zu werden pflegen, auf, sondern ausschließlich mit gesellschaftlichen, kulturalistischen Sperenzchen wie Fliegen, Pfeifen, Pferdeschwänzen oder Petticoats; weshalb Angela im Bedarfsfall auch immerzu, wenngleich irgendwie zögerlich, auf das Damen-WC loszusteuern beliebt. In der vorübergehenden Sicherheit ihrer Kabine, dem sogenannten stillen Örtchen, befällt sie dann aber binnen kurzem die ungute Ahnung, beim Verlassen der öffentlichen Toilette eventuell, wie sie sagt, gelesen werden zu können. Gelesen, so Frauke, ist gleich durchschaut, ist gleich der Penis unter Angelas Petticoat. Die damit, ganz nebenbei, ein soziales Problem markiert, das wir als kulturellen Binarismus kennengelernt haben, und der besitzt auch hier eine ordentliche Schlagseite: Eine Frau in Hosen, wie wir sie heute abend alle tragen, selbst Korinna hatte an diesem Tag eine geblümte

Schlaghose an, kann zwar mit Leichtigkeit durch die Tür mit dem Petticoat treten, ein Mann im Petticoat aber nur schweren Herzens durch diejenige mit der Pfeife. Weiters kann eine Mutter mit ihrem kleinen Sohn zwar das Damenklo besuchen, ein Vater mit Tochter aber weder das Damen- noch das Herrenklo, denn auf dem Gang zu dessen Kabinen liegt die stinkende Pißrinne, das Shangri-La eines jeden Exhibitionisten; erspart mir bitte nähere Ausführungen. Frauke Stöver hatte sich gar nicht erst erneut auf dem Fußboden niedergelassen, sondern ging wogenden Busens in dem geräumigen Zimmer auf und ab: Bereits in der Grundschule gibt es keinen größeren Regelverstoß, als in die streng abgesonderten Hygieneräume des entgegengesetzten Geschlechts einzudringen. Und doch auch kein größeres Abenteuer, wandte Korinna Kohn aufmüpfig ein. Urinale Segregation, wußte nun wiederum Vivian Atkinson, hatte im Süden der USA bis vor gar nicht langer Zeit aber auch bedeutet, daß es getrennte Toiletten für Schwarze und Weiße gab. Niemand im Raum konnte hingegen Hans Mühlenkamms nicht uninteressante Frage beantworten, ob es an den entsprechenden Örtlichkeiten denn dann vier Türen, also auch verschiedenfarbige Pfeifen und Pferdeschwänze, gegeben habe oder ob mit der wie immer abgrenzenden Betonung des Rassischen jene des Geschlechtlichen quasi überlagert worden, ja weggefallen sei. Die Quadrophonie hatte sich nicht gegen die Stereophonie durchsetzen können.

Zum zweiten Mal am selben Tag zückte Frauke Stöver das aufreizende Aktfoto ihrer Verlobten, reichte es auch Hans und Korinna und legte, nervös gestikulierend, los: Wenn ich durch den Odenwald spaziere, muß ich mich zum Urinieren in die Hocke setzen wie du, Vivian, wie du, Korinna, während Angela an den nächstbesten Baum tritt, ihren Schwanz aus der Hose holt und bei jedem Wetter, aufrecht stehend, in die Landschaft pinkelt. Wie Hänschen. Biologische Mechanismen, die immer wieder auch unter Biologismusverdacht gerieten und allen Anwesenden nur allzu bekannt waren; aber Frauke wollte auf etwas hinaus, das nicht zum Erfahrungsschatz der Normalbürgerin gehörte. Nicht einmal zu dem der lesbischen Normalbürgerin. Also räusperte sie sich, ihre Hände steckten mittlerweile in den Hosentaschen, und setzte abermals an: Dichotomisierende Regeln wie die, daß Mädchen im Sitzen und Jungen im Stehen pinkeln, haben sowohl den sozialen Unterschied der Geschlechter markiert als auch das hierarchische Gefälle zwischen ihnen akzentuiert. Was nun die männlich kanonisierte Rangordnung der Geschlechter anbelangt, läßt sich diese, gleichsam semiotisch, aushebeln, so Frauke, indem ich Angelas, wie uns weisgemacht werden soll, primäres Sexualorgan, womöglich im Sinne der Chicagoer Band Falstaff umdeute, das heißt umbenenne. Wenn Angela in mich gedrungen ist, besteht keine Klarheit mehr, wer von uns beiden den Penis hat, und wenn sie ihn wieder hinauszieht, besitzt er einen Namen, den wir in keinem Biologiebuch der Welt finden können, wenn ihr versteht, was ich damit sagen will. Ich habe wirklich schon auf Schwänze gekotzt. Vivian, Korinna und Hans starrten zwar verlegen in die leeren Dosen auf dem Fußboden, aber sie glaubten ungefähr begriffen zu haben, was sie schon bei Judith Butler gelesen hatten: Daß nämlich selbst die Organe letztendlich nichts weiter als Worte waren oder, wie Hans es in diesem Augenblick fast feierlich faßte, fleischliche Repräsentanten windiger gesellschaftlicher Verabredungen.

Als Vivian ihre FreundInnen, mit großem Binnen-I, denn unter ihnen befand sich mit Hans auch ein Freund, gegen drei Uhr nachts zu Korinnas im Mondlicht glänzendem Tatra hinunter begleitete, steckte ihr die Richterstocher unauffällig eine Adresse aus dem hinteren Odenwald zu, wo sich dieser im Osten unmerklich verlor, ganz flach auslief, dem Fränkischen entgegen, und wo es nur noch Käffer geben sollte, eines davon jenes, von dem aus Korinnas frischgebackener Geliebter seine Machenschaften organisierte, komm uns doch mal besuchen, Vivian, so Korinna, die Scheibe heruntergekurbelt, Hans neben sich angeschnallt, Frauke auf der Rückbank lümmelnd, sich wundernd, warum Korinna uns gesagt hatte. Das German-American Einzelkind winkte noch ein bißchen hinterher, als die tschechoslowakische Limousine in die Hauptstraße einbog, welche nach ein- bis zweihundert Metern zur Heidelberger Straße wurde, nahm im Tabakspeicher nicht den Lift, sondern die Treppe, lüftete ihr Zimmer und schob den enormen Haufen angefallenen Verpackungsabfalls in den Flur. Bevor sie sich auszog, nahm sie noch kurz Caroline Walker Bynums 1996 ins Deutsche übersetztes Buch Fragmentation And Redemption zur Hand, in welchem sich die mittelalterlichen Anfänge einer eigenständigen weiblichen, nämlich klösterlichen, Wissenschaft ausgerechnet um die Vorhaut Jesu, damit den einzigen nicht zum Himmel aufgefahrenen Körperteil des Heilands, ranken. Die Nabelschnur der Jungfrau Maria hinzugerechnet, die Milchzähne des Christkinds einmal vernachlässigt. Frauke hatte Vivian schon mehrmals von der Landsberger Äbtissin Herrad und deren Versuchen erzählt, herauszufinden, ob auch abgestorbene Föten, amputierte Gliedmaßen und sogar abgeschnittene Finger- und Zehennägel vom Tode auferstehen würden. Spätes zwölftes Jahrhundert, wenn sich Vivian richtig erinnerte. Schon seit längerem hatte sie sich vorgenommen, dieses ganz primäre Sekundärwerk zu Frauke Stövers Promotion selbst einmal zu lesen; nun, da ihre Freundin den gesamten Abend über von den so fraglichen Primalitäten des Intimbereichs gesprochen hatte, nahm sie es wenigstens schon einmal mit zu ihrem Kopfkissen. Nicht weniger interessant allerdings, sogleich beim ersten Aufschlagen, der womöglich weiterführende bibliographische Hinweis auf ein früheres Buch der amerikanischen Mediävistin: Jesus as Mother.

Vivian löschte das Licht, lauschte ein bißchen in die stille Nacht hinein, betastete neugierig ihre sogenannte Scham und überlegte, ob sie ihre Vulva, wie Frauke Stöver in sich anverwandelnder geschlechtlicher Vereinigung mit Angela Guida, allen Ernstes als Skrotum, ihre Klitoris als Glans und ihre Vagina, in die sie nun mit ihrem Zeigefinger fuhr, als Penis zu begreifen imstande wäre. Schließlich hatte auch sie schon verschiedentlich die menschliche, allzu menschliche Erfahrung gemacht, sich vor dem Spiegel gefragt zu haben: Das soll ich sein? Bis ins achtzehnte Jahrhundert waren Penis und Vagina ja als ein und derselbe Schlauch betrachtet worden und, ob dieser nun nach innen oder außen gestülpt war, lediglich als gradueller Unterschied einer geschlechtlichen Bestimmung, die schon damals eine rein männliche war: Es gab nichts Unvollkommeneres als eine Frau. Noch die bis heute verbreitete Auffassung, daß Sexualität nur dann zu ihrer Bestimmung gelangte, wenn der Mann sein Schwert in die Scheide des Weibsbildes steckte, konnte diesem Szenarium der hinein- und hinaus- beziehungsweise herein- und herausgestülpten Organe zugerechnet werden. Als Krönung der Aufklärung wurde die Frau dann pathologisiert und, nach Hänschens Fotokopien, von Gynäkologen, gebärneidischen Weiblichkeitsfachmännern, seziert. Vivian hatte sich inzwischen versehentlich autoerotisch erregt. Foucault lag schon richtig, dachte sie, indem er das sexuelle Begehren des Menschen jeglichen Geruchs einer naturgegebenen, vorkulturellen Unumgänglichkeit enthoben und als perfiden Bio-Spielball der politischen Mächte enttarnt hatte. Das weibliche Masturbieren hatten Gynäkologen allein deshalb toleriert, weil es ein als willkommen bis notwendig erachtetes Leistungstraining weiblicherseits für die sexuelle Optimierung männlicher Lüste abgab. Sollte die Vierundzwanzigjährige sich deshalb ihren unmittelbar bevorstehenden klitoralen Höhepunkt schenken? Wohl kaum.

An Fronleichnam stand Vivian mit ihrem Brunsbütteler Nachbarn auf dem 1906 vom Heidelberger Odenwaldklub errichteten Aussichtsturm des Weißen Steins bei Dossenheim, und der vor kurzem Zugereiste erklärte ihr am Horizont die BASF, wo er sich angeblich in einer schwindelerregenden Gehaltsspirale emporarbeitete, rechts und links davon die monumentalen Kühltürme der Kernkraftwerke Biblis und Philippsburg, vor deren jeweils größtem anzunehmenden Unfall er sich unbändig fürchtete, und, weiter vorn in der Ebene, das sehenswürdige Tabakstädtchen Ladenburg, wo Carl Benz, Mannheim entflohen, ab 1901 den vertrackten Unterschied zwischen Zündung und Fehlzündung herauszufinden versucht hatte. Der Brunsbütteler Herr Petersen erwies sich zwar als ansatzweise amüsanter Erzähler, doch ließen sich, ohne große Phantasie, dankbarere Zuhörerinnen für ihn ausmalen als ausgerechnet Vivian, die einfach nur nicht hatte nein sagen können, als der Einsame strahlend und mit gepacktem Picknick-Korb vor ihrer Tür gestanden war. Herr Petersen fuhr zwei Motorräder, ein brandneues japanisches und ein uraltes bayerisches mit Beiwagen. Letzteres sei in der Werkstatt, also hatte sich Vivian an den athletischen Körper ihres fast fünfzehn Jahre älteren Nachbarn drücken müssen, hielt ihn, bei rasanten Überholmanövern etwa, fest umfaßt wie einen Liebling, aber Petersen wußte als Motorradfahrer, daß er sich auf derartige Umarmungen nichts einbilden durfte.

An der Strahlenburg des willenlosen Käthchens von Heilbronn, der weltberühmten Heinrich von Kleistschen Marionette, Kleist auch als Verfasser der Geschlechterstudie Die Familie Schroffenstein, hatten sie Petersens Feuerstuhl abgestellt und waren zu Fuß zunächst auf den Ölberg gegangen; wobei der Studierenden eingefallen war, daß die christliche Trinität ja in der Tat eine Daseinsform bildete, bei der das Eine unmittelbar im Anderen existierte. Unbedingt für Frauke, beziehungsweise auch Korinna merken; Herr Petersen würde hiermit nichts anfangen können. Eigentlich müßten sich Frauke und Korinna doch über die deutlichen Parallelen ihrer akademischen Aufgabenstellungen miteinander versöhnen lassen, dachte Vivian. Waren es nicht ganz besonders Leibesinseln, wenn die Wunden des Heilands mit Abstand außerhalb seines Körpers zur bildlichen Darstellung gelangten? So gesehen in Fragmentierung und Erlösung. Worauf aber hatte Korinna neulich mit ihrem angeblich weiter als Plessner, Schmitz und Plügge führenden Ansatz zur sogenannten inneren Kolonialisierung angespielt? Die mädchenhafte Tennisspielerin konnte mitunter einen geradezu geheimnisvollen Zug entwickeln, ganz im Gegenteil zu Frauke Stöver, die ja mit allem, was ihr nur in den Sinn kam, geradezu wild um sich schlug. Und jetzt? Der virile Petersen wollte wissen, in welche Richtung weitergegangen werden sollte. Zum Weißen Stein, hinunter nach Dossenheim, und über die Schauenburg zurück zur Honda, befahl Vivian.

Unweit der Schauenburg aber ragte jener atemberaubend gigantische Steinbruch auf, der im Jahr 2000 endlich stillgelegt werden sollte und über dem Pat Meier ihre professionellen Tag- und Nachtsichtgeräte gegen die BASF in Stellung gebracht hatte. Herr Petersen, als der ältere, hatte Vivian längst das Du angeboten, aber die brünette Studentin mit der herausgewachsenen Jungenfrisur konnte sich einfach nicht angewöhnen, ein dermaßen gestandenes Mannsbild wie Bodo Petersen zu duzen. Also siezte sie ihn automatisch weiter, während er sich, deutlich entflammt, herausnahm, möglichst oft Du zu ihr zu sagen. Ziemlich still und kreidebleich wurde er allerdings, als Vivian mit ihm nun durch das Gestrüpp unmittelbar oberhalb der steilen Abbruchkante des Steinbruchs pirschte. Schwindelfreiheit habe er in Brunsbüttel, das auf der Höhe des Meeresspiegels lag, nicht trainieren können, wimmerte Petersen; als er einmal seinen Schwager, einen aus dem Fernsehen bekannten Greenpeace-Aktivisten, auf den

Schornstein eines Atomkraftwerks an der Unterelbe habe klettern sehen, sei ihm augenblicklich der Kartoffelsalat wieder hochgekommen. Du meine Scheiße. Was machst du denn hier? Pat Meier, in Tarnkleidung, fiel regelrecht aus allen Wolken, nachdem Vivian einige Zweige des Dickichts auseinandergebogen und ihr süßes amerikanisch-deutsches Gesicht zum Vorschein gebracht hatte. Darf ich vorstellen, so Vivian ungerührt, Herr Petersen, Frau Meier. Und binnen kurzem hatten sich die beiden, per Sie, in einen anfänglich vorsichtigen, später leidenschaftlichen Disput über Fluch und Segen der chemischen Industrie manövriert.

Pat Meier, Jahrgang 1954, nach eigenen Angaben endgültig politisiert seit dem durch die Gewerkschaften verratenen Chemiearbeiter-Streik von 1971, anläßlich dessen ihre beiden großen Schwestern Steine auf die Merckschen Werksschienen gelegt hatten, zitierte dabei, unter anderem, einige Passagen aus einer 1972er Kampfschrift der RAF gegen die chemischen Großkonzerne, die sie an ihrem Busen trug, sowie, auswendig, das berüchtigte Telegramm der chilenischen Hoechst-Tochtergesellschaft an die Farbwerke Hoechst AG in Frankfurt, neben der BASF und Bayer die entflochtenen Erben der nationalsozialistischen IG Farben, in deren vorfaschistischem Verwaltungsgebäude sich nach dem Krieg die Führung der US Forces, European Theater, sowie die CIA niedergelassen hatten, und das mit dem Abzug der amerikanischen Besatzungstruppen an die Frankfurter Alma mater, zu deutsch Nährmutter, übergeben worden war: Santiago de Chile, den 17. September 1973. Der so lang erwartete Eingriff des Militärs hat endlich stattgefunden. Chile wird in Zukunft ein für Hoechster Produkte zunehmend interessanter Markt sein.

Na und, bemerkte Bodo Petersen nur, der, deutlich sichtbar, um einige Jahre jünger war als Pat Meier, die daraufhin, erkennbar aufgebracht, Ernst Bloch herbeizitierte, welcher formuliert hatte, das Auge des Gesetzes sitze im Angesicht der herrschenden Klasse. Auch dem widersprach der Brunsbütteler, einst Azubi bei Bayer, überhaupt nicht und begann im Gegenzug ganz souverän, all die zivilisatorischen Errungenschaften der chemischen Industrie, insbesondere der Ludwigshafener BASF, aufzuzählen: Sie hatte im Jahre 1882 den Fernsprechanschluß Nummer 1 des Königreichs Bayern erhalten, zu welchem die Pfalz damals exklavisch gerechnet wurde. Schon 1897 fand die bahnbrechende Erfindung des synthetischen Indigo statt, 1913 die Grundsteinlegung für die weltbewegende Herstellung von Stickstoff-Düngemitteln, 1927 die sensationelle Gewinnung von Benzin aus Braunkohlenteer, und ab 1930 die explosive Entwicklung ständig neuer Kunststoffe durch die Badische Anilin- & Soda-Fabrik. Bereits 1936 zeichnete sie die Londoner Philharmoniker unter Sir Thomas Beecham im Ludwigshafener Feierabendhaus mit dem nur ein Jahr zuvor erfundenen BASF-Magnetophon auf. Der Ritter von Beecham war zutiefst beeindruckt, und bei Kriegsbeginn hatte die BASF bereits zwölf Millionen Meter Tonband fabriziert. Nach dem Krieg waren nur sechs Prozent aller Werksgebäude unversehrt geblieben, doch der große Siegeszug des Polystyrol ließ sich nicht aufhalten, und Bodo Petersen war bei seinem Lieblingsthema, der glorreichen Erzeugung von Plastik, angelangt. Womöglich eine weitere großindustrielle Materialisierung männlichen Gebärneids, mutmaßte Vivian, die sich, zu Füßen der beiden zunehmend erregt durch die frühsommerliche Luft fuchtelnden Disputanten, auf der ausgesetzten Graskante des westlichen Odenwalds niedergelassen hatte und ihre ganz besonders von Herrn Petersen beäugten langen Beine sichtlich unbekümmert über dem gewaltigen Abgrund des Steinbruchs baumeln ließ.

1966, als ich in Brunsbüttel eingeschult wurde und meinen ersten Chemiebaukasten geschenkt bekam, umfaßte das Verkaufsprogramm der BASF etwa fünftausend Produkte, führte Petersen mit spitzer Stimme aus: Kunststoff-Sortimente für die verschiedensten Anwendungsgebiete als Werkstoffe zur Verarbeitung durch Spritzguß, Blasen, Extrudieren, Kalandrieren, Tiefziehen, Gießen, Aufschäumen und Sintern wie Lupolen, Luparen, Oppanol, Luran, Terluran, Polystyrol, Styropor, Iporka, Ultramid, Vinoflex, Palatal; Kunststoff-Dispersionen als Veredlungsprodukte für die Klebstoff-, Papier-, Verpackungs- und Textilindustrie wie Acronal, Diofan, Propiofan; Lackrohstoffe, zum Beispiel Plastopal, Ludopal, Luprenal, Larodur; Weichmacher wie Palatinol oder Plastomoll; Lösungsmittel, Glykol und Glykolderivate; Glysantin-Kühlerfrostschutz; Vorprodukte für Synthesefasern; Kondensationsprodukte auf Basis Harnstoff-Phenol-Melamin für die holzverarbeitende Industrie wie Kaurit-Leim und Kauresin-Leim sowie für die Textil- und Papierindustrie; weiters organische Vor- und Zwischenprodukte für die pharmazeutische und kosmetische Industrie; Katalysatoren; anorganische Grundchemikalien; Farbstoffe zum Färben und Bedrucken von Textilien aller Art, zum Färben von Lacken, Papier, Leder, Kunststoffen und anderem; darüber hinaus Hilfs- und Veredlungsprodukte für die Textil-, Leder-, Papier-, Mineralöl-, chemisch-technische Industrie sowie andere Industrien; technische Stickstoffprodukte; Düngemittel, zum Beispiel Nitrophoska und Floranid; des weiteren Pflanzenschutz- und Schädlingsbekämpfungsmittel wie Pyramin, U 46, Polyram-Combi, Kumulus und Perfekthion; sowie, last but not least, das gute alte Magnetophonband BASF. Als ihr erhitzter Nachbar endlich fertig war, mußte Vivian Atkinson lauthals loslachen; womit sie ihn schlagartig verunsicherte, wenn nicht sogar beleidigte. Pat Meier aber, die 1975, gemeinsam mit Genoveva Weckherlin, ein nirgendwo abgedrucktes Sonett darüber verfaßt hatte, wie Merck dereinst das Darmstädter Weltmonopol für Kokain abhanden gekommen war, brachte erstmals einen gewissen Respekt für den so offensichtlichen Kenner synthetischer Materie auf und unternahm erste Schritte, sich diesen Mann warmzuhalten.

Ob er einmal durchblicken wolle, fragte sie ihn ganz freundschaftlich und reichte eines ihrer olivgrünen fotografischen Geräte herüber. Als Angehörigem der BASF war es Bodo Petersen aus betrieblichen Gründen, wie es hieß, werkpolizeilich untersagt worden, Fotografien von seiner Arbeitsstätte anzufertigen. Nehmen Sie also Ihren Fotoapparat wie überhaupt jegliche privaten Gegenstände nicht mit ins Werk, hatte schon 1957 in den Hinweisen für Neueintretende gestanden, die der brave Brunsbütteler bei einem Oggersheimer Trödler antiquarisch aufgetrieben hatte: Liegt ein besonderer Grund vor, der nach Ihrer Meinung so wichtig ist, daß Sie glauben, doch Privatsachen mit ins Werk nehmen zu müssen, dann wenden Sie sich bitte zuvor an die Werkpolizei. Sie muß wissen und Ihnen bestätigen, was Sie als Ihr Eigentum wieder aus dem Werk nehmen dürfen. Wie verlockend mußte es dem Angestellten daher nun vorkommen, wenigstens von weitem einmal, und sogar ein bißchen von oben, in die optisch herangeholte Fabrik hineinknipsen zu können. Binnen kurzem hatte er einen ganzen Film vollgeschossen, und die offenbar terroristisch veranlagte, seit einem Jahr beurlaubte Lehrerin versprach ihm, so bald wie möglich selbstgemachte Abzüge vorbeizubringen. Die Adresse haben Sie ja, freute sich der Motorradfahrer, aber Pat Meier war Zeit ihres Lebens noch nie in Edingen gewesen, und schon gar nicht bei Vivian Atkinson, die sie, laut Frauke Stöver, von Anfang an als ausgesprochen albernes Gör empfunden hatte.

Ein paar Tage später ließ sich auf den Frauenseiten der Wochenendzeitungen nachlesen, daß die deutsche Unterwäschefirma Triumph Büstenhalter und Höschen aus wiederverwertetem Kunststoff, in diesem Fall aussortierten, alten Plastik-Flaschen, auf den japanischen Markt zu bringen trachtete. Anläßlich einer Tokioter Pressekonferenz hatte der Marketing-Direktor des Münchner Unternehmens erklärt, wie sich aus genau dreieinhalb zu Plastik-Granulat zerkleinerten Anderthalb-Liter-Flaschen ein zartgrünes, BH und Slip umfassendes Wäsche-Set herstellen ließ. Auch die blumige Spitze dieser, dem Grundstoff gemäß, nicht in Weiß erhältlichen Dessous sollte, naturgemäß, aus Abfall bestehen. Vivian wußte nicht, ob sie etwas Besonderes daran finden sollte, schließlich wurde die sogenannte raffinierte weibliche Unterwäsche schon seit Ewigkeiten aus männlichen Kunststoffen hergestellt. Herr Petersen, der die Wochenendausgabe des Mannheimer Morgen an Samstagen immer persönlich, und meistens strumpfsockig, herüberbrachte, widersprach heftig: Nicht männliche Kunststoffe seien bislang verwendet worden, sondern jungfräuliche. Die Wiederverwertung von industriellem Abfall auf weiblicher Haut, ob japanischer, italienischer oder deutscher, so Petersen, stelle seines Erachtens eine nicht hinzunehmende Herabwürdigung der Frau dar. Diesem gentilen Standpunkt mochte die in ihrer Wohnungstür lehnende Nachbarin momentan nicht widersprechen; sie fand es immerhin bemerkenswert, daß Bodo Petersen über die bunte Heimchenseite, auf welcher genetische Frauen nun wirklich an jedem Wochenende zu bauchredenden Sexualobjekten reduziert wurden, überhaupt gestolpert war. Sie nahm die zerfledderte Zeitung entgegen, bedankte sich höflich mit der ironischen Andeutung eines Knickses, und Nachbar Petersen, der seinen Blick, über Vivian Atkinsons Schulter hinweg, die ganze Zeit sehnsüchtig auf ihr privates Interieur geheftet hatte, durfte ein weiteres Mal den Rückzug in die philiströse Vereinsamung antreten.

Die Studentin schloß ihre Wohnungstür hinter sich, trat an eine geflochtene Kleiderkiste und zog den einzigen Bikini, den sie besaß, heraus. Die eigentümliche verbale Gleichsetzung von militärischer Atombomben-Zündung und modeschöpferischer Markierung weiblicher Körperlichkeit durch Louis Reard, den Erfinder des knappen, zweiteiligen, die generativen Leibesinseln junger Frauen in sowohl ent- als auch verhüllender Strategie ausstellenden Badeanzugs, erregte abermals ihren Argwohn. Reard hatte seinen Fummel der westlichen Öffentlichkeit, Korinna Kohns Aufzeichnungen zufolge, 1946, nur vier Tage nach dem ersten von unzähligen verheerenden Atomversuchen, welche die USA über dem unschuldigen Bikini-Atoll durchführten, vorgestellt, und zwar namentlich vorgestellt als le bikini, wodurch die bombardierte Südsee-Inselgruppe zusätzlich kolonisiert, nämlich sprachlich besetzt worden war. Korinnas auf den Mai 1996 datierter handschriftlicher Befund: Die gleichsam verherrlichte Leibhaftigkeit der Frau in ihrer fatalen Stigmatisierung als so zerstörerische wie abgründig schöne, durch gezielte phallokratische Aggression erzeugte Explosion. Vivian war sich seit der Lektüre von Korinnas etymologischen Unterlagen deutlicher denn je darüber im klaren, wieso sie sich in ihrer Pubertät so ausnehmend davor gefürchtet hatte, einen sogenannten Atombusen zu bekommen. Gottlob hatte sie keinen bekommen, aber ihr einziger Bikini wanderte an diesem Samstagmorgen endgültig in den Papierkorb. Sollten doch irgendwelche Wissenschaftler Plastik-Flaschen daraus schöpfen.

USA, SA, SS. Nach dem internationalistischen Vergeltungsschlag der RAF auf das Heidelberger Headquarter der US Army, bei welchem der Cola-Automat umgefallen war, der den Onkel von Vivians flüchtigem Liebhaber, für den sie sich, amerikanischerweise, die Achseln ausrasiert hatte, unter sich begraben hatte, war die an der weltweit aufsehenerregenden Aktion beteiligt gewesene Widerstandskämpferin Irmgard Möller in einer bundesdeutschen Straßenbahn von einem älteren Herrn darauf angesprochen worden, wie klasse er diesen Bombenanschlag gefunden hätte. Irmgard Möller, die sich damals, nach ihren jeweiligen Operationen, regelmäßig in öffentliche Verkehrsmittel zu setzen pflegte, um die unmittelbare Reaktion des Volkskörpers, für welchen sie schließlich kämpfte, einzuholen, hatte sich dem Alten verständlicherweise nicht zu erkennen gegeben. Hans Mühlenkamm erhob seinen Zeigefinger und gab zu bedenken, daß der besagte Betagte womöglich ohnehin ein alter Nazi gewesen sei und warum überhaupt die Rote Armee Fraktion damals nicht in erster Linie gegen die Legionen von Nazis, welche Westdeutschland noch immer beherrschten, losgeschlagen habe. Seine beste Freundin, Vivian Atkinson, die heute ein Lurex-Top aus zweiter Hand trug und zur Zeit des Heidelberger Anschlags, wenn sie nachrechnete, gerade eben erst gezeugt worden war, wußte daraufhin erst einmal auch nur mit den Schultern zu zucken, polierte kurz ihre Sonnenbrille und nahm Hänschens englisch broschierte Erinnerungen der 1994 nach fast dreiundzwanzig qualvollen Jahren aus der Haft entlassenen Terroristin wieder auf.

Der Antiamerikanismus war, spätestens seit ihr Daddy die hiesige Besatzungsarmee abgewickelt hatte, tatsächlich ein ambivalentes Brot geworden, nichtsdestotrotz, entgegnete sie Hans nun doch, befand sich die RAF 1972 natürlich im Recht, die innerhalb des heimeligen Heidelberg im ganz gemeinen Eroberungskrieg liegenden amerikanischen Einrichtungen zu bombardieren. Du bist ja gut; mehr fiel Hans dazu in diesem Augenblick nicht ein. Die Mittagssonne stand steil über dem Königstuhl, im schwülen Dunst lag die Oberrheinische Tiefebene, selbst hier oben, an der Molkenkur, wollte kein kühles Lüftchen wehen. Andererseits, setzte Vivian unvermittelt fort, haben natürlich gerade die Anschläge vom Frühjahr 1972 ganz entschieden zur Polarisierung innerhalb der westdeutschen Linken und damit deren fataler Schwächung beigetragen; Irmgard Möller sagt, Seite 41: Kurz nach unseren Angriffen auf das IG-Farben-Haus in Frankfurt und den Zentralrechner in Heidelberg gab es am 3. Juni 1972 den Kongreß Am Beispiel Angela Davis in Frankfurt. Dort hat Oskar Negt für eine Fraktion der Linken, die sich entschlossen hatte, den Marsch durch die Institutionen anzutreten, zur Entsolidarisierung von uns aufgerufen. Ein paar Zeilen weiter unten: Der Lehrer, bei dem sich Ulrike Meinhof versteckt hatte, hat sie daraufhin auch prompt der Polizei gemeldet. Wonach sie durch eine Institution namens Zuchthaus marschieren durfte, bemerkte Hans kopfschüttelnd. Seine Eltern gingen bis heute davon aus, daß sich die Meinhof und ihre Genossen, 1976 respektive 1977, allesamt, bis eben auf die deshalb besonders verabscheuungswürdige Möller, in ihren Zellen selbst umgebracht hätten. Betrachtete er nun das fotografisch weichgezeichnete Gesicht Irmgard Möllers auf dem Umschlag ihrer Memoiren, konnte sich Hans einer gewissen erotischen Faszination dieser alternden Revolutionärin nicht erwehren, was Vivian wiederum aufhorchen ließ: War denn die Frau mit der Kanone, zumindest psychoanalytisch gesehen, nicht immer auch die Frau mit dem Phallus gewesen?

Seit ihrer ersten Lektüre Otto Weiningers vor zwei Jahren stieß die Studentin andauernd auf die Psychoanalyse und deren nicht selten auch lästige Zeitigungen. Weininger, 1880 bis 1903, österreichischer Jude, welcher deutscher als der Deutsche zu werden sich vorgenommen hatte und am Tag seiner Promotion feierlich zum Protestantismus übergetreten war, hatte zwar gegen die verweichlichte, ist gleich verweiblichte, Kaffeehauskultur gekämpft, gegen die sogenannten gemischten Gefühle, die er haßte, gleichzeitig aber, sprichwörtlich, eine Lanze gebrochen für die sogenannte Theorie der Bisexualität, welche von der relativen Gemischtgeschlechtlichkeit eines jeden Individuums ausging. Dies ausgeplaudert hatte seinem Patienten Hermann Swoboda gegenüber, einem engen Freund des fleißigen Doktoranden Weininger, unter vier Augen der Vater der Psychoanalyse, Sigmund Freud, welcher 1903, als Weiningers erweiterte Doktorarbeit unter dem Titel Geschlecht und Charakter erschien und auf Anhieb zum Bestseller wurde, allergrößten Ärger mit seinem Berliner Kollegen Wilhelm Fließ bekam, der diese Theorie der unbedingten Bisexualität aller Lebewesen im stillen Kämmerlein entwickelt und seinem Wiener Freund Freud nur unter dem Siegel höchster Verschwiegenheit anvertraut hatte. Otto Weininger hatte sich unterdessen, nur wenige Monate nach der Veröffentlichung seines misogynen Wälzers, in Beethovens Sterbehaus erschossen und trat, neben Daniel Paul Schreber, dem unter so wahnwitzig religiösen wie geschlechtsumwandlerischen Zwangsvorstellungen leidenden Sohn des Erfinders der Schrebergärtnerei sowie allergrößten Gegners der Selbstbefriedigung, eine posthume Karriere als wissenschaftliches Objekt der Psychoanalyse an.

Tatsächlich waren Schrebers Denkwürdigkeiten eines Nervenkranken im selben Jahr erschienen wie Weiningers ungleich populäreres Werk Geschlecht und Charakter. Aus seiner Abscheu gegen das Jüdische und Weibliche in sich selbst hatte Weininger die paranoide Gleichung destilliert, daß der Jude ein Weib sei, und damit sogar den jungen Hitler zu seinem Fan machen können. Auch Jesus Christus sei ein Jude gewesen, aber nur, um das Judentum in sich am vollständigsten zu überwinden. Der Jude sei eine kommunistische Kupplerin, und so weiter. Vivian kannte das geschlossene System der Zwangsvorstellungen Weiningers so gut wie auswendig; schließlich ging es ganz überwiegend mit dem westlichen Common sense der ersten Hälfte des zwanzigsten Jahrhunderts konform. In seinen letzten Tagebucheintragungen hatte der Frühvollendete allerdings vor sich selbst bekannt, hinter dem Haß gegen die Frau verberge sich immer nur der noch nicht überwundene Haß gegen die eigene Sexualität. In seinem Nachlaß hatte Vivian Atkinson den folgenden Aphorismus gefunden: Der anständige Mensch geht selbst in den

Tod, wenn er fühlt, daß er endgültig böse wird. Händigt seinem Vater noch das abgewetzte Lederfutteral seiner Brille aus, wenn das nun wirklich keine Blaupause für den Psychoanalytiker ist, dachte die Studierende, mietet sich ein muffiges Zimmer in der Schwarzspanierstraße 15, wo sechsundsiebzig Jahre zuvor auch der tote Beethoven herausgetragen worden ist, und gibt sich die Kugel. Auf dem Friedhof sollten seinem Sarg Persönlichkeiten wie Stefan Zweig, Karl Kraus und der ganze vierzehn Jahre zählende Ludwig Wittgenstein folgen. Noch 1931 würde dieser begeistert über Weininger schreiben: Sein gewaltiger Irrtum, der ist großartig. Vivian Atkinson hatte Wittgensteins hochfotokopierter Spruch einige Wochen lang als Lesezeichen in ihrer 1947er Ausgabe, der achtundzwanzigsten Auflage von Geschlecht und Charakter, gedient, antiquarisch erstanden 1995 in Heidelberg, unten am Neckar. Dann hatte sie den Zettel aber doch weggeworfen, in den Neckar, nämlich befunden, daß sich Wittgenstein in der Bewertung von Weiningers Irrtum geirrt hatte.

Was Vivian in diesem Moment, oben bei der Molkenkur, noch erinnerte, während der gleichfalls luftig bekleidete Hans in der ganz persönlichen Unterhaltung Oliver Tolmeins mit Irmgard Möller weiterlas: Der okkultistische Schwede August Strindberg schickt einen Kranz zu Otto Weiningers Begräbnis und verfaßt einen Nekrolog, in welchem er von dem unverrückbaren Faktum bramarbasiert, daß das Weib nichts als ein rudimentärer Mann sei; Karl Kraus wird diesen Text hocherfreut in der Fackel abdrucken. In seinem Briefwechsel mit Weiningers Freund Artur Gerber betrachtet der halb umnachtete Strindberg das sogenannte Frauenproblem durch Otto Weininger als gelöst und bekennt am 8. Dezember 1903: Ich glaube jetzt, daß ich Böses getan, bevor ich geboren war. Ich bin auch wie Weininger religiös geworden aus Furcht, ein Unmensch zu werden. Ich vergöttere auch Beethoven, habe sogar einen Beethoven-Klub gestiftet, wo man nur

Beethoven spielt. Aber ich habe bemerkt, daß sogenannte gute Menschen Beethoven nicht vertragen. Er ist ein Unseliger, Unruhiger, der nicht himmlisch genannt werden kann: überirdisch gewiß. P.S. Drucken Sie meine Briefe nicht vor meinem Tode. Woraufhin sich ein Lächeln auf Vivians bis eben noch sehr konzentrierte Züge stahl, Hänschen sogleich aufmerksam nachfragte, warum sie lache, und seiner um dreieinhalb Jahre älteren Kumpanin damit die geradezu klassische weibliche Antwort entlockte: Ach, nichts. Eine Drahtseilbahn, Jahrgang 1907, kam knarzend vom Königstuhl herabgekrochen, und Hans rieb seinen Rücken an dem roten Sandsteinfelsen, gegen den sie beide lehnten. Weitere prominente Verehrer erster Generation des selbsterklärten Genies Otto Weininger, mehr als ein halbes Jahrhundert vor Slavoj Žižek, die der Magistrandin augenblicklich einfielen: Heimito von Doderer, Alban Berg, Walter Serner, Alfred Kubin. Später würde der französische Germanist Jacques Le Rider schreiben, Weininger sei zwar kein Genie gewesen, aber ein geniales Symptom; es stelle sich deshalb die Frage, inwieweit seine Psychopathologie nicht gleichzeitig die Ratio seiner Zeit gewesen sei. So war der dreiundzwanzigjährige Wiener schon zu Lebzeiten, jene wenigen Wochen, die er seinen Ruhm zu erleben sich gestattete, von dem Leipziger Professor Paul Julius Moebius, Verfasser des überaus erfolgreichen Publikumsrenners Über den physiologischen Schwachsinn des Weibes, als Plagiator seiner Ideen bezichtigt worden. Und noch Jahre nachdem Weininger Hand an sich gelegt hatte, tobte, wo immer ihm zugehört wurde, besagter Wilhelm Fließ aus gleichem Grund. Wobei Sigmund Freud seinem Berliner Freund das volle Urheberrecht an der Idee von der unbedingten Bisexualität aller Lebewesen ohnehin zu keinem Zeitpunkt einzuräumen bereit war. Karl Kraus war hier abermals der Dritte, der sich freute und diesen fruchtlosen Disput in seiner Fackel, pro Weininger natürlich, rezensierte.

Für Kraus, den wortgewandten Häuptling des engsten Kreises der Weiningerianer, hatte Geschlecht und Charakter seit seinem gefeierten Erscheinen ein prima Anti-Freud-Kompendium abgegeben. Des Selbstmörders antifeministische Genietheorie diente Karl Kraus, Heimito von Doderer sowie Ernst Jünger, bis allen zu Hitler nichts mehr einfallen konnte, als verbaler Gefechtsstand gegen die verhaßte Psychoanalyse. Dabei war der berühmte Doktor Freud von dem noch namenlosen Studenten Weininger sehr verehrt worden, hatte dem wißbegierigen Neuropathen, wie sein letztendlicher Befund lauten würde, sogar ein paar Tips zu dessen Arbeit gegeben sowie später über ihn geurteilt, daß er, so wörtlich, ein hochbegabter, sexuell gestörter junger Philosoph gewesen sei, der die Juden und das Weib mit der gleichen Feindschaft und den gleichen männlichen Schmähungen überhäuft habe. Dies hatte Vivian in einer von Jacques Le Rider zitierten Freudschen Fußnote zur Analyse der Phobie eines 5jährigen Knaben gelesen, wo sie auch die folgenden Worte des ersten Psychoanalytikers gefunden und abgeschrieben hatte: Der Kastrationskomplex ist die tiefste unbewußte Wurzel des Antisemitismus, denn schon in der Kinderstube hört der Knabe, daß dem Juden etwas am Penis, er meint, ein Stück des Penis, abgeschnitten wurde, und dies gibt ihm das Recht, den Juden zu verachten. Auch die Verachtung gegen das Weib hat keine stärkere unbewußte Wurzel. Nach Jacques Le Rider stellte Geschlecht und Charakter einen einzigartigen gehetzten Gesang über die Kastration dar, wodurch das Werk, wie es Frauke schon vorletzten Sommer im Weininger-Seminar geäußert hatte, dann doch, zumindest phänomenologisch, in ganz unmittelbarer Nähe der schulmeisterlichen Psychoanalyse dahinschlingerte. Wo Otto Weininger behauptet hatte, das Weib besäße kein Ich, sogar: das Weib sei das Nichts, ließ sich bei Freuds Exegeten Jacques Lacan nachlesen: la femme n'existe pas. Seit Ödipus hatte die phallokratische Welt anscheinend nur ein Leitmotiv gekannt, den ewigen Kastrationskomplex. Wäre also Weiningers Wahnsinn schließlich als Freuds Wahrheit zu begreifen, hatte Le Rider geschrieben, Weininger als Ultra-Freud? Woraufhin Frauke Stöver und Vivian Atkinson zum ersten Mal gemeinsam in den Marstall, die Mensa, gegangen waren.

Ein paar Sachen nur, unterbrach Hans Mühlenkamm Vivians gedankliche Rekapitulationen unvermittelt: Wußtest du eigentlich, daß Irmgard Möller zunächst einmal nur Flugblattraketen in US-amerikanische Kasernen geschickt hatte, um die Soldaten dort zur Fahnenflucht aufzufordern? Und daß sie an einem Offenbacher Kiosk verhaftet wurde, der nur wenige hundert Meter von meinem Elternhaus entfernt liegt? Glaubst du der Legende, die RAF hätte gar nicht gewußt, daß sich im Heidelberger Hauptquartier jener Großrechner befand, der sämtliche Bombenangriffe auf Vietnam koordinierte? Den sie dann aber durch ihre beiden Autozündsätze, zwei, drei, viele Vietnams schaffend, wie Che es verlangt hatte, zerstörten, beziehungsweise, mit des Pentagons Worten: in die Steinzeit zurückbombten? Keine Ahnung, erwiderte die Studentin, du hast das Buch gelesen, nicht ich. Aber der Gelegenheitsarzthelfer hatte es noch längst nicht durch und tauchte also abermals in seine Lektüre ab. Ein Jahr nach dem sogenannten Deutschen Herbst, 1978, war dann Judith Butler in Heidelberg aufgetaucht, als amerikanische Stipendiatin mit europäischen Vorfahren jüdischen Glaubens hatte sie sich auf die Suche nach alten jüdischen Friedhöfen sowie Überresten jüdischen Widerstands gegen den deutschen Antisemitismus gemacht, heißhungrig Fassbinders Spielfilme verschlungen, mit ihren neuen deutschen Freunden über Deutsche, Juden, Geschichte, Politik und Sexualität debattiert und an der Universität über Hegels Rezeption in Frankreich gearbeitet. Schließlich der logische Umzug nach Frankreich. Hegel: Das System wird geschlossen, indem sich die Philosophie sich selbst zuwendet und ihre sprachlichen Mittel und Methoden reflektiert. Frage: Gäbe es eine Weiblichkeit außerhalb der Sprache? Noch 1993 bekundete die Philosophin, Philosophin ist gleich Feministin, in ihrem Aufsatz One Girl's Story, Überlegungen zu Deutschland, ihr Erstaunen darüber, in der Frankfurter Rundschau als sympathischer junger Mann apostrophiert worden zu sein, vielleicht italienischer Abstammung, wie es hieß. Butlers Kommentar: Die Vermutung italienischer Herkunft, hier zudem Schauplatz für die Beunruhigung über den Verlust geschlechtlicher sowie rassischer Grenzen, zeuge von einer immer noch herrschenden Unlesbarkeit des Juden in Deutschland. Joe, der Südländer, wie es im Judo Club immer geheißen hatte; denn der Deutsche war seinem Wesen nach nordisch. Differenz, nach Georg Wilhelm Friedrich Hegel, 1816 an die Heidelberger Universität berufen: Ein Unterschied, der gleichzeitig verbindet und unterscheidet, also bindet. Vivian Atkinsons Lieblingsstelle in One Girl's Story, Überlegungen zu Deutschland: Kann es einen Gedanken der Differenz geben, der nicht wieder zum Gedanken der Identität zurückkehrt?

Die Studierende kramte einen Zettel aus ihrer Tasche hervor und notierte: Joan Rivières 1929er Womanliness As A Masquerade sowie Judith Butlers heutige Begriffe der Performanz respektive Parodie an den Memoiren des Abbé de Choisy messen. Dann erhob sie sich, kletterte gelenkig über den Felsen und war für Hans verschwunden; telefonieren gehen. Eine Viertelstunde später kehrte sie zurück und quirilierte ihrem Freund ein Lied ins Ohr, das die Schauspielerin Ann-Margret 1963 als geschlechtsreifer Backfisch in dem Hollywood-Film Bye Bye Birdie, ein Jahr bevor sie mit dem heiß umschwärmten Männerdarsteller Elvis Presley in Viva Las Vegas auftreten durfte, hatte chansonieren müssen: How lovely to be a woman, the wait was way worthwhile. How lovely to wear mascara and smile a woman's smile. How lovely to have a figure that's round instead of flat. Whenever you hear boys whistle you're what they're whistling at. Das gibt es nicht, lachte Hans, wer hat das geschrieben? Charles Strouse und Lee Adams, antwortete Vivian, wobei Lee auch ein Mädchenname sein kann; jedenfalls das paradigmatische Modell einer Gender Impersonation, und sie wird noch bunter, denn der B-Teil lautet: It's wonderful to feel the things a woman feels. It gives you such a blow just to know you're wearing lipstick and heels. Oder so ein komisches Top wie du, nahm Hänschen Pompadour seine um zehn Zentimeter größere Freundin hoch, wen hast du eigentlich angerufen? Frauke Stöver, und sie bekommt den Wagen, antwortete Vivian strahlend. Sie hatte veranlaßt, daß Frauke Ilse Lehrerin um ihren Ford Escort anhielt, damit sie alle für einen Tag nach München reisen konnten, wo nämlich übermorgen Judith Butler höchstpersönlich bei den Amerikanisten der Universität gastieren sollte; Korinna Kohn mit ihrer um einiges geräumigeren Tatra-Limousine war, wie angekündigt, schon vor Wochen in den hinteren Odenwald abgeschwirrt. All righty, sagte Hans, wenn ihr mich haben könnt, Viv, ich komme mit. Sprang auf und intonierte, nur wenig tiefer als das Original, She Acts Like A Woman Should, einen ganz miesen Selbsterniedrigungs-Schlager, den sich Marilyn Monroe einst auf den hochdotierten Leib hatte schreiben lassen. Und manchmal wurden alle Frauen wie Männer, hatte D.H. Lawrence notiert, so daß die Männer nicht mehr männlich zu sein brauchten. Und manchmal, obladi, oblada, wurden alle Männer wie Frauen, und so brauchten die Frauen nicht länger fraulich zu sein. Die Kinks hatten ein populäres Lied namens Lola darüber aufgenommen. Und manchmal, ach so selten, blieb der Mann Mann und die Frau Frau, und sie kamen in ihrer Unterschiedlichkeit zusammen und waren sehr glücklich. Aber letztlich mußte der Mann Mann und die Frau Frau bleiben, denn D.H. Lawrence, Verfasser dieser Gedanken, hatte die komplizierten, die widersprüchlichen Liebschaften zu lieben gelernt.

Am Donnerstag, dem 12. Juni 1997, saßen Frauke, Angela, Vivian und Hans, sowie ein luxemburgischer Gasthörer namens Maurice, in Ilse Lehrerins leuchtend gelbem Ford Escort; die Inhaberin des Fahrzeugscheins nicht mit an Bord, sie mußte im Odenwald Unterricht geben. Frauke, die ihren Führerschein vor Ewigkeiten in Travemünde gemacht hatte, erwies sich als zwar unerfahrene, aber nicht ungeschickte Chauffeuse, und schon nach vier Stunden auf überfüllten Autobahnen, unter mehrfachem, zeitraffendem wie donnerndem Durchhören einer Kassette mit Sleater-Kinneys brandneuem Album Dig Me Out, rollten die fünf Freunde beziehungsweise Freundinnen in der bayerischen Landeshauptstadt ein. Angela Guida hatte sich ihren zierlichen Schopf platinblond wie Frauke Stöver färben lassen, eine Idee, auf welche sich die beiden Verlobten durch die begeisterte Lektüre von Ernest Hemingways unvollendetem Roman Der Garten Eden hatten stoßen lassen, in dessen Handlung sich der frisch vermählte Held, ein lyrisches Ich namens David, womöglich Hemingway selbst, so Frauke, von seiner Gattin, dem Wildfang Catherine, nach und nach zu deren Ebenbild modellieren läßt. Schon in den Flitterwochen muß der Mann im Bett als willfähriges Mädchen herhalten, die Frau nähert sich ihm als resoluter Junge, wie es auch Frauke zu tun beliebte, wovon wiederum die phallische Angela ein Lied zu singen wußte.

Maurice, der neben Angela saß, schaute verlegen zur Seite. Soeben zog das mächtige Schloß Nymphenburg an dem Escort vorbei; in der Ferne ließen sich, gestochen scharf, sogar die Alpen ausmachen. Dabei ist Der Garten Eden, aus mir absolut schleierhaften Gründen, lediglich in einer um, stellt euch mal vor, mehr als tausend Seiten gekürzten Fassung erhältlich, beschwerte sich Frauke über dieses somit doppelt unvollendete, ziemlich pikante Nachlaßwerk des Selbstmörders. Das alles will ja so gar nicht mit den Gerüchten über Hemingways Brusttoupet zusammengehen, stellte Hans Mühlenkamm nachdenklich fest, während Frauke Ilses Auto durch Münchens Feierabendverkehr fädelte. Irgendwie aber doch, widersprach Vivian, die bei Marjorie Garber gelesen hatte, daß Ernest Hemingway und seine ältere Schwester Marcelline im Kindesalter von ihrer Mutter wie gleichgeschlechtliche Zwillinge gekleidet worden waren, heute als Jungen, morgen als Mädchen, wie die Mutter ihren Sohn überhaupt gern ihr Summer Girl gerufen hatte, wovon ein berühmtes, gleichnamiges Lichtbild zeugte, und daß, darüber hinaus, des Dichters jüngster Sprößling schließlich selbst als Cross Dresser bekannt wurde. Vermutlich eine Koinzidenz, hatte Garber geschrieben, welche der faszinierenden, ohnedies komplexen Hemingway-Geschichte einen zusätzlichen Dreh verpaßte. Maurice, der seinen linken Arm, nicht zuletzt der Enge des Escort wegen, hinter Angela und Hans auf die Hutablage gelegt hatte, fuhr seiner Sitznachbarin durch das gebleichte Haar und sagte ganz einfach: Charmant. Vivian, die seit Augsburg vorn saß, hatte einen Stadtplan auf ihren Oberschenkeln, die aus einer kurz vor der Abreise abgeschnittenen Oshkosh-Latzhose herausschauten, entfaltet. Hans hielt seinen Kopf aus dem offenen Fenster. Gut möglich, daß heute noch ein Gewitter käme.

Eine Stunde später saßen alle bis auf Maurice, der nur seiner Benzinkostenbeteiligung halber mitgenommen worden war und in München eine gestrauchelte Cousine besuchen wollte, in einem Hörsaal der Münchner Universität. Dieser hatte sich im Nu so sehr gefüllt, daß die ganze Versammlung nach nebenan, in einen größeren Raum, umziehen durfte. Für einen kurzen Moment schämte sich Hans seines Geschlechts, von welchem, proportional gesehen, auffallend wenige Exemplare zugegen waren. Dann trat Judith Butler ein, ungemein sympathisch, auf anziehende Weise vergeistigt, fand Hans. Vivian schlug das Herz bis zum Hals, als die Amerikanerin nun zum Rednerpult schritt, von einer älteren, offenbar ortsansässigen Amerikanistin, welche die einführenden Worte hielt, gebeten wurde, zunächst auf einem bereitstehenden Stuhl Platz zu nehmen, und schließlich selbst, nur drei, vier Meter vor Hans und Vivian, ans Mikrophon trat. Frauke und Angela hatten sich gleich in die letzte Reihe verkrümelt; sie konnten es wirklich keine Minute lang unterlassen, unflätig aneinander herumzunesteln. Weshalb Angela auch die gesamte Fahrt nach München, per Mehrheitsbeschluß, auf der Rückbank hatte zubringen müssen. Judith Butlers Vortrag handelte von Antigone im besonderen, einer Definition familiärer Verwandtschaft im allgemeinen. Als die Autorin gegen Ende ihres Textes aus einer Laune heraus in die deutsche Übersetzung hinüberwechselte, fiel Vivian wieder einmal auf, wie außerordentlich umständlich ihre umfangreiche Muttersprache funktionierte. Daddy Atkinson hatte sich dereinst strikt geweigert, auch nur eine Vokabel mehr als die rudimentärsten Floskeln Deutsch zu erlernen: Wo bitte kann ich meine Wäsche waschen? Ich möchte meinen Salat selber anmachen. Ich bin gekommen, um die werte Hand Ihrer Tochter anzuhalten.

Sogar Hänschen Mühlenkamm, dessen erste Fremdsprache das Französische war, hatte den von Judith Butler dargelegten politischen Anspruch Antigones im wenig gewohnten englischen Idiom um einiges besser begriffen als in der synonymisch mäandernden Übertragung ins Deutsche. Wußtest du eigentlich, fragte der aschblonde Gelegenheitsarzthelfer seine brünette Sitznachbarin, nachdem die Vortragende fertig geworden war und der gesamte Hörsaal, inklusive Frauke und Angela, die sogar aufgesprungen waren, frenetisch applaudierte, daß Judith Butler mit Frau und Kind, wie ich aus der Reihe hinter uns aufgeschnappt habe, eine quasi bürgerliche Kleinfamilie führt, deren puritanisch US-amerikanisches Diktat sie doch andererseits so vehement, auch in dem eben gehörten Aufsatz zu Antigone, Tochter des Ödipus, bekämpft? Und wenn schon, erwiderte Vivian, der es auch egal war, wenn Kommunisten Mercedes fuhren. Hans hingegen fühlte eine gewisse Eifersucht in sich aufsteigen; gern hätte er sich in diesem Augenblick unter der von Brian Wilson besungenen Sonne Kaliforniens gegen die beneidenswerte Freundin Judith Butlers eingewechselt. Eine innere Regung, von der die amerikanisch-deutsche Studentin sofort Notiz nahm, durchaus mit Erleichterung, denn die bislang so ausnehmend ausschließliche Verliebtheit des jungen Offenbachers in Vivian Atkinson hatte dieser im Lauf der vergangenen Monate, bei aller auch ihrerseitigen Zuneigung, eine nicht unerhebliche Last auferlegt.

Ein paar nichtssagende Fragen aus dem Publikum sowie das profilneurotische Inzest-Geplapper einer offensichtlich freudianischen Amerikanistin rundeten die Abendveranstaltung ab, der Universitäts-Pedell rasselte bereits mit seinem Schlüsselbund, und gegen halb zehn wurde der ebenerdige Hörsaal in Münchens Schellingstraße geräumt. Wobei sich Hans tatsächlich noch ganz schnell, am Personal vorbei, nach vorn durchschlängelte, um den Theorie-Star zu befragen, ob sie in absehbarer Zeit wieder einmal auch nach Heidelberg käme. Leider nicht, antwortete Judith Butler, die ein angenehm flüssiges Deutsch zu sprechen verstand, lediglich in Berlin habe sie gestern den gleichen Vortrag gehalten. Der mir enorm gut gefallen hat, stammelte Hans Mühlenkamm auf Englisch, wofür sich die Amerikanerin ihrerseits freundlich bedankte. Und damit: Ende der Vorstellung. Überaus glücklich stürzte der Fan davon; seine Mitreisenden hatten die Szene aus den erhabenen hinteren Reihen, unweit der Ausgänge, beobachtet. Wahnsinn, kreischte Frauke Stöver und trommelte mit beiden Fäusten auf Hänschens Schultern ein, du hast tatsächlich mit ihr gesprochen, dafür schenke ich dir meine einzige Handtasche. Ein schreckliches Stück aus den achtziger Jahren, das der Sammler nicht einmal nachgeworfen haben mochte. Jedoch, er sagte dazu nichts, denn Frauke würde die Sache schon morgen wieder vergessen haben, und fragte lieber: Pizza oder McDonald's? Tatsächlich hatten alle vier einen Riesenhunger, und so tafelten sie binnen kurzem in einer scheußlichen Schwabinger Pizzeria, der wißbegierigen Angela mit vollen Backen die tollen Theoreme Butlers vorkauend. Gerade daß der temperamentvollen Wasserstoffblondine nicht gleich die ganze Lasagne aus dem bepinselten Gesicht fiel: Mein schöner Schwanz, nichts weiter als das Fleisch gewordene Ergebnis politischer Übereinkünfte? Woraufhin sich eine lebhafte Debatte darüber entzündete, ob Fraukes und Angelas Verlobung nun als homo-, hetero- oder gar zwangsheterosexuell zu klassifizieren sei. Und ob, falls sich die Protagonisten des Postfordismus, Kerle allesamt, nicht besserten, Zwangshomosexualität über die Welt zu verhängen sei. Jedenfalls brachte der nervös gewordene Kellner die Rechnung, bevor die lärmende Runde auch nur annähernd aufgegessen hatte.

Angela Guida wollte selbst auf der Autobahn noch nicht einsehen, daß ihre allseits als perfekt empfundene, feminine Gender Impersonation als parodistische Wiederholung diskursiver Bezeichnungspraxen des Geschlechtlichen zu bewerten sei, als subversiver Akt im höheren Auftrag einer revolutionären Multiplikation der Geschlechter, nämlich jenseits des, wie alle im Ford befanden, absolut schrottreifen binären Systems. Andererseits wollte sich Angela ihren Penis, der, laut Frauke, auf einen Frauennamen hörte, keinesfalls wegmachen lassen, was sie lautstark mit der kartesianischen Trennung von Körper und Geist begründete, Vivian Atkinson dagegen in Erinnerung rief, daß auch Simone de Beauvoirs ursprünglich emanzipativ gelesene Unterscheidung von Sex und Gender, also anatomischem und sozialem Geschlecht, diskursiv produziert wurde und in der hierarchisierenden

Trennung beider Kategorien letztendlich ganz reaktionäre Biologismen phallogozentrisch festgeschrieben wurden. Sex war nämlich, laut Judith Butler, immer schon Gender. Bereits Lacan hatte auf die Unmöglichkeit des Vordiskursiven hingewiesen. Absolutistische Chimären der Wissenschaft wie Körper, Identität, Subjekt zu denaturalisieren, hieße die heutige Losung, ereiferte sich die Magistrandin. Und a propos Descartes, Angelo, setzte sie hinterlistig hinzu, ist es denn tatsächlich mit deinem katholischen Glauben vereinbar, den Geist als Innenwelt und den Körper als Außenwelt zu begreifen? Die arme Angela verstand überhaupt nichts mehr und setzte eine verdrossene Miene auf. Unterhalb der Dossenheimer Steinbrüche hatte sie allerdings vor nur wenigen Wochen bei aufgehendem Vollmond eine Erscheinung gehabt, beziehungsweise, nach Frauke, zu haben geglaubt, die, wenn sie ehrlich war, jegliches kartesianische Weltbild ganz gehörig transzendierte. Nachts hatte sie daraufhin geträumt, als blondgelockte, wollüstige Äbtissin im Vorderen Orient nach dem irdischen Verbleib der Vorhaut Jesu zu forschen, und dabei so wild um sich gehauen, daß Frauke Stöver, welche diese Begebenheit in Ilses knallgelbem Auto zum Besten gab, ein blaues Auge davongetragen hatte.

Wenig war auf der Autobahn los, als der Escort mit dem Heidelberger Freundeskreis gegen zwei Uhr nachts über die Schwäbische Alb schnurrte. Im Wageninnern aber hatte sich das erhitzte Gespräch über Judith Butler und Angela Guida total verfranzt. Die Italienerin blätterte beleidigt in ihrer Monika, einem katholischen Frauenmagazin, das sie seit 1995, sehr zum Erstaunen ihrer Mitreisenden, abonniert hatte, und vertiefte sich schließlich in einen fraulichen Reisebericht über die Insel Korsika. Ganz einfach Frau; dieses Motto der in 86601 Donauwörth erscheinenden Illustrierten war eines Tages aus Ilses TV-Magazin geflattert, auf einem Werbefaltblatt, welches mit den entwaffnenden Merksätzen aufmachte:

Ganz einfach Frau zu sein, ist das Lebensgefühl der neuen Weiblichkeit. Die Frau von heute steht selbstbewußt zu ihren typisch weiblichen Eigenschaften, denn emanzipiert ist sie schon längst. Sie tut viel für ein harmonisches Leben und entdeckt die christlichen Tugenden neu. Sie steht zu ihrer Lebensaufgabe, und sie erwartet von ihrer Zeitschrift mehr als Mode und Kosmetik. Sie liest gerne, und sie liest Monika. Selbst das Kleingedruckte hatte Angela äußerst vielversprechend gefunden: Ja, ich möchte Monika kennenlernen. Senden Sie mir die nächsten zwei Ausgaben kostenlos und unverbindlich. Nach Erhalt der zweiten Nummer habe ich zehn Tage Zeit zu entscheiden, ob ich Monika regelmäßig mit zwölf Nummern jährlich beziehen möchte. Nur wenn ich überzeugt bin, und so weiter, frei Haus für achtunddreißig Mark vierzig. Die phallische Katholikin hatte prompt unterschrieben, und so hatte der in Fraukes, Ilses, Pats und nun auch ihrer gemeinsamen Toilette thronende Playboy in der keuschen Monika einen sündigen Partner gefunden.

Ganz einfach Frau ist natürlich Quatsch, Angela, versuchte Hans Mühlenkamm die Eingeschnappte neben sich aus ihrer eskapistischen Lektüre zu reißen; vergeblich, womöglich hatte sie sich an einem einzigen Buchstaben festgeglotzt. Und so mußte Frauke eine gefährliche Vollbremsung vortäuschen, um die Aufmerksamkeit ihrer Zukünftigen wiederzugewinnen: Lesley Ferris, hob sie an, bemerkt in ihrem 1990 an der Memphis State University erschienenen Aufsatz über Goethe, Goldoni And Woman-Hating, daß der deutsche Dichter an den feminin gekleideten italienischen Kastraten seiner Zeit not the thing itself but its imitation verehrte. Wobei the thing die Frau, deine monatliche Monika, Angela, gewesen wäre, wie sich andererseits der männerliebende französische Poet Cocteau in seiner Hymne auf den texanischen Transvestiten und Trapezartisten Barbette geradezu zum Frauenliebhaber umzustrukturieren vermocht hatte. Logisch, sagte Hans,

Cocteau als cock, Barbette als barbed woman. Und Goethes Ding an sich als Weib, setzte Vivian belustigt hinzu, aber Frauke Stöver wollte noch ein bißchen deutlicher werden: Wenn sich aus männlichen Darstellungen sogenannter Weiblichkeit sowohl des als heterosexuell gehandelten Goethes Frauenhaß als auch des schwulen Décadent Cocteaus vermeintliche Frauenverehrung gespeist hatte, ließe sich mit essentialistischen Argumentationen wie derjenigen aus Donauwörth, ganz einfach Frau sein zu können, kein Kaktus mehr gewinnen.

Hans kratzte sich am Hinterkopf. Mal eine ganz dumme Frage, sagte er: Wenn nun tatsächlich, nach Judith Butler, der Körper ein Text ist und das Subjekt als solches gar nicht existiert, also vielmehr von einer Art, dein Ausdruck, Frauke, Perpetuum mobile auszugehen ist, welches sich in einem, ich sage mal, unablässig plappernden Prozeß der gestischen bis verbalen Sinngebung sowohl manifestiert als erschöpft, ist natürlich auch das sogenannte Weibliche ein Effekt dieser Praxis. Und wenn, wie es bei Meret Oppenheim heißt, die Männer ihre weiblichen Anteile auf die Frauen, welche das patriarchalische Zentralgestirn, Trabanten gleich, umkreisen, projizieren, stellen diese dann eine ausgelagerte Teilmenge dessen dar, was wir einst als männliches Subjekt mißverstanden, nämlich überschätzt haben? Oder eine Restmenge dessen, was, vor Judith Butler, als Objekt zu bezeichnen gewesen wäre? Schon bei Luce Irigaray ist ja sowohl das Selbe als auch das Andere männlich markiert. Ja, was ist denn nun eigentlich eine Frau, mischte sich Angela Guida ganz plötzlich, auffallend ungeduldig, geradezu suggestiv, wieder ein, und was ist in ihr drin? Frauke Stöver, deren für die späte Stunde ausgesprochen munter wirkendes Gesicht in diesem Augenblick durch die gleißende Reflexion eines sich rasch nähernden Sportwagens im Rückspiegel erhellt wurde, schlug mit der flachen Hand auf das Lenkrad: Teilmengen, Teilmänner, Männerteile, spintisierte sie, lachte kurz schrill auf, stellte dann aber die überraschende Gegenfrage: Was ist ein Bild, Angela, und was ist auf ihm drauf? Woraufhin die stolze Hermaphroditin abermals verstummte. Sich ihre Monika zu einer Nackenrolle drehte. Auch Hans gab seinen schwierigen Gedankengang erst einmal wieder auf. Was wäre denn tatsächlich der Unterschied, grübelte dafür Vivian vorn vor sich hin, wenn der Körper gar kein Text, sondern ein Bild ist, ein Weibsbild, ein Mannsbild? Darüber hinaus beschlich sie eine deutliche Sympathie für Angela. So freimütig sich deren übergeschlechtlicher Weltenbummel auch darstellte, fühlte sich Vivian Atkinson doch immer wieder, wenn sie diese gelungene Rekonstruktion einer nach herkömmlichen Vorstellungen aufreizenden Kellnerin beobachtete, an Butlers kritische Anmerkungen zu Foucaults nahezu bukolischer Einschätzung der letztendlich suizidalen Amouren Herculine Barbins erinnert. Kaum je außerhalb des Horrorfilms waren jene Helden, die für die Wissenschaft starben, selbst Wissenschaftler gewesen, dachte die angehende Akademikerin.

War nun Angela glücklicher, als es Angelo je hätte werden können? Ließ sie sich, wie sie lasziv im Escort fläzte, tatsächlich als Cross Dresser, Schauender wie Beschaute zugleich, apostrophieren? War Angela denn nicht Angelo? Ihr Bild der Frau nicht seine Männerphantasie? Alias Carmen, Medusa, Salome? Warf denn Angelos Schwanz, da hinten auf der Rückbank neben Hans, nicht eine ganz enorme Falte in Angelas schicken Wickelrock? Wenn sie sich einen Nose Job hatte machen lassen, warum nicht, ganz lapidar, auch einen Penis Job? Worauf hatte Freud eigentlich hinausgewollt, als er geschrieben hatte, daß für beide Geschlechter nur ein Genitale, nämlich das männliche, eine Rolle spielte? Und Lacan gleich wieder, wenn er betont hatte, der Phallus, den eben niemand besitzen könne, sei keinesfalls das Organ, welches er symbolisiere, nicht Penis, nicht Klitoris, sondern die reine Repräsentation, die sich in der Anwesenheit der durch sie Repräsentierten restlos aufhob? Die Studentin mit der strähnigen Übergangsfrisur reckte sich, so gut dies angegurtet eben ging, in ihrem Beifahrerinnen-Sitz, nach einer Anekdote ihres Professors war auch Habermas einmal ganz gemein an Lacan gescheitert, klappte den Schminkspiegel aus und schaute nach hinten in den Fond. Erkannte, daß die sündige Italienerin eingeschlafen war; ihr Köpfchen lehnte jetzt an Hänschens Schulter. Dieser, mit einer Taschenlampe im Mund, in Irmgard Möller vertieft. Der Escort auf Höchstgeschwindigkeit. Verbarg sich hinter Angela Guida womöglich ein männlicher Hysteriker wie Baudelaire, Flaubert, Huysmans, Mallarmé, Peladan? Deren jeweilige Selbst-Feminisierung ja keine Zuwendung zur Frau, sondern, wußte Vivian, eine Vereinnahmung der Weiblichkeit im eigenen Interesse bedeutet hatte. Wie sie auch die Erfindung der Femme fatale als Phantasmagorie eines unzweifelhaft männlichen Frau-Seins zu begreifen gelernt hatte. Die Frau als fixe Idee. Mae West sowie Madonna als genetisch weibliche Drag Queens. Genus und Genie. Stichworte, die sich Vivian mit einem Kugelschreiber aus Ilses Handschuhfach auf ihren rechten Oberschenkel schrieb. Eine Stechmücke hatte sich ins Wageninnere verirrt. Frauke quetschte sie nahe ihrer Halsschlagader tot, und Hans fragte von hinten, wie weit es noch sei. Also fuhren die vier Wissensdurstigen, unterschiedlich aufgekratzt, durch die gewittrige Sommernacht und erreichten die Oberrheinische Tiefebene schließlich in der anbrechenden Morgendämmerung.

Der Aufseher schlug dem Hindu die Peitsche mitten durch das Gesicht. Mit dieser Formulierung eröffnete der Nazischriftsteller Karl Aloys Schenzinger seinen 1936 erschienenen historischen Roman Anilin über die Badische Anilin- & Soda-Fabrik, durch den er gewissermaßen lückenlos an Hitlerjunge Quex, seinen großen Erfolg von 1932, anknüpfen konnte. Pat Meier hatte daheim in Handschuhsheim eine kleine Privatlesung daraus organisiert, zu der auch Bodo Petersen eingeladen war. Und da der gerade seinen altertümlichen Beiwagen aus einer Ladenburger Reparaturwerkstatt abgeholt hatte, sollte, wozu er stürmisch bei ihr klingelte, auch seine hübsche Nachbarin unbedingt mitkommen, das heißt, in der einseitig geräderten Karosse Platz nehmen, die Petersen eben an sein BMW-Kraftrad geschraubt hatte. Vivian sagte schon deswegen zu, weil sie auf diese Weise einen ganzen Stapel ausgeliehener Schallplatten ohne jede Schlepperei an Frauke Stöver zurückgeben konnte, fand sich dann aber tatsächlich, denn Frauke und Angela waren wer weiß wohin ausgeflogen, vor der schroffen Pat Meier im Schneidersitz wieder, auf einem in Auflösung begriffenen Schaumgummikissen, zwischen Ilse Lehrerin, die kannenweise Tee gekocht hatte, Herrn Petersen, der es gar nicht gewohnt war, auf dem Fußboden zu sitzen, sowie einer Handvoll verfilzter Autonomer, deren riesige Hunde im Flur herumtobten.

Zu Anfang des Sommersemesters 1858 schritt ein blutjunger Mann ziemlich aufgeregt durch die Gassen Heidelbergs und suchte, wie er bei jeder Gelegenheit sagte, etwas zum Wohnen, las Pat vor. Das Schloß hatte er schon besichtigt. Den stärksten Eindruck hatte auf ihn die Aussicht gemacht, die man von der Terrasse aus auf die Stadt und auf das Neckartal hatte. Und jetzt kommt es, so die Vorlesende: Mit dem Bau selbst hatte er weniger anzufangen gewußt. Ihm gefiel nun einmal ein ganzer Bau besser als ein zerstörter. Ist das nicht stark? Die Gastgeberin, den seltenen Anflug eines Lächelns um ihren Mund, blätterte dreiundzwanzig Seiten weiter, ins Jahr 1865, wo ein sentimentaler Gärtner namens Klingele mit der kleinbürgerlichen Verhinderung des nationalen Fortschritts namens BASF droht, indem er dummdreist von der Dreckküche des Herrn Engelhorn tönt, und daß seine Kohlköpfe wohl demnächst nach Schwefel schmecken würden, nach Chlor sein allseits so gerühmter Apfelwein. Und was für ein widerwärtiger Kleingärtner das für Karl Aloys Schenzinger war, wenn er schreibt: Hier hatte der Gärtnermeister eine Pause gemacht. Er mußte sich endlich einmal die Stirne wischen und sehen, daß er wieder etwas Luft bekam. Außerdem war es wichtig zu sehen, wie die Wirkung war von dem, was man sagte; Originalton Schenzinger, so Pat. Des braven Bürgermeisters heftige Gegenrede: Was Sie da zuletzt sagten, Herr Klingele, scheint mir der springende Punkt Ihrer ganzen Auffassung zu sein. Die Angst um Ihren persönlichen Vorteil, die übrigens unbegründet ist, läßt Sie den ganzen Sachverhalt verzerren. Herr Engelhorn ist ein Mann mit geradezu genialem Geschäftsgeist. Er sagt sich, die Teerfarben sind eine deutsche Erfindung, aber es gibt nicht eine deutsche Fabrik, die sie ausnützt. Dagegen schießen im Ausland die Farbenfabriken wie Pilze aus der Erde, und da müsse endlich etwas unternommen werden. Pat Meier wollte weiterblättern, doch der Bürgermeister von Ludwigshafen war noch nicht am Ende: Herr Engelhorn rechnet mit Bestimmtheit damit, daß die neue Fabrik sich in allerkürzester Zeit mächtig vergrößern muß, und dazu gehört Platz, Platz und nochmals Platz. Fabrik ohne Raum, sozusagen, kommentierte die Vorleserin, und die Autonomen nickten; das fatale Zustandekommen eines kriegerischen Konzerns wie der IG Farben gehörte ihrer Ansicht nach von allen Seiten bis ins Detail analysiert. Bodo Petersen aus Brunsbüttel verlagerte seinen Schwerpunkt auf die linke Arschbacke. Wo war er denn hier bloß gelandet?

Bei ihrer letzten Einladung hatte Pat Meier Dem Volk dienen / Rote Armee Fraktion: Stadtguerilla und Klassenkampf, die berühmte RAF-Schrift vom April 1972, einen Monat vor den Heidelberger Autobomben zu datieren, vorgelesen. Deren Inhalt in Kürze: Konzerne und Staat; die westdeutsche Innen- und Außenpolitik als Innen- und Außenpolitik der Konzerne; die multinationale Organisation der Konzerne und die nationale Beschränktheit des Proletariats; die Stadtguerilla als Verbindung von nationalem und internationalem Kampf; die exemplarische Bedeutung des Chemiearbeiter-Streiks von 1971, Militarisierung der Klassenkämpfe; die objektive Aktualität der sozialen Frage, sprich Armut in der BRD; dagegen die subjektive Aktualität der Eigentumsfrage; Reformismus und der Unterschied zwischen CDU und SPD; die Rolle der Springer-Presse; Möglichkeiten sowie Funktion der Stadtguerilla; des weiteren Anmerkungen zu Verrat, Liberalismus, Bankraub und Solidarität. Ein Supertext der RAF, den fast alle auf dem Fußboden Versammelten noch ein Vierteljahrhundert nach seinem Erscheinen stürmisch begrüßten. Schenzinger dagegen hatte die heroische Heraufkunft bis zur gewaltsamen Expansion der BASF in einer Art futuristischem Epos besungen, dessen signifikanteste Stilblüten vorzulesen Pat Meier sich an diesem langen Abend auch nach der zweiten Pause nicht nehmen lassen wollte: Das andere kam. Das Neue. Die Ergänzung. Es kam zwangsläufig. Zu dem Einfall gesellte sich die Überlegung. Aus der Idee entstand die greifbare Form. Aus der Erfindung drängte die Nutzanwendung. Aus der Theorie wurde durch Verwertung der praktische Wert, die Ware. Im Reagenzglas lag das Milligramm. Das Milligramm umschloß die Frucht eines geistigen Vorgangs. Pats Gäste johlten. Das Milligramm umschloß die Frucht eines geistigen Vorgangs, wiederholte sie. Der Bedarf verlangte nach dem Kilo, forderte den Zentner, schrie nach Tonnen. Selbst Herr Petersen, der mittlerweile auf dem Rücken lag, konnte sich kaum mehr halten und fand es, wie er Vivian sogleich versicherte, schade, daß er Pat Meier noch nicht kannte, als es vor vier Wochen um die Flugschriften der RAF gegangen war. Womöglich ein gar nicht unlustiger Verein, raunte er seiner Nachbarin zu. War es die Möglichkeit, daß der Hobby-Biker noch nie von Baader-Meinhof, Irmgard Möller und der Rote Armee Fraktion gehört hatte?

Dies war der Grundstock, las die Darmstädterin unterdessen fort. Dies war die Fabrik. Der Anfang war schwer. Der Chemiker stand in der leeren Fabrikhalle. Er hatte hier kein Vorbild. Er entbehrte jeder Erfahrung. Die Methoden, die er aus seinem Laboratorium mitbrachte, versagten hier kläglich, die Apparate, deren er sich bis dahin bedient hatte, wirkten puppenhaft zierlich, ja lächerlich vor der Größe der Aufgaben, die ihm hier gestellt waren. Alles sollte in das Tausendfache, in das Millionenfache übertragen werden. Pat Meier blickte ernst in die versammelte Runde, nahm einen Schluck Tee und las auf Seite 244 unten weiter: Der Chemiker ließ nicht lokker. Er verbiß sich in die neue Aufgabe. Er wurde Techniker. Ihm zur Seite stand der Spezialarbeiter. Dieser Arbeiter brachte aus der Volksschule den geweckten Verstand, aus dem Heeresdienst die Disziplin mit zur Arbeit. Die Fabrikbetriebe verlangten nach militärischer Ordnung und erhielten sie. Nun war es ganz still zu Füßen der Vorlesenden geworden, selbst dem gutmütigen BASF-Angestellten Petersen ein kalter Schauer über den Rücken gelaufen. Pat Meier blätterte rund hundertdreißig Seiten weiter, an den Schluß des Buches, Schenzingers Gegenwart, die noch 1997 unbewältigte deutsche Vergangenheit. Sechzigtausend Tonnen Kautschuk im Jahr für die deutschen Reifen, stand dort zu lesen. Keine Naphtaquellen, kein Öl, kein Gummi im eigenen Lande. Keine Kolonien. Gefährliche Summen drohen ins Ausland abzufließen. Wir sind eingeengt, geographisch, wirtschaftlich, politisch. Wir wollen leben; Ausrufezeichen. Immer lauter wurde die Forderung nach dem künstlichen Werkstoff. So hatte Petersen das noch gar nicht gesehen. Der künstliche Werkstoff bedingt heute die Zukunft der deutschen Nation. Der künstliche Werkstoff ist zur deutschen Lebensfrage geworden.

Und vergeßt nicht, sagte Pat Meier, als sie ihre Gäste mitsamt deren bereits eingeschlafen gewesenen Hunden an die Wohnungstür brachte, daß die Badische Anilin- & Soda-Fabrik, nach Ludwigshafens größtem Sohn, Ernst Bloch, gleichsam inmitten unseres Nibelungenliedes liegt. Die Autonomen waren schon in ihren alten VW-Bus gestiegen, als ihnen sowie den beiden Wahl-Edingern von oben, aus Pat Meiers weit geöffnetem Fenster, noch immer Blochsche Floskeln um die Ohren flogen: Am feierlichsten Fluß Deutschlands. Zwischen Speyer und Worms. Mitten im Nibelungenlied. Ein Schritt über die Brücke, und die Luft war anders. Hier die größte Fabrik Deutschlands. Drüben in Mannheim das größte Schloß Deutschlands. Die Wirklichkeiten und die Ideale des Industriezeitalters selten so nahe beisammen. Der Schmutz sowie das residenzhaft eingebaute Geld. Rings um Ludwigshafen die dunstige Ebene. Sumpflöcher und Wassertümpel. Die Studierende und der Angestellte setzten ihre Helme auf. Bloch: Eine Art Prärie. Keine Gütchen und Idyllen. Fabrikmauern und Feuerschlote. Das Lied der Telefonstangen. Ilse Lehrerin versuchte, Pat Meier von ihrem Fenster fortzuziehen; vergeblich: Wir Burschen am Ufer fühlten leibhaftige Nymphen, Baumgötter an sonderbaren Abenden, wenn die Rheinwellen wie Glas standen. Hier wurde Pats Predigt durch das Dröhnen des nach mehreren Fehlzündungen endlich angesprungenen VW-Busses unterbrochen. Vivian Atkinson rief hinauf, sie habe gar nicht gewußt, daß Bloch Ludwigshafener gewesen sei. Aber klar doch, brüllte Pat zurück, rundherum lagen ja nur gewerbliche Gebäude, Sohn eines jüdischen Königlich Bayerischen Eisenbahnverwalters. Die Pfalz, jahrhundertelang Exklave Bayerns, wußte sogar Petersen zu melden.

Vivian setzte sich in seinen Beiwagen. Blutrot glaubte sie im fernen Westen den Himmel über der Fabrik glühen zu sehen. Konnte es wirklich sein, daß die Schlote der BASF das Nibelungenlied sangen? Und wieso war dieses germanische Zwergenvolk Pat Meier überhaupt eine Bemerkung wert gewesen? Was konnten die Autonomen davon mit nach Hause nehmen? Welche Nymphen hatte der junge Marxist Bloch im Uferschilf gefühlt, und was hatte er mit deren Leibhaftigkeit angefangen? Wie war eigentlich die Männerkonstruktion Nymphomanie zu ihrem zwielichtigen Namen gekommen? Und was hatte das linke, respektive postlinke Denken eigentlich mit der germanischen Mythologie am Hut? Hatte Vivian nicht sogar in einer kürzlichen Erklärung des ehrwürdigen Sozialistischen Patientenkollektivs zu Heidelberg, das sich seit 1973 Patientenfront nannte und seine sogenannten Kränkschriften im eigenen Verlag für Krankheit herausbrachte, einen Hinweis auf den sagenumwobenen Odenwald als Wotans alias Odins Wald gelesen? Aus Mimis Brunnen getrunken habender Meister der Zauberei, Gott des Krieges, des Sieges, des Todes. Seine Begleiter die Raben, Gungnir sein Speer, Slepnir sein Roß. Bodo Petersen, der angab, den Namen Ernst Bloch soeben zum zweiten Mal in seinem ganzen Leben gehört zu haben, gab Gas; in dreieinhalb Stunden würde er schon wieder aufstehen und in die Fabrik fahren müssen. War es eigentlich okay, daß er sich seinen geliebten Betrieb von einer politischen Extremistin madig machen ließ? Hatte er sich gar in Pat Meier verguckt? Beziehungsweise sie sich in ihn? Oder hielt sie, die Zielstrebige, ihn sich nur, um ihn, den Ahnungslosen, nach und nach zum Hochverräter umzuschulen? Waren denn seine heimlichen Fotos vom Steinbruch aus nicht bereits Werksspionage, ja Sabotage gewesen?

Daheim im Tabakspeicher ging Vivian Atkinson nicht gleich zu Bett. Sie zog verschiedene Nachschlagewerke aus dem Bücherregal neben ihrer großen Ohio-Landkarte und erfuhr, daß die Fassung C des Nibelungenliedes mit hoher Wahrscheinlichkeit am Fuß des Odenwalds, Richtung Worms, wo es in erster Linie spielen sollte, im alten, weitere vierhundert Jahre zuvor gegründeten Reichskloster Lorsch aufgeschrieben worden war, von dessen dichtendem Abt Sigehard von Schauenburg, 1167-1198, der seine kleinwüchsigen Helden dementsprechend im Odenwald jagen ließ, wo manche Quelle nach Siegfried hieß, welcher denn auch im Kloster Lorsch, wo die Siegfriedstraße gleich zwei Autobahnen kreuzte, seine ewige Ruhe gefunden haben wollte. Wie gleichfalls, Vivian inzwischen auf der Couch, der Witwensitz von Kriemhilds Mutter Ute hier zu suchen sei. Der Lorscher Codex, lernte die neugierige Studentin, während draußen der Tag anbrach, beinhaltete die gesamte Geschichte des Odenwalds vom achten bis zum dreizehnten Jahrhundert und wurde im Münchner Staatsarchiv aufbewahrt. Womit auch die mythische Bezeichnung Odenwald seit dem achten Jahrhundert urkundlich belegt war. Landkarten sagten: Es gab nicht nur die Siegfriedstraße quer durch den ganzen Odenwald, sondern, sehr zum Entsetzen der Historiker, welche die Hunnenfahrt der Burgunder eher in nordsüdlicher Richtung veranschlagten, auch eine Nibelungenstraße, die etwas weiter nördlich, gleichfalls ostwestlich ausgerichtet, weitgehend parallel verlaufend, die erstere hinter dem Limes, in Bayern, kreuzte. Das gleiche Bild in den Straßen von Worms: Nibelungennamen, so weit das Auge reichte. Jetzt fiel Vivian überhaupt ein, daß Pat Bodo an Fronleichnam oberhalb des Steinbruchs nicht nur die Fackeln der BASF im Sucher gezeigt hatte, sondern, merkwürdigerweise, wie es ihr schon damals vorgekommen war, auch die Türme der mittelalterlichen Dome von Speyer und Worms. Daß selbst die Ritter der Handschuhsheimer Tiefburg dereinst in Diensten des Klosters Lorsch gestanden hatten, führte an dieser Stelle womöglich zu weit, dachte Vivian auf dem Weg ins Badezimmer. Schon mancher Mensch hatte sich in dem postwissenschaftlichen Glauben, daß alles mit allem zusammenhinge, sehr schnell total verzettelt. Nicht erst Donna Haraway.

Telefax von Hans Mühlenkamm, Praxis Dr. med. Ancelet, 04.07.1997, 15:03: Liebe Viv, nach mehrmaligem begeisterten Anhören des aktuellen Doppelalbums der Formation

Conjoint um den Vibraphonisten Karl Berger und unseren Heidelberger Helden David Moufang alias Move D, der hier sogar Gitarre spielt, legte ich mir gestern abend noch einmal die neue LP von Sleater-Kinney auf, die Du mir nach unserem Münchner Ausflug ausgeliehen hast. Silvia Bovenschen, deren Namen ich ebenfalls erst durch Dich kennenlernte, hat ja schon 1979, in ihrem bahnbrechenden Buch Die imaginierte Weiblichkeit, das denkwürdige Verhältnis, ich denke, daß ich es Mißverhältnis nennen darf, zwischen den wenigen schreibenden und jenen Heerscharen von beschriebenen Frauen seit dem achtzehnten Jahrhundert untersucht. Bereits im Vorwort plädiert sie für eine noch zu verfassende Geschichte weiblicher Geschichtslosigkeit, was mich, erlaube mir diese Abschweifung, ein bißchen daran erinnert, wie Du mir neulich an der Molkenkur ankündigtest, eine noch nie dagewesene Geschichte der Gegenwart entwerfen zu wollen. Bovenschen schreibt: Die Frau ist als Verkörperung der Natureinheit das, was der Mann im Kunstwerk erst wiederherzustellen versucht. Doch diese Verwandtschaft wird den Frauen nicht zur Chance, sondern dient der Legitimation ihres Ausschlusses auch aus dieser Sphäre. Anläßlich des formalen Kontrasts zwischen Conjoints instrumentalen, vermeintlich in sich ruhenden Klängen und Sleater-Kinneys vokal determinierten Songs ist mir nun, ich kann nicht sagen: auf beruhigende Weise, aufgefallen, wie Sleater-Kinneys Stimmen, also diejenige Corin Tuckers und diejenige Carrie Brownsteins, wie sich Carrie Kinney jetzt nennt, andauernd zwischen Körper und Text oszillieren, also im sogenannten Singer Songwriter, ganz besonders, laß mich das halb eindeutschen, der Singer Songwriterin, weder die nur Beschriebene noch die nur Schreibende gesehen werden kann.

Anders ausgedrückt, Vivian: Wen oder was stellt eigentlich eine sexy Liedermacherin dar? Und wie steht sie da? Als Autorin? Als Text? Verkörperung ihres Textes? Als Nabel?

Als Stimme, welche zur Abstimmung aufruft? Ist sie Subjekt, Objekt, beides zugleich? Gehe ich über die Literaturwissenschaftlerin Bovenschen hinaus, wenn ich eine Girl Group, deren Mitglieder ihre noch so intelligenten Songs auch selbst verfaßt haben mögen, in erster Linie als beschriebene Frauen begreife? Wobei das patriarchalisch herablassende, implizit parteiliche Attestieren von Intelligenz selbst bereits mehr als problematisch ist, denn es verbreitet nicht nur den Pesthauch des Rassismus, nach welchem afrikanische Amerikaner kleinere Gehirne haben als europäische, sondern gleichfalls jenen des Sexismus, nach dem Du selbst oft genug, ganz niederträchtig, als so kluge wie schöne Frau klassifiziert worden bist. Hinter männlichen Komplimenten verbergen sich eben letztendlich fast immer ganz subtile Ausschlußverfahren. Oder hast Du je davon gehört, daß eine Frau als Genie bezeichnet worden wäre? Allein die imaginierte, die symbolische Frau ist der Kunst nahe, hält Bovenschen fest. Wie läßt sich nun durchbrechen, frage ich, gleichsam aus meiner Haut fahrend, daß die Frau vom ewiglich das Andere anstatt sich selbst definierenden Mann lediglich als Natur- und Gattungswesen begriffen wird? Oops, hier muß ich schließen, die Ärztin kehrt aus ihrer Mittagspause zurück, und ich habe noch nicht einmal das Wartezimmer gelüftet. Mündlicher Klärung harrend, H.M.

Oops, dachte auch Vivian, als sie ihr stark zerlesenes Exemplar von Die imaginierte Weiblichkeit, auf Hänschens Fernkopie hin, selbst einmal wieder in die Hände nahm und sogleich an abermals Ernst Blochs zitierten Worten hängenblieb. Vom halbkolonialen Status der Frauen hatte der Ludwigshafener gesprochen; das mußte unbedingt sofort an Korinna Kohn weitergeleitet werden. Ein schwerer Sommerregen ging über Edingen nieder. Die Dossenheimer Steinbrüche verhangen, eine ungenügend kolorierte Schwarzweiß-Fotografie. Im ganzen Patrick Henry Village waren am 4. Juli eines jeden

Jahres immer alle außer Rand und Band gewesen; heute bedeutete dem Army Brat der US-amerikanische Nationalfeiertag gar nichts mehr. Pandoras Mitgift könne, anstatt als Behälter des Unglücks, auch als Mysterienlade, sogar als Pandora selbst, gelesen werden: Das Prinzip Hoffnung, erster Band, Seite 388 folgende; so bald wie möglich, notierte Vivian amüsiert, zu Hänschens Händen, an die Fachärztin Ancelet faxen. Auch aus dem zweiten Band, des nämlichen Kapitels Titel: Kampf ums neue Weib, hatte Silvia Bovenschen eine signifikante Stelle Blochscher Vieldeutigkeit des Weiblichen zitiert, in welcher es um das gärend halb-entschiedene, falsch entschiedene, unentschiedene Durcheinander und Ineinander am Weib ging, wie es die bisherige Gesellschaft in eine kommende einliefere. Um Sanftes und Wildes, Zerstörerisches und Erbarmendes, Blume wie Hexe, die hochmütige Bronze wie die tüchtige Seele des Geschäfts. Desweiteren um die Mänade sowie die waltende Demeter, die reife Juno, die kühle Artemis, die russische Minerva und was noch alles, so Bloch, der bisherige Fraulichkeit als Maskerade in einer besseren Welt zu Gunsten einer erhofften wahren Natur des Weiblichen zu überwinden trachtete.

Wo liegt denn überhaupt, hatte Angela im Escort, Höhe Degerloch, beim Tanken überraschend angemerkt, die fragliche Grenze zwischen radikaler Dekonstruktion und zwingender Religiosität und damit der Unterschied zwischen eurer und meiner Weltanschauung? Schließlich sei noch die angebliche Kugelgestalt der Erde nichts weiter als eine bequeme Konvention gehobenen Benehmens, eine harmlose Novelle, eine Harawaysche naturwissenschaftliche Erzählung, sprichwörtlich eine Projektion, wie selbst die strengsten Kartographen freien Mutes eingestehen würden. Stimmt, hatte Vivian gedacht. Genau, war Fraukes knapper Kommentar gewesen. Warum dann aber, Angela, hat die katholische Kirche, hatte Hans gefragt, dem Siegeszug des Globus, im Gegensatz zu ihrer standhaft ausbleibenden Anerkennung der keineswegs weniger zwanghaften, tatsächlich höchst gefährlichen Konstruktion des Darwinismus, so Hans, der Evolutionstheorie, letztendlich klein beigegeben? In den Laboratorien des Vatikans existiere die Welt ganz bestimmt weder als Kugel noch als Scheibe, hatte die gleichsam vogelfreie Kirchentreue, welche die Imitation als ihre Möglichkeit weiblicher Selbstdarstellung erkannt hatte, zu wissen geglaubt. Keiner in Ilses gelbem Wagen, der längst wieder per Vollgas über die Autobahn fegte, hatte daraufhin irgend etwas zu erwidern gewußt. Ziemlich schwierig, dachte Vivian, in Bovenschens siebter Auflage, anno 1993, blätternd, und auch nicht wirklich eine ausreichende Beantwortung der Frage Hänschen Mühlenkamms. Nachdenklich geworden, holte sie sich daher einen Kugelschreiber von ihrer Rokoko-Platte und formulierte im Stehen, am Fenster, den Odenwald im toten Winkel, die folgenden, ihrer Verfasserin bereits während der zögerlichen Niederschrift auf einen frischen Bogen Papier sehr gravitätisch, geradezu pathetisch vorkommenden Halbsätze: Die Frau im Spiegel als die sprichwörtlich verschwundene Frau; keine Frauenzeitschrift war je passender benannt worden. Der ungeniert fordernde, entmündigende, massakrierende Blick des unsichtbaren Mannes hinter ihr: Über ihre Schulter hinweg, durch ihre Iris hindurch. Dieser Blick als Gesichtspunkt, der ihr das Spiegelbild raubt, in welchem, und damit nicht: durch welches, sie sich, nach, mit, in ihres Mannes Worten, gerade erst gefunden zu haben glaubte. Deine Vivian. Hans so etwas, ganz ohne weiteres, faxen?

Zwei Wochen später saß die Studentin bei glühender Hitze in einem von Heidelberg ausgehenden Bummelzug, das Neckartal hinauf, in Richtung Mosbach, einem bildhübschen Jungen aus Bremen gegenüber, der ihr begeistert davon erzählte, wie der unlängst auf dem Mars gelandete Roboter Sojourner allmorgendlich, per Weltraumfunk, durch die Samba-Rhythmen von Coisinha do Pai, was als Papas schöne Sache zu übersetzen sei, geweckt sowie auf Zack gebracht würde. Die Wahl dieses für wissenschaftliche Zusammenhänge ungewöhnlich frivolen Liedchens ginge auf die Initiative einer brasilianischen Ingenieurin zurück, welche die derzeitige Mars-Expedition bei der US-amerikanischen Weltraumbehörde NASA hatte mit vorbereiten dürfen. Wobei sich herausstellte, daß die ausgesprochene Attraktivität des Hanseaten von seiner portugiesischen Mutter herrührte, einer berühmten Konzertpianistin, welche ihn, auf des Vaters Kommandobrücke, unweit der Kapverdischen Inseln und bei stürmischer See, drei Wochen früher als geplant zur Welt gebracht hatte. Eine Riesensauerei, wie es der auffallend freimütige Bremer seiner frischen Bekannten gegenüber faßte, der hehre Kartentisch des Vaters ebenso blutverschmiert wie die weißen Hosen des Ersten Offiziers.

Weitere Themen im von Sonnenlicht durchfluteten Abteil: Das hochsommerliche Wetter, die Identifizierung des unter der Landepiste von Vallegrande, Bolivien, ausgegrabenen Skeletts Ernesto Che Guevaras, Karl Lagerfelds neuestes Lieblingsmodell, darin Nachfolgerin Claudia Schiffers, eine blonde Niederländerin namens Esther de Jong, an welcher den bezopften Modeschöpfer ganz besonders die sogenannte Arroganz ihres Profils sowie die nicht aufhörende Länge ihres Halses begeisterte, ihre, mit Lagerfelds Worten, spontane, kompromißlose, totale Modernität, das versehentlich an die Öffentlichkeit gelangte Skandal-Video der Bundeswehr, in welchem deutsche Wehrpflichtige die Vergewaltigung und Hinrichtung osteuropäischer Untermenschen darstellten, sowie die bevorstehende feministische Öffnung der katholischen Kirche, wie sie gerade durch die Tageszeitungen ging, nachdem der Augsburger Bischof Dammertz erklärt hatte, die konfessionelle Sprache sei auf nicht weiter hinzunehmende Weise männlich geprägt. Aber war denn nicht Kirche per se eine durchwegs weiblich codierte Angelegenheit? Gelegentlich einmal mit Angela darüber sprechen, dachte Vivian und vertiefte sich in des wohlriechenden Kapitänssohns zerlesene Frankfurter Allgemeine. Die Schlange ist lang, alle Soldaten wollen auf eine Frau, lautete die Tonspur des Bundeswehr-Videos: Nach ihrer Vergewaltigung muß die Besudelte ein Holzkreuz über den Truppenübungsplatz schleppen, dann wird sie ans Kreuz geschlagen. Der Fernsehsender SAT 1 hatte den Film, exklusiv, gleich zweimal an einem Tag ausgestrahlt.

In Hirschhorn, unterhalb der Burg, stieg die neugierige Brünette kurzentschlossen aus, um ein von Mark Twain beschriebenes Lokal mit dem, wie sie fand, sensationellen Namen Zum Naturalisten aufzusuchen. Wow, entfuhr es ihr, während sie sich, die verschlafene Bahnhofstraße hinunter, einem wenig einladenden Kasten aus Beton näherte, dessen diverse Aufschriften nicht nur seitlich das Kurhaus, vorne das Bürgerhaus und Restaurant Zum Naturalisten, sondern drinnen auch eine Mark-Twain-Stube verhießen. Deren separater Zugang erwies sich allerdings als durch eine Zimmerpalme blockiert. Vivian Atkinson nahm sich ein Herz, trat in den Speisesaal Zum Naturalisten ein, grüßte freundlich auf Deutsch, wurde für eine Amerikanerin gehalten, wollte in die besagte Mark-Twain-Stube eingelassen werden, was aber nicht möglich war, da diese, leider, leider, sagte ein Mann, der hinter dem Tresen Gläser aufpolierte, nur für Gesellschaften von einhundert Personen und mehr geöffnet würde, bestellte sich eine Coca-Cola, empfand überhaupt nichts Besonderes an diesem historischen, lieblos historisierten Ort und trödelte etwas mißgelaunt, einen abgelutschten Pfirsichkern mit ihren plateaubesohlten Turnschuhen vor sich her kikkend, zum Bahnhof zurück. Hätte sie sich, anstatt ihre kleine Reise impulsiv zu unterbrechen, bloß weiter mit dem hübschen Jungen unterhalten, dachte sie. Quälende Mittagshitze lag über dem Neckarstädtchen; da lümmelte sich das Einzelkind, bis die nächste schwäbische Eisenbahn käme, an einer schattigen Böschung ins Gras und blätterte, im Angesicht der hessischen Polizei, welche im Bahnhofshäuschen residierte, ein bißchen in ihrer mitgebrachten Reiselektüre, Boyarins Unheroic Conduct, hin und her. Twain hatte ohnedies geraten, den Anblick der alten Odenwaldburg lieber aus der Entfernung zu genießen: Hirschhorn is best seen from the distance.

Neckarelz: Umsteigen in die Odenwaldbahn. Ein netter Reisender hatte Vivian sein mobiles Telefon geliehen, so daß am Bahnhof Mosbach, wiederum Baden, schräg gegenüber unter gestutzten Bäumchen, in einer blauen Abgaswolke, superpünktlich, Korinnas weißer Tatra, nunmehr mit MOS-Kennzeichen, stand. Die Edingerin brauchte nur einzusteigen, und schon knatterten die beiden in Richtung einer ziemlich verlassenen Gegend des hinteren Odenwalds namens Bauland davon. Ewig nicht gesehen, sagte Korinna Kohn, die eine häßliche, womöglich wertvolle Versace-Sonnenbrille trug; der italienische Modeschöpfer war eben erst in Miami, Florida, ermordet worden. Auch Vivian fand, daß das Wiedersehen mit ihrer Kommilitonin längst überfällig gewesen sei. Völlig unverändert, sagte sie, ohne es wirklich zu meinen, denn Korinna hatte, seit sie aus Heidelberg weggezogen war, ganz eindeutig ein paar Pfunde zugelegt. Wirklich? Die frisch Ondulierte freute sich über Vivians freundschaftliche Geste, nahm diese als Kompliment an und ihre Sonnenbrille ab. Von Versace, sagte sie feierlich, ihm zum Gedenken. Die wäre mal was für Angela, bemerkte Vivian, und schon wollte Korinna jedes Detail über den Stand der Verbindung zwischen der maskulinen Frau vom Ostseestrand, die sie einst so sehr geliebt hatte, und dem hyperfemininen Mann aus der Po-Ebene, der sie ihr so gemein ausgespannt hatte, wissen. Immer noch nicht verheiratet, glaube ich, antwortete Vivian einsilbig und entdeckte, auf dem Fußboden des Tatra, zwischen allerlei Kosmetika, einer englischen Tennis-Fachzeitschrift, einem Haarband sowie drei miteinander verschweißten Dosen Hundefutter, Donna Haraways neues Buch Modest_Wit-ness @Second_Millennium.FemaleMan©_Meets_OncoMouse™. Untertitel: Feminism and Technoscience. Frauke Stöver hatte es vor kurzem zu lesen versucht und für unlesbar befunden. Korinna schien es tatsächlich von Anfang bis Ende gelesen zu haben, mochte es aber, politischer Vorbehalte wegen, nicht unbedingt weiterempfehlen. Haraway wäre wohl letzten Endes für jede noch so schweinische Genmanipulation zu gewinnen, sagte sie, nahm ihren Fuß vom Gaspedal und trat, dieses symbolisch mißbilligend, nach dem ansprechend aufgemachten Routledge-Buch in Vivians Fußraum. Woraufhin die alte Tatra-Limousine ihr Reisetempo verlor und nur noch im Schneckentempo das weitere Elztal hinauf zu quälen war.

Als die Freundinnen schließlich im Bauland angekommen waren und Korinna Kohn das qualmende Gefährt vor ihrer neuen Heimstätte ausrollen ließ, sprang sofort Heiners unmögliche Dogge an dem Wagen hoch. Kein Hundefutter schmeckte ihr so gut wie das ganz besonders herzhafte aus Mosbach am Neckar. Auch Heiner, ganz in Weiß, auf der Terrasse seines Anwesens, schien sich zu freuen, daß Besuch kam; er hatte schon viel von Vivian gehört, und Korinna hatte ihm, weiß Gott, nicht zu viel versprochen. Tolle Figur, rief er schon von weitem und beschrieb mit seinen plumpen Händen die kurvenreichen Umrisse einer griechischen Amphore in die laue Abendluft. Früher, daheim im Patrick Henry Village, hätte sich die Soldatentochter für derlei Bemerkungen artig bedankt, verlegen why thank you gesagt, womöglich einen Knicks gemacht, spätestens seit ihrer wissenschaftlichen Beschäftigung mit der Triade von Haben, Sein und Scheinen aber galt sie bei schwerenöterischen Kerlen als ausgesprochen frigide. Weil Heiner nun aber nicht nur ein gefährlicher Verbrecher, sondern auch ihrer Vertrauten Korinnas neuer Liebhaber war, lächelte sie ausnahmsweise freundlich zurück und rief: Gleichfalls, Heiner. Der Dealer hatte das weiß verputzte Haus mit seinen zahlreichen gemauerten wie geschmiedeten Rundbögen, den bunten Blumenfenstern und dem industrieverglasten Treppenhaus, den beiden beleuchtbaren Springbrunnen sowie der großzügigen, aufwendig gepflasterten Terrasse nach Südwesten einem akut zahlungsunfähigen, kürzlich verstorbenen Kunden abgeknöpft, der es wiederum von seinem in Sarajevo gefallenen Onkel geerbt hatte. Kein schöner Hintergrund, so Heiner, der Vivian, während Korinna Kaffee kochte, über das Gelände führte, dafür aber, schau selbst, ein um so schönerer Ausblick, man meint glatt, den Katzenbuckel sehen zu können. Wie war Korinna bloß an so einen primitiven Typen geraten? Hatte er sie, womöglich mit Hilfe synthetischer Drogen, abhängig gemacht?

In der Gästetoilette fand die Besucherin einen Text, der ihr bekannt vorkam: Zeugenaufruf. Auftreten britischer Teerkolonnen im Gemeindegebiet. Nach Erkenntnissen der Polizei hielten sich in den Jahren 1995 und 1996 britische Teerkolonnen in unserem Landkreis auf. Die Mitglieder dieser Kolonne waren mit Wohnwagen, Lastkraftwagen und Arbeitsmaschinen unterwegs. Im Rahmen von Haustürgeschäften wurden Privatpersonen angeblich günstige Hof- und Wegteerungen angeboten. Die Arbeiten wurden dann jedoch unfachmännisch und oberflächlich ausgeführt. Die verbliebenen Teerreste wurden auf Wiesen und in Waldstücken entsorgt. Dies stellt eine erhebliche Beeinträchtigung der Umwelt dar. Weiterhin wurden Fälle bekannt, bei denen für nicht geleistete Arbeiten Vorschüsse kassiert worden sind. Wer kann Angaben zum Aufenthalt von Mitgliedern einer Teerkolonne im Jahr 1995 und 1996 machen? Wo wurden entsprechende Teerarbeiten in Auftrag gegeben beziehungsweise durchgeführt? Es folgte die gegebenenfalls zu wählende Telefonnummer des zuständigen Kommissariats, Vivian zog ihre Frottee-Unterhose hoch, ließ ihr amerikanisches Sommerkleid hinunter, betätigte die tosende Toilettenspülung, studierte kurz einen Aufkleber, der Männern nahelegte, sich auch zum Urinieren auf der Brille niederzulassen, wusch sich die Hände, benetzte ihr Gesicht mit kaltem Leitungswasser und begutachtete ihre Wimpern in dem ovalen Spiegel über dem winzigen Waschbecken: Eine hatte sich quergestellt und irritierte nun schmerzhaft beim Klimpern. Im Kindesalter hatte Vivian, deren dunkle, lange, natürlich gebogene Wimpern bis heute allerorten Bewunderung erregten, einmal versucht, sich das zwischenzeitliche Schließen der Lider, das sogenannte Augenzwinkern, ganz abzugewöhnen, eine fixe Idee, an die sie sich nun, in Heiners und Korinnas engem Gästeklo, erinnerte. Mit der Spitze ihres Zeigefingernagels konnte sie die Wimper entfernen und blies sie durch das gekippte Toilettenfenster nach draußen: Möge Korinna Kohn so bald wie möglich aus dieser unerklärlichen Gefangenschaft wieder freikommen.

Alles Landfahrer, sagte Heiner, du weißt schon, Vivian: Landfahrer, aber keiner hat Anzeige gegen sie erstatten wollen, von Mannheim bis Walldürn ist keine einzige Anzeige bei der Polizei eingegangen. Unfachmännische Asphaltierarbeiten, sämtliche gewerberechtlichen Vorschriften ignoriert, Teer unter den Schuhen der Erholungssuchenden, rasanter Anstieg von Fahrraddiebstählen im gesamten Odenwald, Autoanhänger mit ausgeschliffenen Fahrgestellnummern konnten sichergestellt werden, und immer noch keine Anzeige aus der Bevölkerung, ereiferte sich der Grobian, geteert und gefedert gehörte dieses Scheißvolk, während Korinna, komplett umgezogen, mit dem gläsernen Kaffeeservice in der Terrassentür erschien. Eines Tages seien Mitglieder einer dieser Teerkolonnen auch in ihrer, Heiners und Korinnas, Einfahrt aufgetaucht und hätten so lange hochmütige Anspielungen auf dieses und jenes aus Heiners heiklem Berufsleben gemacht, bis der bedrängte Hausherr einer Teerung des Schotters vor seinem Domizil nicht nur zugestimmt, sondern diese sogar großzügig bevorschußt hatte. Während die Landfahrer, du weißt schon, was ich meine, Vivian, so Heiner, dem das folgende Wort nur schwer über die Lippen kam: losarbeiteten, machte ich, klammheimlich, vom Küchenfenster aus, Fotos von den Halunken, die sowieso nur Augen für Korinnas Titten hatten und ihren ganzen klebrigen Teer im Rosenbeet verkleckerten, mehrere Filme voll, die ich noch am selben Nachmittag nach Mosbach zum Entwickeln brachte, so daß die Zigeuner, acht Männer zwischen dreizehn und siebenunddreißig Jahren, nicht zuletzt dank meiner flüssigen Kontakte zur Kriminalpolizei, so Heiner wörtlich, bereits am nächsten Morgen vor seiner Haustür überführt werden konnten. Bei ihrer Vernehmung hätten die aus Liverpool stammenden wilden Kerle vehement bestritten, irgendwelche Teerarbeiten im Odenwaldraum durchgeführt zu haben, und jetzt paß auf, prustete der Dealer, während seine behaarte Pranke Vivians linkes Knie tätschelte, sie hätten ihre Arbeitsmaschinen nur deshalb bei sich, damit sie ihnen in England nicht gestohlen würden, ist das nicht beinhart, Schätzchen? Der weiße Plastik-Terrassenstuhl drohte unter Heiners dröhnendem Gelächter alle Viere von sich zu strecken.

Entgegen ihrer ursprünglichen Absicht war Vivian Atkinson, ehe sie sich versah, eine ganze Woche bei ihrer Freundin und deren Freund im hinteren Odenwald geblieben. Die Medien vermeldeten tagtäglich Neuigkeiten zum Versace-Mord, und die Besucherin aus der Ebene, die nicht einmal eine eigene Zahnbürste mitgenommen hatte, arbeitete sich, zunächst notgedrungen, dann zunehmend spaßeshalber, durch den opulent bestückten Kleiderschrank der Karlsruher Richterstochter mit der gleichen Konfektionsgröße. Es kam vor, daß sich Korinna und Vivian bereits drei- bis viermal umgezogen hatten, bevor Heiner, der seine Geschäfte mit Vorliebe nachts erledigte, am frühen Nachmittag aus seinem Bett kroch. Korinna hatte anscheinend jede Mode seit 1982 mitgemacht und schon als Kind, wie ihr sorgfältig gehütetes Fotoalbum bewies, Bikini-Oberteile über der flachen Brust getragen. Es heißt nicht Bikini-Oberteil, sondern es gibt nur le bikini als ein und dasselbe Kleidungsstück, als Ganzes in zwei kolonialisierenden Abteilungen, korrigierte Korinna ihre Freundin. Ich habe meinen letzten Bikini vor gar nicht langer Zeit weggeworfen, gestand Vivian, die heute ein ärmelloses Tenniskleid Korinnas trug. War es nicht bereits eine Lüge, fast eine Lebenslüge, wenn eine Frau Büstenhalter sagte, beziehungsweise glaubte, der Büstenhalter hielte die Büste, hielte sie fest und in Form? In welcher und wessen Form eigentlich? Die berühmte weibliche Silhouette, wer hatte sie entworfen? Ließe sich, als Frau, jemals schlüssig argumentieren, daß so ein zierlicher Büstenhalter von praktischem Nutzen sei? Damit die Brüste beim Gehen nicht so wippten? Warum sie dann nicht gleich bandagieren, wie es Vivian als junger Wildfang so gern getan hatte? Lassen wir denn, und wohin, fragte Korinna Kohn, unsere Brüste sprichwörtlich fallen, wenn wir uns des BH's entledigen? Schlagen zwei Herzen, ach, unter den beiden Körbchen? Auf Englisch heißt das Körbchen übrigens nicht Basket sondern Cup, Korinna, also Tasse, Becher, Schale, Kelch, Pokal. Interessant, interessant. Wieviel Signifikanz hatte schon in der hilflosen Geste des Kindes gelegen, als es, in aller Unschuld, nach einem Bikini für seine als sündig codierten Leibesinseln verlangt hatte, dachte Vivian am dritten Tag der zweiten Woche ihres Hausbesuchs und sagte: Ich muß dir unbedingt gelegentlich einmal des auf höchst unorthodoxe Weise orthodoxen kalifornischen Judaisten Daniel Boyarins Thesen zum Colonial Drag der Zionisten nacherzählen. Wirklich zu gern, doch später, erwiderte die Ondulierte und schaltete den Fernseher ein: Angeblich hatte der Mörder Versaces auch Madonna Ciccone umbringen wollen.

Acht Tage zuvor hatte sich die Süddeutsche Zeitung darüber beschwert, daß Homosexuelle, von Pasolini und Foucault über Mapplethorpe und Jarman bis nunmehr zu Versace, in jüngster, von der SZ als heuchlerisch verschmähter Gegenwart, ganz offenbar, so wörtlich, die besseren Toten seien. Also vermeinte das Münchner Feuilleton, wer sich jüngere Männer für die Liebe kaufen müsse, begebe sich nun einmal in den Schwarzgeldkreislauf und sei, es tut mir leid, das ist Berufsrisiko, formulierte Willi Winkler, Journalist, ganz einfach selber schuld an seinem, auf welche brutale Art auch immer verursachten Tod. Sozusagen Pech gehabt, die Homosexuellen, fragte Vivian, kann das denn wirklich so gemeint sein? Klar, antwortete Korinna scharf, und ungerechtes Glück im rechten Unglück dem, der sein feiges Leben in der hehren Gosse aushauchen darf. Michel Foucault konnte noch so fleißig über den gesellschaftlichen Wahnsinn arbeiten; zum, laut Süddeutscher Zeitung vom 21. Juli, authentischen Kunstheiligen habe er es erst posthum, nämlich dadurch bringen können, daß er sich als großer weißer Schwuler in San Franciscos Dark Rooms foltern ließ. Nee, Willi Winkler, behalt mal deine beschissene Meinung für dich, nahm Vivian sauer Anstoß, nachdem sie Korinnas Ausriß durchgelesen hatte, denn wie anders als antiaufklärerisch homosexuellenfeindlich ließ sich Winklers zynisches Resümee, Schwule seien eben keine besseren Menschen und ganz gewiß keine Märtyrer, wenn sie gewaltsam oder an AIDS stürben, lesen?

Igitt, bemerkte auch Korinna, heftete den skandalösen Schnipsel wieder ab und zog ein gewagtes Disco-Dirndl des vor zwei Wochen gemordeten Couturiers aus ihrer Garderobe: Probier das mal an, Vivian Atkinson. Die aber hatte sich zwischenzeitlich des voluminösen Material-Ordners ihrer Freundin angenommen und darin einen Zeitungsartikel aufgeblättert, der von den blonden, mit allenfalls windigen Reizwäsche-Fähnchen behängten, im Inneren einer schwäbischen Dorfkirche, letzteres gesperrt gedruckt, nämlich auf Betbänken, Kanzel und Altar, geknipsten Mädchen eines bayerischen Fotografen mit Namen Ewald Schadt handelte, die, hochglänzend abgezogen, in einer von einem Hobby-Zauberer sowie ehemaligen Versicherungskaufmann namens Peki veranstalteten, wie es hieß, Super-Sexy-Power-Show mit hohem Kunstanspruch, das ganze demnächst in München, ausgestellt werden sollten. Die katholische Kirche zeigte sich hier, durchaus korrekt, fand Vivian, sehr clever, fand Korinna, wie schon, als der Vatikan einst festgestellt hatte, daß die Antibabypille Frauen zu bloßen Sexualobjekten des Mannes degradiere, deutlich abgeneigt, da sie die fraglichen Fotografien, wie das zuständige Ordinariat wörtlich beteuerte, als sexistische und frauenfeindliche Dokumente einer verklemmten Macho-Phantasie begriff. Der Hobby-Zauberer Peki aber, welcher seine Veranstaltung mit öffentlichen Körperbemalungen sowie, aufgemerkt, einer Lesben-Performance zu krönen gedachte, hielt vehement dagegen, daß Schadt, dies hatte nun Korinna unterkringelt, aus nackten Mädchen wahre Kunstwerke schaffe. Punktum. Das preziöse Disco-Dirndl, welches seiner Besitzerin seit neuestem am Nabel spannte, saß dann bei Vivian gar nicht schlecht, beinahe, schmunzelte die Trägerin, wie von Versace höchstpersönlich angegossen, und materialisierte, fand Korinna Kohn mit plötzlich unverkennbar feuchtem Blick, in ihrer Studienfreundin eine Art Madonna von geradezu verwegener Reinheit. Unverhältnismäßig leise auch, fast beiläufig, die darauffolgende, das Umrühren ihres Kräutertees begleitende Bemerkung der mädchenhaften Richterstochter, daß sie bereits seit dreizehn Wochen mit einem Kind Heiners schwanger ging.

Im selben Augenblick entlud sich ein metallisch hellgrüner Audi voller lautstark polternder Sachsen in Heiners unfachmännisch geteerter Einfahrt. Die beiden erschrockenen Freundinnen konnten einen von ihnen lallen hören: Ich hau mich erst mal hoch, dann bin ich zum Abendbrot wieder fit. Heiners Schwager aus erster Ehe, flüsterte Korinna Vivian angewidert zu. Tatsächlich hatte ihr Freund in den ersten Jahren der deutschen Wiedervereinigung einen Großteil des sächsischen Drogenmarktes unter seine angeblich fürsorgenden Fittiche bringen können, sogar eine Schallfolie mit dem Titel Ich kenne das Leben, Rückseite: Lieber Gott, bitte schenk mir einen Mercedes Benz, eingesungen. Dann aber, Hals über Kopf, wie Heiner selbst sagte, die gänzlich unvermittelte Rückkehr in den Odenwald, obendrein ein schmutziger Scheidungsprozeß der sitzengebliebenen Ehefrau, einer unfruchtbaren Wasserstoffblondine aus Zwickau; Vivian konnte noch immer beim besten Willen nicht verstehen, wie Korinna sich mit diesem Mann hatte einlassen können und nun sogar sein Kind austragen wollte. Oder war es, vielmehr, ihr Kind? Hatte sie sich, immerhin siebenundzwanzig und kurz vor dem akademischen Abschluß stehend, von dem, nach landläufigen Maßstäben gutgebauten, hinteren Odenwälder lediglich begatten lassen? Um ihn dann später nach Strich und Faden auszunehmen? Würden sich ihre dekonstruktiven Erkenntnisse zur Leibeserfahrung unter der biologischen Erfahrung einer Mutterschaft halten lassen?

Korinna Kohn war nach oben gerannt, um Heiner aufzuwekken, ehe Godehardt Jablonka, so hieß der lärmende Betrunkene, die Terrasse erreichen konnte. Die anderen Sachsen, drei an der Zahl, standen derweil rauchend im Vorgarten herum und rissen anzügliche Witze über Vivians flamboyante Aufmachung. Da flog schon das Schlafzimmerfenster auf, und Heiner grölte gemeinsam mit Godehardt, Arm in Arm die beiden, Korinnas verängstigtes Gesicht hinter ihnen im muffigen Halbdunkel des Boudoirs: Ich kenne das Leben, zu einer metrisch absolut unpassenden, unüberhörbar dem Horst-Wessel-Lied entlehnten Melodie. Die Sachsen fielen sofort ein, trauten sich aber gleichzeitig nicht, weiter auf das Anwesen vorzudringen. Vivian Atkinson, der das Herz in diesen auf unheimliche Weise turbulenten Minuten bis zum Kehlkopf klopfte, glaubte hinter den getönten Scheiben des Audis, hinter die Vordersitze geduckt, einen eher dunkelhäutigen Mann ausmachen zu können. Warum war der nicht mit den anderen ausgestiegen?

Noch am selben Nachmittag des 29. Juli 1997 überschlugen sich die Ereignisse auf dem Grundstück dermaßen, daß dessen Eigner schließlich von der Kriminalpolizei, und zwar in Handschellen, abgeführt werden konnte, beziehungsweise mußte. Wie sich herausstellte, hatte sich Heiners sächsischer Schwager über einen Pflichtverteidiger mit den noch immer in Untersuchungshaft sitzenden Mitgliedern der britischen Teerkolonne zusammentun sowie in der Folge ein völlig undurchlässiges Netz von belastenden Beweisen gegen den ehemaligen Ehemann seiner geschundenen Schwester weben und amtlich vorlegen können. Vivian, einigermaßen bestürzt, steckte noch immer in Versaces teurem Glitzerkleid, als die Streifenwagen vorfuhren, Korinna in einem blaßrosa und beige gestreiften Kimono, versteinert, anscheinend ungerührt, mit nahezu unbewegtem Gesichtsausdruck von der Hollywood-Schaukel aus zusehend, wie der Dealer mit der weißen Weste über dem nacktem Oberkörper, ohne Widerstand zu leisten, abgeführt wurde. Godehardt Jablonka, der seinen Alkoholrausch womöglich nur vorgetäuscht hatte, nebst seinen Mannen, darunter nun auch der Liverpooler Zeuge von der Rückbank, schmierten sich unterdessen Stullen in der Küche; sie wollten noch am selben Abend nach Dresden, das sie Elbflorenz nannten, zurückfahren. Warum, Korinna, fragte Vivian, als sich der metallisch grüne Audi endlich aus dem Staub gemacht hatte, hast du dich überhaupt mit Heiner eingelassen? Ich hatte mich ganz einfach in ihn verliebt, lautete die kläglich kleinlaute, im gleichsam zeitversetzt einsetzenden, dann doch sehr bitteren Tränenfluß erstikkende Replik der allerorts aufsehenerregenden Tennisspielerin.

So sollte die vierundzwanzigjährige Heidelberger Amerikanerin eine ganze weitere, komplette zweite Woche bei ihrer Freundin auf Besuch bleiben. Es ging einfach nicht an, daß die so prompt Verlassene, auch noch Schwangere, ohne jeden Beistand in Heiners einsamem Haus zurückbleiben würde. Zudem gab es, in Gesprächen, was der bildhübschen Korinnas tatsächlich schockweise unglückliche Liebschaften anbelangte, so manche praktische Ungereimtheit aufzuarbeiten; allein die letzten drei Affären, nämlich jene mit Jens, Frauke und Heiner, hatten sich ja als absolute Pleiten erwiesen. Dann wieder tauchten die beiden Frauen, mitunter auch gemeinsam, in die verlockenden theoretischen Gefilde ihrer akademischen Untersuchungen ab. So lasen sie Isabell Loreys im Vorjahr zu Tübingen erschienene Abhandlung Immer Ärger mit dem Subjekt, nach welcher das Subjekt, durchaus einleuchtend, fand Korinna, als individuelle, inkohärente und temporäre Diskursvernetzung in beweglichen Machtstrukturen aufschien, im radikalen Gegensatz zur das reaktionäre Binäre per Identifikation stützenden Barbara Duden, jedoch leider auch in relativem Widerspruch zu Judith Butlers, laut Isabell Lorey, in letzter Konsequenz doch als brave Reproduktion des althergebrachten kartesianischen Subjekts erkennbarer Vorstellung von der Performanz. Puh, machte Vivian Atkinson, die von Judith Butler so einfach nicht lassen mochte, klappte ihrer Kommilitonin Ausgabe von Immer Ärger mit dem Subjekt zu, goß sich ein Glas Eistee ein und sagte gedankenverloren: Was Heiner wohl gerade macht? Korinna aber, als fünfte Tochter eines Richters, wollte erst einmal gar nichts mehr von dem Gefangenen wissen und erwiderte deshalb: Erzähl mir lieber mal was vom Colonial Drag deines kalifornischen Judaisten.

Fahl und diesig lag das Bauland in der hochsommerlichen Mittagshitze, als Vivian anhob, die nicht unkomplizierten Errungenschaften Daniel Boyarins nachzuerzählen, eines Kollegen Judith Butlers an der University of California in Berkeley, Butler, gleichfalls Jüdin, für Rhetorik, Boyarin für Talmudismus, aber er hatte auch einen ganz ausgeprägten Sinn für Judith Butlers feministische Theoreme und auf der Umschlagvorderseite ein jüdisches Hochzeitspärchen namens Ruth Zurom und Hyman Fenster, Catskills, circa 1925, abgebildet, Ruth auf dem Foto links, Hyman rechts, was dazugeschrieben gehörte, denn Ruth trug überzeugend Hymans Anzug und Hyman neckisch Ruths Kostüm. Sie mit Stöckchen, Zigarette zwischen den Lippen, er schmuckbehängt in ihrem Arm, das Handtäschchen vor seinen Schritt haltend. Untertitel des Buches, in Vivians deutscher Stegreif-Übersetzung: Die Heraufkunft der Heterosexualität und die Erfindung des jüdischen Mannes. Ist ja hochinteressant, sagte, ohne jede Ironie, Korinna, die sich, mit nichts als einem hellblauen Cat Power T-Shirt angetan, auf einer weißen Schleiflack-Gartenliege niedergelassen hatte. Der eigentliche Titel des in diesem Jahr bei der University of California Press erschienenen Werks lautet, führte Vivian weiter aus, Unheroic Conduct und bezieht sich auf eine Freudsche Anekdote aus der osteuropäischen Kindheit des angehenden Vaters der Psychoanalyse: Sigmund Freuds Vater spaziert also durchs Schtetl, kommt ein deutscher Arier daher und befielt: Weg da vom Bürgersteig, Jude. Und schlägt dem armen Mann die Fellmütze vom Kopf. Was ja besonders pikant vor dem Hintergrund ist, daß die Frauen orthodoxer Juden Perücken auf rasierten Schädeln trugen, warf Korinna ein. Freud daraufhin: Und was hast du getan, Vater? Des Alten Antwort: Ich habe die Fellmütze wieder aufgehoben. Schließlich des Sohnes recht deutsches Fazit: Dies erschien mir als ziemlich unheldenhaftes Benehmen. Und also landete er bald in Wien. Boyarin dagegen, ganz woanders, wendet das diskriminierende Bild des Juden als Weib gegen jene, die es aufbrachten, und versucht, es mit Hilfe seiner historischen Heldin Bertha Pappenheim, Freuds, eigentlich dessen Kollegen Breuers, berühmte Anna O., welche übrigens das Jiddische als the woman's German bezeichnet hatte, ins Positive zu wenden. Bereits der erste Satz des Prologs lautet: As I reflect on my coming of age in New Jersey, I realize that I had always been in some sense more of a girl than a boy, die beiden Geschlechter jeweils in Anführungszeichen gesetzt, erklärte Vivian, die sich, Boyarin, der oben, aufgeschlagen, neben ihrer Matratze lag, so gut es ging, auswendig, doch alles andere als mechanisch referierend, an Korinnas dunkelblonder Schambehaarung festgeguckt hatte.

Wo hast du eigentlich dein Cat Power T-Shirt her? Vom selben Merchandising-Stand wie du deines, antwortete die werdende Mutter und pflückte ein Kleeblatt aus dem seit Heiners Verhaftung sichtbar gesprossenen Rasen. Stimmt; Korinna, Frauke und Vivian waren ja gemeinsam bei dem Konzert der charismatischen Songstress gewesen. Es gab sogar ein von Frauke gemachtes Polaroid, auf dem Vivian Atkinson in einer Frankfurter Hotelbar, die großen, braunen Augen zur Seite gedreht, eine frappierende Ähnlichkeit mit Chan Marshall alias Cat Power aufwies. Ihre jüngste Anschaffung aus dem noch schmalen Œuvre der augenfällig sensiblen, auf merkwürdige Weise sowohl intro- als auch extrovertierten, aus dem Süden der USA in die Lower Eastside New York Citys umgezogenen Künstlerin: Die CD-Single-Auskopplung Nude As The News, mit dem unter die Haut gehenden zweiten, nicht auf dem Album What Would The Community Think enthaltenen Lied Schizophrenia's Weighted Me Down aus der Feder Alexander Spences, erst Jefferson Airplane, später

Moby Grape, womöglich aus der Schallplattensammlung von Chan Marshalls Eltern. Ein ehemaliger Freund Korinna Kohns schrieb gerade seine Doktorarbeit darüber, daß die Neue Rechte der USA ganz unmittelbar aus dem nur vermeintlich gegenkulturellen Liedgut Jefferson Airplanes abgeleitet werden konnte.

Abends ließen sich die beiden Kommilitoninnen dann auf einem im gesamten Landkreis plakatierten Feuerwehrball am Rand der nächstgelegenen Kleinstadt sehen. Mit ihren aus schwarzem Gummi gegossenen Plateausohlen waren sie größer als die Mehrzahl der versammelten Männer, und mancher derart Erniedrigte schien sich die bange Frage zu stellen, ob diese jungen, selbstbewußten Frauen denn jemals von ihren Kothurnen wieder herunterkommen würden. Auf der Bühne im brechend vollen Festzelt agierte, zwischen zwei Gummibäumen, Heavy Spider, eine professionelle Rock Band aus dem nahen Amorbach, Bayern, welche, auf komische Weise versehentlich, nämlich offenbar gänzlich unwissentlich, die Rockmusik als mittlerweile durch und durch historisches Genre vor Augen und Ohren führte. Wie die Musiker ihre Gitarrenhälse im Gleichtakt vor den prallen Lederhosen schwenkten, mußten die beiden fremden Frauen lauthals loslachen. Als die Männer noch Schwänze hatten, kalauerte Korinna, und Vivian setzte hinzu, solche Musik dürfe, strenggenommen, schon seit sich die Musikerinnen der Mädchenpunkrockband The Slits ihre Bühnenaufmachung von den auf ausgesprochen virile Weise transvestitischen New York Dolls abgeguckt hatten, erst einmal nur noch von weiblichen Wesen interpretiert werden. Logisch korrekt, kicherte Korinna Kohn, die sich schon zu Hause in Stimmung gebracht hatte, denn Heiner hatte bei seiner Verhaftung einen ganzen Batzen natürlicher, schwangerschaftsverträglicher Stimulanzien unter der Eckbank zurückgelassen. Nichts für Vivian Atkinson allerdings, die sich, seit den aus unbeteiligter

Kindersicht eher abstoßenden, halluzinogenen Experimenten ihrer ausgeflippten Eltern im Patrick Henry Village, allenfalls dann und wann ein bißchen Alkohol genehmigte. Der floß auf dem Feuerwehrball allerdings wie Löschwasser.

Nach einigen Schoppen sogenannten Nibelungenweines war Vivian dann auch dermaßen in Schwung geraten, daß sie am liebsten an allen Tischen mitgeredet hätte. Da die beiden Freundinnen aber niemanden im Festzelt kannten und erst recht keine ortsüblichen Signale aussandten, angesprochen werden zu können, landeten sie bald auf der Tanzfläche, einem vor der Bühne unbestuhlt und ohne Tische belassenen Streifen im Nu niedergetrampelten Grases, der hauptsächlich von Teenagerinnen frequentiert wurde, dreizehn- bis fünfzehnjährigen Odenwald-Lolitas, deren Körper mehr zu wissen schienen als ihr Geist, ein interessantes, ambivalentes, zu untersuchen wäre: ob eher natur- oder gesellschaftswissenschaftlich erklärliches Phänomen sogenannter erwachender Weiblichkeit, ganz anders als das eher tumbe Szenarium erwachender Männlichkeit, von Thomas Manns erträumtem Knaben Tadzio einmal abgesehen, in dem denn wohl auch eher fatale Weiblichkeit erwacht war, was Korinna sich gern mal eben aufgeschrieben hätte; allein, im ganzen Festzelt war kein Schreibstift aufzutreiben. Also schwoften Korinna und Vivian weiter zu Heavy Spiders Boogie Rock, und fielen erst um eins, beim Zapfenstreich, gleichzeitig ganz offensichtlich dem Lokal-Hit des Städtchens, in welchen, außer ihnen beiden sowie einem kleinen, versprengten Häufchen widerspenstiger Schulmädchen, das gesamte versammelte Volk einstimmte, aus allen Wolken: Ein Mädchen steht im Walde ganz still und stumm. Da kommt ein deutscher Panzer und schießt es um. Dank der deutschen Bundeswehr gibt es keine Mädchen mehr. Ein Mädchen steht im Walde ganz still und stumm.

Nächster Morgen, zwei Eisbeutel, die verschwommene Erinnerung an eine so erratische wie absolut riskante Heimfahrt im Tatra, bei der Vivian unbedingt ans Steuer gewollt hatte, und weiter mit Boyarin, Seite 202: In addition to the elements of homoeroticism in the letters of Freud to Fliess, or rather intimately bound up with them, are manifold symptoms of fantasy of pregnancy by Fliess. Es geht hier, faßte Vivian Atkinson aus freien Stücken zusammen, um Sigmund Freuds Selbst-Feminisierung in seiner Beziehung zu Wilhelm Fließ, den er, wie du weißt, an Weininger verraten wird. Schließlich glaubt Freud, Fließ' Baby auszutragen; mehrfach schreibt er ihm voll innerer Bewegung, mit irgendwelchen Ideen schwanger zu gehen, diesen oder jenen Gedanken zur Welt gebracht zu haben, und so weiter. Wobei sich Boyarin mit Jay Geller darüber wundert, daß sich in der deutschen Sprache sogar Gäste empfangen lassen. Dann geht es in Freuds und Fließ', unter doppeltem und dreifachem Aspekt aufschlußreicher, das heißt: selbst psychoanalytisch aufschlußreicher, Korrespondenz um die vermeintliche Beziehung zwischen Nase und, you know, Johannes, und ganz besonders zwischen Nasenbluten und Menstruation, referierte Vivian, heute morgen in einem Hausanzug aus rotem Samt, den Korinnas Mutter einst aus Saint Tropez mitgebracht hatte, fort. Die Gastgeberin selbst in einem Hauch von Leotard, leopardengemustert, mit offenem, obszön gerüschtem Schritt, den sie angeblich noch nie getragen hatte, sie wisse gar nicht, wo der überhaupt herkomme. Es war immer noch nicht abzusehen, daß die beiden Freundinnen Korinnas rätselhaft verschwenderische, wie Vivian befand, vom Exhibitionistischen bis ins Absurde spielende Garderobe wirklich restlos durchprobiert haben würden.

Nicht nur eine Mißgeburt, sondern schon das Gebären schlechthin sei, schrieb Sigmund Freud an Wilhelm Fließ, eine schmutzige Angelegenheit, dem Durchfall verwandt. In seinem Brief vom 22. Dezember 1897 weist er auf den gemeinsamen Stamm von Abort und Abortus, letzteres lateinisch für Abtreibung, hin. Boyarin zitiert Geller: These images of befouled or failed birth conflict with Freud's desire to create. His works are his creations, his children with Fliess; Vivian hatte sich diese Stelle bereits in Edingen angestrichen. Freud glaubte ja auch, blätterte sie ein paar Seiten weiter, daß jüdische Männer ein drittes Geschlecht repräsentierten, nämlich dasjenige menstruierender Männer. Jetzt hör aber auf, argwöhnte Korinna Kohn, die aufgeregt auf einem Strohhalm herumbiß, doch die brünette, vom purpurfarbenen Samt der Côte d'Azur umschmeichelte Studentin dachte gar nicht daran, aufzuhören: Im vierzehnten Jahrhundert stellte der italienische Astrologe Cecci d'Ascoli fest, daß seit dem Tode Christi sämtliche jüdischen Männer, ohnedies melancholisch veranlagt und sexuell ausschweifend wie die Frauen, unter der Knute der Menstruation litten. Daniel Boyarin weist darauf hin, daß die Klitoris in der zu Freuds Lebzeiten geltenden Wiener Mundart als der Jude bezeichnet worden sei, die weibliche Selbstbefriedigung entsprechenderweise als playing with the Jew. Korinna war aus ihrem Gartenstuhl aufgesprungen und rannte barfuß, Vivian fand: nervös, vor Heiners Travertin-Terrasse auf und ab. Womöglich fror sie auch nur in ihrem skandalös luftigen Jump-Suit, denn die beiden Frauen hatten den Frühstückstisch an diesem Morgen, ihrer Verkaterung halber, in den kühlen Schatten eines Birnbaums getragen. Also erscheint der Jude, ließ sich Vivian aus Unheroic Conduct nicht herausbringen, im neunzehnten Jahrhundert, geschlechtlich gesehen, als viktorianisches Weib, hysterisch, hypochondrisch; ein Kapitel, in dem es um reale und phantasmagorische Entmannung, Feminisierung alias Verjudung geht, heißt sogar Freud as Schreber. Schöner Titel eines in diesem Zusammenhang stehenden Kompendiums, das ich neulich in den Händen hielt: Reading Freud's Reading. Ein schier endloser Reigen von Kopfgeburten, psychoanalytischen Gaukeleien, schwülstigen Ausgeburten eingebildeter Schwangerschaften, Korinna. Die Verwerfung, Zurückweisung, Nichtanerkennung, ja Verstoßung des Weiblichen, um Freuds berühmte 1937er Formulierung ins Deutsche zurückzuübersetzen, als die ganz entscheidende Grundlage der Psychoanalyse. Entscheidend, lachte Korinna auf, was für eine Vokabel überhaupt, und was hat das alles mit dem Colonial Drag zu tun?

Die beiden jungen Kriminalbeamten schauten nicht übel aus der Wäsche, als sie des unverhohlen offenstehenden, rüschenbesetzten Schritts der höheren Richterstochter ansichtig wurden. Nur einige wenige Fragen hätten sie zu stellen, es ginge auch ganz schnell, sagten sie, deutlich verlegen, die Knie zusammengepreßt, und waren schon mit Korinna, die sich ihrerseits flugs eine Schürze aus weißem Wachstuch um den federleichten Overall zu binden verstand, im Inneren des Hauses, der Küche, verschwunden. Vivian fragte sich, ob ihre exzentrische Freundin den festgesetzten Heiner mit ihren offenherzigen, beziehungsweise durchtriebenen Antworten eher belasten oder entlasten, womöglich sogar ihre eigene Person in die laufende Strafsache hineinmanövrieren würde, blätterte dann aber in ihrem Boyarin weiter und die nächste angestrichene Passage auf Seite 237 herbei: Rather than pathologizing antisemitism, Freud was, in fact, naturalizing it via the castration complex. Gefolgt von einer Gleichsetzung mit Weininger sowie der unheilvollen Heraufkunft des Nationalsozialismus. Oder, wie Daniel Boyarin aus Gerald Stiegs 1995 in englischer Übersetzung an der Temple University in Philadelphia erschienener Studie über Franz Kafka und Otto Weininger zitierte: The uncanny part is that in such writings the most dreadful aspects of the political propaganda of National Socialism seem to present themselves in the most private sphere, internalized to the point of self-torture. Um dabei gleichzeitig mehrheitsfähig zu sein als kollektive, gar nicht so unbewußte Götterdämmerung: Des Deutschen allerheiligste Selbstzerstörung. Vivian war wieder einmal froh, allenfalls als halbdeutsch klassifiziert werden zu können. Einen schönen Tag noch, auch der Lady in Red, hörte die Magistrandin, wie sich die beiden Kommissare, fast überschwenglich, von ihrer Kommilitonin verabschiedeten. Interessanterweise waren sie aus dem seitlich gelegenen Kellereingang gekommen und sogleich, quer über den Rasen, zu ihrem in der Einfahrt geparkten Zivilfahrzeug weitergegangen. Die noch immer mit nichts als ihrem Leotard und Heiners glänzender Cocktailschürze bekleidete Tennisspielerin schloß die Kellertür von innen wieder ab und ging über den Küchenaustritt auf die Terrasse zurück. Seltsam federnd, irgendwie erleichtert, kam sie ihrer Besucherin vor. Vivian Atkinson konnte sich abermals nicht entscheiden, ob sie dies nun als Indiz für Heiners baldige Heimkehr oder für seinen womöglich längerfristigen Verbleib hinter Schloß und Riegel bewerten sollte. Korinna Kohn, je näher Vivian sie kennenlernte, desto rätselhafter wurde sie ihr, schien diesbezüglich augenblicklich alles andere als gesprächig aufgelegt zu sein; außerdem schuldete die vierundzwanzigjährige Heidelbergerin der siebenundzwanzigjährigen Karlsruherin ja ohnehin noch ihre gewagten Thesen zum Colonial Drag der Zionisten.

Also los, ab durch die Mitte; Boyarins weißes Buch auf Vivians in Korinnas Mutters roten Samtanzug gehüllten Oberschenkeln: Herzls Zionismus ließ das wahrhaft deutsche Wesen des deutschen Juden hervortreten. Wenn wir unsere Männlichkeit den Deutschen gegenüber unter Beweis stellen, indem wir selber kolonisieren, werden sie einsehen, daß wir gleich sind. The ambivalence of Zionism thus comes to the fore most sharply in Herzl's fear of Verjudung of Europe, Verjudung kursiv gedruckt, Korinna. On one hand, as I have said, this involves an infamous antisemitic stereotype. On the other hand, there is acknowledgement in this fear that Germans may lose their Germanness in the absence of the Other, Other hier großgeschrieben, against whom hegemonic identity is constructed. Wenn also die Juden Deutschland verließen, und das ist jetzt ganz schön tricky hingedacht, Korinna, wären die Deutschen gezwungen, das deutsche Wesen der Juden anzuerkennen, und die Zionisten stünden plötzlich als die wahren Deutschen da.

Vivian lehnte sich zurück, schob ihre Sonnenbrille in die Haare und schloß die Augen. Rot leuchtete ihr Anzug in der Vormittagssonne. Tatsächlich hatte sich auch Korinna Kohn, die mittlerweile, unverändert leichtbekleidet, rücklings auf einem Badehandtuch lag, im Rahmen ihrer intensiven Studien zur Kolonialisierung von Leibesinseln vorübergehend mit Theodor Herzl beschäftigt: Wußtest du, fragte sie Vivian, gleichsam aus dem Bauch heraus, daß er die zukünftige Heimstätte der Juden zunächst Altneuland nennen wollte? Und daß es hier im Odenwald eine Ortschaft namens Altneudorf gibt? Aber da war ihr die Freundin schon wieder zitatfreudig, auf Amerikanisch, ins Wort gefallen: As much as it is a reterritorialization of Jewishness, then, Herzlian Zionism is a deterritorialization of Germanness; hatte ich so jedenfalls noch nirgends gelesen. Und, selbe Seite, ein bißchen weiter unten: This is masquerade colonialism, parodic mimesis of colonialism, Jews in colonialist drag, mit schönem Gruß an die Kollegin Butler. Doch wo denken wir hin, frage ich dich jetzt, Korinna, und wie können wir daherreden, wenn sich der bundesrepublikanische Antisemitismus seit fünfzig Jahren ganz ähnlicher argumentativer Strukturen bedient? Die so Befragte nestelte ein Weilchen an ihrer abwaschbaren Schürze herum: Wenigstens kein jüdischer Selbsthaß, offensichtlich, im Falle Boyarins, diagnostizierte sie vorsichtig, allenfalls ein männlicher; aber worauf will dieser Mann hinaus? Er selbst sagt, sagte Vivian und schlug auf Seite 356 nach: Dies ist ein Buch über männliche Identifikation mit

Frauen, a collective one in the cultural history of male Jews but also my own. Und: I am a sort of orthodoxymoron, ein männlicher, feministischer, orthodoxer Jude, dessen Interesse die Aufrechterhaltung des Judaismus durch einen inneren Prozeß feministischer Reformation ist. Einen Absatz weiter: If women and men feminists and lesbigay people learn Torah, the very Torah that they learn will change itself. Aha, machte Korinna Kohn und schaute ihre engagierte Freundin von der Seite an. Konnte es sein, daß Vivian Atkinson eine Jüdin war? Im selben Augenblick stellte Vivian die Gegenfrage: Der Name Kohn, kommt der nicht eigentlich aus dem Jüdischen? Beide hatten keine Ahnung, und es war ihnen auch ziemlich egal, welches Blut in ihren Adern floß. Und doch hatte sich abermals herausgestellt, daß es in Deutschland, womöglich im Deutschen, nach wie vor schier unmöglich war, in selbstverständlicher Weise über Rasse und Geschlecht zu sprechen. In solch fehlender Selbstverständlichkeit, meinte Korinna Kohn, könne womöglich auch eine Chance liegen. Stand auf und schoß, urplötzlich auf ihr kniend, ein Polaroid von ihrer Freundin, welche wiederum über diese fast paranoid anmutende Sprunghaftigkeit lachen mußte.

Mitte August, Vivian Atkinson saß bereits seit zwei Wochen wieder zu Hause, in Edingen, an ihrer Arbeit, berichteten die deutschen Tageszeitungen von einer Hamburger Ausstellung der Fotografien Leni Riefenstahls. Bis in ein der betreffenden Galerie nahegelegenes Hotel hatte sich die sportliche, unmittelbar vor ihrem fünfundneunzigsten Geburtstag stehende Künstlerin vorgewagt, war dann aber, wegen einiger antifaschistischer Demonstranten, und damit im Gegensatz zu diesen, nicht auf ihrer Vernissage erschienen. Korinna Kohn, am Telefon, nahm die preußische Greisin aus dem oberbayerischen Pöcking, welche sie neben den Tomboy, Querstrich, die Femme fatale Marlene Dietrich zu stellen liebte, ein weiteres Mal in Schutz: Schließlich habe sich die Riefenstahl als sexy

Wildfang ein- sowie den Bergfex Trenker dir und mir als Frauke Stövers Kessen Vater vorgeführt. Darüber hinaus sei sie zu keinem Zeitpunkt ihres Lebens Mitglied der NSDAP gewesen. Wenngleich, zugegeben, die nie nur ästhetische Konstruktion sogenannter Naturvölker, wie sie die späte Riefenstahl immer wieder ins Scheinwerferlicht gesetzt hatte, perfekte Negerfotos, durchaus als politisch problematisch einzuordnen sei, sprach die Anruferin aus dem hinteren Odenwald. Dann rekapitulierte sie eine Beobachtung der verschollenen Genoveva Weckherlin, wonach die alten Nazis jetzt, wo nur noch wenige von ihnen am Leben seien, zunehmend ins Rampenlicht der Öffentlichkeit gerieten; und damit nicht mehr nur ins Fadenkreuz gewissenhafter jüdischer Nazijäger. Sie mögen wirklich noch so harmlos aussehen, Vivian, diese durch unsere Botanischen Gärten schlurfenden, durch und durch farblosen Opas mit ihren properen Strohhüten, je weniger von ihnen übrig sind, mit um so größerer Bestimmtheit erkennen wir den Nazi. Plötzlich sind alle Alten Nazis; ich kenne das Gefühl sehr gut: Der Seniorenteller wird zum Naziteller, verstehst du? Genoveva mochte ja überhaupt nicht mehr auf die Straße gehen, bis endlich alle tot wären. In ihren sogenannten besten Jahren aber, Vivian, bildeten diese heute blassen, blasenschwachen Männer die Regierung, besetzten sämtliche Zentren der Macht, von 1933 bis weit über 1945, ja 1968 hinaus, in unsere Schulzeit hinein. Ich weiß, ich weiß, meldete sich Vivian in der Leitung, das Schlimmste hier und heute aber sind die hier und heute Herrschenden, die es keinesfalls zu schonen gilt, die sogenannten Spätgeborenen, und zwar durch alle Parteien hindurch, welche die deutsche Schuld endlich historisieren dürfen, wenn sie mit ihren Zeigefingern auf die vergilbten, allerletzten Tattergreise Genovevas deuten sowie, ergänzte wiederum Korinna ihre Freundin, erneut die ganze Welt mit deutschen Kriegen überziehen. Uh oh, die Deutschen wieder mal.

Die deutsche Nation hatte ja selbst grauenvolle Nazi-Frauen hervorgebracht. Wie Hildegard Lächert, genannt die Blutige Brigitte, SS-Lageraufseherin im KZ Majdanek, eine Viertelmillion Ermordete, die einer hochschwangeren Frau von einem Deutschen Schäferhund das Kind aus dem Leib hatte reißen lassen. Oder deren Adlata und Intima Hermine Braunsteiner, Stellvertretende Schutzhaftleiterin, die Stute von Majdanek, erwiesene eintausendeinhunderteinundachtzigfache Mörderin, plus siebenhundertfünfmal Beihilfe zum Mord, deren gefürchtete Vorliebe es gewesen war, Gefangene höchstpersönlich mit ihren eisenbeschlagenen Stiefeln niederzutreten, und die seit ihrer Haftentlassung 1996, an einem Bein amputiert, vom Tod gezeichnet, mit ihrem Ehemann, einem GI, in einem Bochumer Altersheim der Evangelischen Kirche lebte. 1964 war sie von Simon Wiesenthal in den USA aufgespürt worden; nahezu zehn Jahre später erst hatte die BRD ihre Auslieferung beantragt. Drecksgerichte damals, Drecksgerichte heute. Vorläufig wollten Vivian und Korinna die Blutige Brigitte und ihre Stute überhaupt nicht als Frauen bezeichnet wissen. Und sonst so? Heiner wird mir wohl ein paar Jahre lang gestohlen bleiben müssen, bekundete die Richterstochter, und letztlich auch gestohlen bleiben können. Aus dem Gefängnis schreibt er mir Briefe, in denen er mich doppelzüngig fragt: Was habe ich verbrochen? Wie Leni Riefenstahl, magst du jetzt denken, Viv. Dann schildert er mir seitenlang auf das deprimierendste, wie die Vollzugsanstalt von rückwärtssprechenden Zwergen aus dem Felsenmeer unterwandert sei, welche ihn nachts auf seiner harten Pritsche totzukitzeln trachteten; dieselben Gnome, die ihn schon an die Teerkolonne, mit der er nun im kargen Hof seine langweiligen Runden drehen muß, verraten hätten. Du kennst doch den alten Odenwald-Brauch des Totkitzelns? My goodness, nein, bekannte Vivian und schüttelte ihren Bubikopf. Heftiger Durchzug im Zimmer löste eine der Reißzwecken, mit denen die große Ohio-Landkarte festgemacht war, aus der

Wand. Ein Baukran schaukelte seine eiserne Fracht an Vivians Fenster vorbei. Die Steinbrüche fast farblos, ins Gelbliche spielend. Ich komme schon klar, sprach Korinna, ungefragt, in die entstandene Stille hinein. Vivian fand, daß das nicht gerade überzeugend klang. Wollte die bisexuelle Anhängerin Martina Navratilovas ihr Baby womöglich ganz im Geheimen austragen?

Zwei weitere Ablenkungen aus der Tageszeitung, über die sich die beiden Kommilitoninnen noch unterhielten: Ein einunddreißigjähriger Österreicher hatte sich am nördlichen Rand des Odenwalds mit seinem Traktor, Ausrufezeichen, auf die endlose Heimfahrt von Darmstadt nach Wien, zweites Ausrufezeichen, gemacht und zu diesem Zweck die deutsche Autobahn A3, drittes Ausrufezeichen, gewählt. Im Nu hatte sich eine schier endlose Schlange hinter dem Traktor gebildet, nahe Aschaffenburg zog ihn die Autobahnpolizei endlich aus dem Verkehr. Der Lenker, so der österreichische Terminus, bestritt vehement, selber gefahren zu sein, und gab allen Ernstes an, sein Traktor befinde sich in Fernsteuerung, letzteres in Anführungszeichen. Woraufhin er sofort in die Psychiatrie eingeliefert wurde. Im US-Staat Alabama hatte ein Amerikaner in einen Hamburger gebissen, der, über die handelsübliche Kaumasse hinaus, mit einem Kondom belegt worden war. Vergeblich hatte der von dieser Unregelmäßigkeit betroffene Kunde versucht, durchzubeißen, was er irrtümlich für Pickle, eingelegte Gurke, hielt. Auf die schließliche Entdeckung hin, daß er die ganze Zeit auf einem schnöden Kunststoff-Präservativ herumgebissen hatte, war ihm extrem übel geworden. Nun befand sich der weltweit unter Vermischtes aufsehenerregende Fall vor dem zuständigen Gericht in Hoover, Alabama, und der gehörnte Kläger, ein Mann namens Jeff Bolling, welcher, vermutete Vivian, wahrscheinlich nie zuvor ein Kondom in seinem Mund gehabt hatte, verlangte sowohl eine hohe Entschädigung seiner Person von der Firma McDonald's als auch eine, wie es hieß, exemplarische Bestrafung des Imbiß-Konzerns. Worin diese zu bestehen hätte, stand nicht in Korinnas Zeitung. Auch nicht in der von Vivian, welche nach Beendigung dieses, wie sie fand, beunruhigenden Telefonats zunächst einmal die Fenster ihrer Wohnung schloß. Sollte sie sich nun um Korinna Sorgen machen, gar zurückreisen in den hinteren Odenwald, heimkehren in Heiners weißes Haus? I am somebody, hatte sich Jeff Bolling wohl gesagt. To be somebody, jemand sein. Eine ziemlich amerikanische Floskel, dachte Vivian.

Punkt sechzehn Uhr klingelte, wie unlängst verabredet, Hans Mühlenkamm am aus- und angebauten Tabakspeicher, in seiner linken Hand, wie meistens, eine Plattentüte, in seiner rechten ein knallgelbes Netz mit Textilien, nahm den schmukken Fahrstuhl hoch zu dem verehrten Army Brat und wunderte sich abermals, womit Rodney Atkinson die gewiß nicht unerheblichen Mietkosten für das aparte Apartment seiner Tochter aufbrachte. Vivian konnte ihm, beim besten Willen, nach bestem Wissen, allerdings weniger gutem Gewissen, überhaupt nicht beantworten, woran ihr Daddy im Pentagon eigentlich saß; schon im Patrick Henry Village war kaum je explizit von den jeweiligen Aufträgen der US Army die Rede gewesen, nicht im Verwandtenkreis und keinesfalls vor Vivian. Noch heute flogen unentwegt von Frankfurt aus todbringende Maschinen vollbeladen los, um später, ihrer Bombenfracht entledigt, erneut auf dem US-Rhein-Main-Stützpunkt zu landen. Niemand würde beim familiären Tischgebet nachfragen, welche Stadt, welches Land, welches Volk denn nun gerade in die Steinzeit zurück-, beziehungsweise in die New World Order vorangebombt würde. Wenn ich daran denke, sagte Vivian, wird es allerhöchste Zeit, daß ich mir meine Miete endlich selbst verdiene und dann vielleicht auch um-, nämlich in Mannheims Quadrate ziehe.

Hans war ganz entzückt, wie sich die kurzerhand getrübte Miene seiner Verehrten in ihrer heute auffallend grellen Aufmachung brach, und wollte sogleich wissen: Wo hast du das denn her? Von Korinna, antwortete Vivian und setzte möglichst beiläufig hinzu: Es paßt ihr irgendwie nicht mehr. Korinna Kohn hatte ihr streng untersagt, auch anzugeben, warum das giftgrüne Samtcord-Schlauchkleid der feingliedrig hochgewachsenen Tennisspielerin im Bauland nicht mehr paßte, vorübergehend nicht mehr passen sollte. Hans, dessen Knie, wohl auch des nach wie vor sehr heißen Wetters wegen, aus in Toulon geklauten, kurzen Khaki-Hosen schauten, trug offenbar brandneue, ausgesprochen klobig aufgeschäumte, sandfarbene Fila Sneakers an den Füßen. Vivian fand und sagte auch, daß das komisch aussah. Fast ausschließlich an Mädchenbeinen hatte sie solch athletisches Schuhwerk in letzter Zeit gesehen, so daß sich dessen eigentlich grobe, wenig elegante, Androzentrismus mit Futurismus vertuschende Optik in Vivians Wahrnehmung ganz und gar mit dem Femininen verknüpft hatte. Was aber waren überhaupt Mädchenbeine? Möglichst schlank und endlos lang sollten sie sein; eine Voraussetzung, die gewiß mehr Männer- als Frauenbeine mit sich brachten. Weshalb des Transvestiten passabelste Auslage absurderweise nicht selten seine Beine waren. Sieh an, argwöhnte Hänschen Pompadour, habe ich dich also offensichtlich wieder einmal aus deiner Arbeit gerissen. Und sah auch schon ihr elektronisches Notizbuch im Halbschlaf auf der ordentlich aufgeräumten Rokoko-Platte schnurren. Well, antwortete die Bewunderte schnell, du darfst deine Schuhe auch ausziehen.

Hans hatte etwas zu erzählen. Auf seinem Weg zum Tabakspeicher war er, zu dessen Füßen am ehemaligen Fußballerheim, vor dem gerade der alte Sportplatz, wie die Gärtnerei und die gesamte ehedem kleinindustrielle Umgebung auch, teilweise schon vor Jahren aufgelöst, umgegraben und zu

Wohnungsbauland verwandelt wurde, mit einem freundlichen Herrn mittleren Alters, Fußballtrainer offenbar, ins Gespräch geraten. Ich hatte eine OEG zu früh erwischt, rechtfertigte sich Hänschen Mühlenkamm, und wollte dich, Vivian, nicht überfallen, also fragte ich den leutseligen Edinger nach dem Verbleib seines Vereins, was mit dem alten Fulmina-Gebäude in deiner Nachbarschaft passieren wird, es soll nicht abgerissen werden, kann ich dir weitersagen, und erfuhr bei dieser Gelegenheit nebenbei die ganze wechselvolle Geschichte deines backsteinernen Tabakspeichers, der ja, vor über hundert Jahren, was du, glaube ich, auch nicht wußtest, ein Brauhaus war, bis der Bierbrauer in den frühen zwanziger Jahren nach Amerika auszuwandern gedachte, seine teuren Kupferkessel versetzte und schon beim Eintreffen in Bremerhavens Hafen nur noch wertloses Geld in der Brieftasche hatte.

Nach der fatalen Inflation arbeiteten dann bis zu zweihundert Frauen gleichzeitig in diesem Haus, welches nunmehr als Tabakmanufaktur diente. 1938 erhielt die badische Fabrikantenfamilie von den Nazis Berufsverbot, mußte ihren Betrieb einstellen und das Haus sowie die umliegenden Fabrikationsgebäude, auch den heutigen Kling-Malz-Speicher am Neckar, an ihnen unbekannte, linientreue Mitteldeutsche übergeben. Vivian Atkinson, die sich zu keinem Zeitpunkt so genau nach der Historie ihres vor zwei Jahren von ihrem Daddy festgemachten Wohnsitzes erkundigt hatte, merkte auf. Eher ein politischer Konflikt als eine Arisierung, nach allem, was der Trainer durchhören ließ, setzte ihr Kavalier fort. 1945 marschierte die Sowjetarmee in Sachsen-Anhalt ein, und somit wurden auch die unrechtmäßigen Besitzer dieses Hauses enteignet, wodurch Grund wie Anlagen an die aufrechten Vorgänger am Neckar zurückfielen. Bald nach der Gründung der BRD verpachteten diese wiederum, ich bin gleich fertig, sagte Hans, ihre Tabakfabrik an eine Familie aus dem Bremischen, von der Vivian, ihres übernommenen Telekom-Anschlusses halber, einige aktuelle Telefonnummern besaß. Eine Tochter sei sogar im Ort verheiratet. Nachdem nun das geschäftsführende Oberhaupt dieser Familie gestorben war, standen die denkmalgeschützten Fabrikationsgebäude einige Jahre hindurch leer. Zwei Syrer erwarben schließlich die Bauträgerschaft für den bis heute ersichtlichen Aus-, Um- wie Anbau und gingen, wie du weißt, vor ein, zwei Jahren damit baden. Ich stellte mich, so Hans, ein bißchen dumm und fragte: Wer wohnt denn heute in dem Tabakspeicher, seinem kecken Anbau, den schmucken Nebengebäuden, und oben in dem Penthouse? Des Fußballtrainers prompte Antwort, Vivian: Die Anwohnerschaft sei ziemlich multikulti.

Ich spazierte dann noch die Hauptstraße entlang, bewunderte die fein ziselierten Tabakblätter auf eures Nachbarn Hoftor, kaufte mir an dem orientalischen Kiosk Brausestangen, bummelte die enge Gasse zum Neckar runter, das sogenannte Hafengebiet hinter dem alten Malzspeicher entlang, sah einen Kahn am Ufer festgemacht, der Odin hieß, den Odenwald dahinter, die charakteristischen Porphyr-Steinbrüche Schriesheims sowie Dossenheims, umschlich das ehemalige Herrenhaus des Tabakfabrikanten, darin sind übrigens noch Luxuswohnungen zu haben, beobachtete die Kinder am Spielplatz neben deinem Speicher, blätterte im vor dem Eingang ausgelegten Wochenblatt, und endlich schlug die Glocke eins, zwei, drei, vier. Hier gleich mal, neben der, wie du wünschtest, überspielten Godard-Kassette deines Professors, Une femme est une femme, Une femme mariée und Masculin féminin, das allerneueste Doppelalbum des hochgeschätzten Hauses Source, vier schöne Seiten, frisch aus dem Preßwerk, von Tim Hutton und Thomas Melchior, die sich Vulva nennen. Oh yeah? Ach, wirklich? Ja, Vulva. Vivian, im grünen Cordsamt, ganz geschlaucht von ihres Freundes langem Wortschwall, legte die Seite D des Doppelalbums auf:

Tiny Ambient Handbag. Volltreffer, freute sich der Gelegenheitsarzthelfer mit dem zerknüllten, so form- wie fristlosen Kündigungsschreiben der unnachgiebigen Doktorin Ancelet in seiner Hosentasche. Dann wurde es endlich ruhig im Raum. Vivian und Hans entspannt wie die Musik des Duos Vulva.

Siehe da, ein enormer, schwarzer Hut aus Chiffonsamt und schwarzen Federn, riesig; ein kleinerer Hut aus seidigem Strohgeflecht, sehr weich; ein kompliziertes Paquinkleid aus zartem, dunkelblauem, steinblauem Seidensamt und purpurartiger, üppiger Stickereiarbeit; ein komplizierter, weißlichblauer Unterrock aus sehr weicher Seide; ein voluminöser Morgenmantel aus dünner Seide und endlos viel Spitze; eine Chemise aus mehr Spitze als Leinen; zwei Paar hoher Schnürschuhe aus grünlichgrauem, dünnem Ziegenleder mit schwarzer Glanzledergalosche; wer hatte seinen unvollendeten, autobiographischen Roman mit diesen Worten, diesem Semikolon, abgebrochen? Hänschen Mühlenkamm zeigte sich ahnungslos; ähnlich begeistert detaillierte Schilderungen weiblichen Putzes kannte er allenfalls aus Richard Wagners Briefen an seine Modistin. Auch war ihm jenes weiße Diogenes-Taschenbuch, das Vivian Atkinson, nachdem sie dessen letzte Seite vorgelesen hatte, belustigt hinter ihrem Kleid verbarg, noch nie bewußt zu Augen gekommen. Nun zeig schon her, Vivian, was soll das Theater, maulte er, erntete hingegen lediglich Gelächter, Kichern, und riß die Magistrandin, mit allseits nie geahnter Impulsivität, auf deren Sofa nieder, sprang dann unmittelbar, über sich selbst erschrocken, wieder auf, und Vivian zückte, etwas zerzaust, D. H. Lawrences vierundfünfzig Jahre posthum veröffentlichte Lebensbeichte Mr. Noon. Ständerweise hochkomplizierte Kleider und noch viel kompliziertere Unterröcke flatterten darin durch die vorehelichen Flitterwochen des englischen Schriftstellers mit seiner riesenhaften deutschen Braut, Frieda Weekley, Mädchenname von Richthofen, verheiratet zunächst mit einem Professor des um sechs Jahre jüngeren Studenten D. H., welchen, der sie Fritz nannte, wie auch die gemeinsamen Kinder in Nottingham, UK, sie für letzteren verließ, nämlich mit ihm durchbrannte ins saftige Oberbayern und logisch weiter über die Alpen nach Italien, Land der Madonna, heilige Mutter Gottes. So I hope I shall spend eternity, with my face down buried between her breasts. Hatte D. H. Lawrence, Verfasser von Sons And Lovers, nicht auch gewünscht, daß seine dominante Braut die komplizierten Kleider seiner Mutter trüge? Tatsächlich stand auch im englischen Penguin Book complicated da.

Und Dirndl sollte Frieda tragen, mit Puffärmeln, geschnürtem Mieder, weitem Rock. Der Dichter liebte es, wenn seine Zukünftige in ihrer scharlachroten Schürze auf dem Balkon des Beuerberger Dorfgasthofs stand, im Hintergrund die blauen Alpen, erotisch aufgeladen bis zum Äußersten: The great slopes shelving upwards, far overhead: the sudden dark, hairy ravines in which he was trapped: all made him feel he was caught, shut in down below there. He felt tiny, like a dwarf among the great thighs and ravines of the mountains. Gefangen in haarigen Hohlwegen, Zwerg zwischen mächtigen Schenkeln, liebte Lawrence das Wandern in der fraulichen Natur. Das Alter ego Mr. Noons, der unvollendeten Romanfigur, wußte nun Hans, dessen Schwester Grete sich in Lawrences Frauengestalten wiederzuerkennen glaubte, hatte zu allen Zeiten eine eher weibliche Klientel besessen. Vivian, die ihn gleichfalls seit ihrem siebzehnten Lebensjahr las, hatte irgendwo gefunden, daß D. H. L. ganz bewußt, um diese seine weibliche Leserschaft bei der Stange zu halten, immer wieder ausführlichste Beschreibungen eindeutig feminin codierter Dinge und Verrichtungen, besonders aus den Bereichen höchster Toilette und Couture, eingeflochten hatte. Noch immer rücklings auf dem Sofa liegend, die Füße angezogen, fragte sie ihren Gast, der auf dem Teppich saß: War Wagner denn tatsächlich fetischistisch veranlagt? Logisch, Viv, antwortete Hans, aber sein Publikum war, denke ich, in erster Linie anatomisch maskulin. One is not born a woman. Auf Deutsch: Man wird nicht als Frau geboren. Vivian Atkinson wurde das Gefühl nicht los, daß David Herbert Lawrence seine besten Texte nicht nur im Hinblick auf die Welt der Frau, sondern überhaupt, also in erster Linie, aus einer gleichsam anverwandelten, womöglich ließe sich sagen: aufrichtig weiblichen Perspektive heraus entworfen hatte.

Die Wonnen körperlicher Liebe, die er mit Frieda, für Mr. Noon: Johanna, während ihrer 1912er week of honeymoon im voralpinen Loisach-Dörfchen Beuerberg genoß, hatte seine temperamentvolle Petticoat Baroness fünf Jahre früher schon mit dem Freudschen Musterschüler und Sex Maniac Otto Groß, der seinerseits unter dem Namen Eberhard in Lawrences Manuskript herumgeisterte, erkundet. Du siehst, Hänschen, ich komme und komme um die Psychoanalyse nicht herum. Tatsächlich hatte sich Vivian bis zu ihrer mittlerweile gefährlich wuchernden Magisterarbeit Zeit ihres Lebens um die reduktionistische Primärlektüre Sigmund Freuds gedrückt. Wozu Freud lesen, wenn Butler ihn für uns gelesen hat? Hans Mühlenkamm wollte noch immer kein direktes Interesse für ihn aufbringen: Der einen Freud, des anderen Leid, dachte er sich wohl in diesem Augenblick, arbeitslos, mittellos wie D.H. Lawrence, dabei nur drei Jahre jünger, doch bewußte zehn Zentimeter kleiner als die all seinen Avancen gegenüber nach wie vor reservierte Freundin. Als Schulmädchen war sie so lang gewesen, daß ihre besorgte Mutter mit ihr zum Arzt gegangen war. Vivians eigene, heutige, Diagnose lautete: Der dichotomische Blick unterstellt hochgewachsenen Frauen psychische Probleme und löst diese, statt durch das Thematisieren hierarchischer Zweigeschlechtlichkeit, präventiv durch die Verordnung von Wachstumshemmern bei Mädchen. Diese hatte Gerlinde Atkinson dann aber, Gott sei Dank, doch lieber im Klo hinuntergespült.

Der Freudianer Groß, Grazer in Schwabing, Genie natürlich, blond dazu, blauäugig, Morphinist, hatte einige vieldiskutierte Abhandlungen über die Freuden der Libido und die Gefahren, jene zu unterdrücken, veröffentlicht, auch über die psychologische Differenz der beiden Geschlechter; der Magna mater gewidmete, wie mein Professor, der sie gelesen hat, erzählte: durchaus antipatriarchalisch arrangierte, wenngleich nur für positiv blaublütige Aristokraten libertär gewürzte Schriften, Hans, welche im Bett mit Frieda Weekley, ehrlose Linguisten-Gattin, kettenrauchende Nietzscheanerin, gelegentliche Schiller-Übersetzerin ins Englische, Yeats dafür umgekehrt ins Deutsche, vor allem aber Baronesse, im Frühling 1907 per Libertinage ausgetestet werden mußten; Lawrence ließ Groß in Mr. Noon sogar beim Kopulieren fortdozieren. Als der Shrink Frieda kennenlernte, hatte er eben mit seiner Ehefrau, welche pikanterweise gleichfalls Frieda hieß sowie mit Freifrau Friedas Schwester Else in die Schule gegangen war, einen gewagten Pakt über komplette sexuelle Liberation geschlossen und zunächst einmal Else, eine der ersten promovierten Frauen an der Heidelberger Universität, und zwar summa cum laude bei Max Weber, spätere Lawrence-Übersetzerin ins Deutsche, auf einem ihrer regelmäßigen München-Trips geschwängert. Else war eine berühmte Figur im bereits gegen den Eisernen Kanzler in liberale Stellung gegangenen Heidelberg, hatte Webers Kollegen Edgar Jaffe und damit, wie die Biographen der Richthofen-Schwestern schrieben, Heidelberg höchstselbst geheiratet, wo sie, als Feministin, ein vierstöckiges, so glamouröses wie gegenkulturelles Haus führte. Frieda wollte nun gleichfalls Magna mater, das hieß: von Otto Groß befruchtet, werden und schenkte ihm zunächst mal einen Ring, in welchen sie drei Hetären, zwei Friedas, eine Else, hatte eingravieren lassen.

Otto gab schließlich, von allen dreien, der, wie es hieß, im Bett exorbitant innovativen Freiin Frieda aus Nottingham, wo sie längst Gattin und Mutter war, den Zuschlag. Groß nannte die Freimütige liebestrunken mein türkisches Pferd und fühlte sich endlich von Sigmund Freud befreit. Kommst du noch mit, Hans?

Wohin denn? Hans hatte sich ganz ins Titelbild von Mr. Noon vertieft, ein Ölgemälde Tamara de Lempickas aus dem Jahr 1933 und La Chemise rose betitelt. Dabei war eine attraktive junge Frau mit Bubikopf, brünett wie Vivian, anzusehen, hingegossen zwar und wirklich nur mit einem Hauch von rosa Hemdchen angetan, doch rahmenfüllend groß und breit: unzweifelhaft eine Person, somebody sozusagen, die Hans nicht einfach als ein Hemd bezeichnen konnte. Aber, aber, hakte Vivian, eifrig bereit, auf dieses Thema einzugehen, nach, besaß so etwas in der Kunstgeschichte denn nicht Tradition? Die Frau als Hülle, abermals? War anno 1933 je ein weibliches Kleidungsstück ohne weibliche Fülle in Öl festgehalten worden? Wahrscheinlich nicht, mutmaßte Hans. Wer war überhaupt diese Tamara de Lempicka? Der Offenbacher Boy hatte sich festgeglotzt an Mr. Noons laszivem Titelgirl. Wo kam sie her, wo ging sie hin, die Lempicka? Ist sie nicht überhaupt diese Malerin tollkühner Amazonen in ihren rasanten Rennwagen? Vivian trat an ihr Bücherregal neben der großen Ohio-Landkarte, schlug einen in Gedanken bereits angepeilten Schinken auf und sagte binnen kurzem: Genau; sie kam aus Warschau und landete via Paris, Hollywood und Houston in Mexiko-Stadt, wo sie 1980 starb. Anfangs zwangsheterosexuell, später größte Liebhaberin ihrer Modelle. Wow, machte Hans Mühlenkamm, was für ein Leben, Polen, Frankreich, Kalifornien, Texas, Mexiko, und ich komme mit der OEG über Mannheim nicht hinaus.

Weil Else nun mit einem Kind des Doktors schwanger ging wie dieser selbst mit seinem Pathos und Frieda nicht und wieder nicht von ihm empfing, hingegen sexuelle Sensationen bieten konnte, von denen Else keine noch so blasse Ahnung hatte, gerieten sich beide Schwestern voller Mißgunst in die Haare wie einst, mit Otto Groß gesprochen, Brünnhilde und Krimhilde. Frieda nahm eine Fähre zurück nach England, und Else verfiel nun auch mit dem polygamen Pascha in einen heftigen Disput um seine Gunst. Groß zeigte sich auf Anhieb tief enttäuscht: Wie konnte eine so noble Frau wie Else Jaffe, die doch so stolz auf ihre kleine Schwester war, urplötzlich gar so kleinlich sein, kleinbürgerliche Eifersüchteleien in die Welt zu setzen. Dann aber ging Else mit einem anderen, und Otto Groß wurde fast wahnsinnig vor gekränktem Stolz. Im folgenden Frühjahr 1908 begann sich Sigmund Freud von seinem einstigen Lieblingsschüler zu distanzieren. Auf einem Fachkongreß in Salzburg redete er, schon bald in aller Munde, über den Rattenmann, Groß sprang begeistert auf und stellte seinen Lehrer, dem er doch eigentlich längst, Lawrence schätzte ihn sowieso nicht, pseudomatriarchalisch abgeschworen hatte, in lauthals dionysischer Ekstase neben den Übermenschen Friedrich Nietzsche. Freud, enerviert, soll daraufhin eiskalt erwidert haben: Wir sind Ärzte, und Ärzte werden wir bleiben. Wonach wiederum Groß ihn mit zunehmend geistesverwirrten Episteln aus seinem auf feierliche Weise dekadenten Liebesleben bombardierte. Später ließ er sich in C. G. Jungs Klinik, in Burghölzli, einweisen, um alsbald über deren Mauer wieder zu entfliehen und sich in München böse zuzukoksen.

Richtig Schlagzeilen machte der Vater von Elses Söhnlein Edgar Peter Behrend Jaffe schließlich in Ascona, als er dort seiner letzten Flamme Sophie Benz eine tödliche Dosis Gift verabreichte, damit diese sich umbrächte, was sie dann auch tat. Otto Groß kam dafür allerdings nicht ins Gefängnis, sondern ins Krankenhaus und verreckte 1921, komplett entwurzelt, als Drogenwrack in Berlin-Pankow; Frieda Lawrence ließ ihn hingegen, in ihren Memoiren, lieber auf einem Weltkriegs-Schlachtfeld für den deutschen Kaiser fallen. Edgar Jaffe, mit Else, gleichsam auf Rilkes und Andreas-Salomés Spuren, vom Neckartal ins Isar-Loisachtal gezogen, wenngleich nur selten unter demselben Dach zu Hause, wurde noch bolschewistischer Finanzminister der Bayerischen Räterepublik und starb im selben Jahr wie Otto Groß. Dessen 1918 in Wien vorgetragene Idee von einem Staatsministerium für Sexualität wiederum weder in München noch in Berlin umgesetzt worden war. Interessante Kombination, versuchte sich Vivian vorzustellen: Mühsam, Groß, die Gräfin Reventlow und Jaffe am runden Tisch im Simplicissimus. Was werden sie getrunken haben? Bier, Kakao, Urin aus Stöckelschuhen? Der Brite Lawrence lehnte Schwabing ja prinzipiell ab, pirschte lieber durch Irschenhausen. Sah der nackten Frieda beim Baden in der Isar zu. Machte sich seine Gedanken zur Sexualität am tiefgründigen Würmsee. Oder, in Anbetracht des Bauernvolks, am Beuerberger Weiher. Beziehungsweise oben auf der Schwarzen Wand bei Eurasburg, die Alpen vor den Augen. Vivian Atkinsons Bildschirmschoner. Es war durchaus möglich, daß sich die namentlich Genannte hier in eine Geschichte verrannt hatte, die ihre Arbeit nur peripher tangierte. Aber war sie nicht andererseits auch von Mark Twains amerikanisch-transvestischen Wechselbalg-Stories um Rasse und Geschlecht, die sie von ihrer Mami unters Kopfkissen geschoben bekommen hatte, ganz enorm beflügelt worden? Well, all right then.

Du siehst: Mit dem Mannweib ist es bei mir nichts. Ich will Weib bleiben, durch und durch, da ich es nun einmal nach der Fügung des Schicksals bin. Wie Ihr Männer vor dem unmännlichen Mann, vor dem ängstlichen, zimperlichen, eitlen Menschen einen tiefen, instinktiven Widerwillen empfindet, so verabscheue ich das unweibliche Weib wie eine Karikatur meines eigenen besseren Selbst. Nicht nur unsre Fehler, auch unsre Vorzüge liegen in den Schranken des Geschlechts, bei Euch wie bei uns. Adam und Eva werden ewig Adam und Eva bleiben. Und zudem ist Gott sei Dank diese Emanzipierte, wie sie sich die gedankenlose Menge vorstellt, dieser rauchende und radelnde hysterische Zwitter in Pumphosen, doch eigentlich nur eine Erfindung unsrer verstaubten Witzblätter und Theaterschwänke. Aber gerade an dieser salzlosen Kost hat ja der Philister sein Behagen. Du nicht. Du bist, ich möchte sagen, ein Edelphilister. Etwas Besseres, Verfeinertes. Alt-Heidelberg, du Feine. Roman einer Studentin, von Rudolph Stratz, 1902, inmitten der Eröffnung. Ein wenig später, dieselbe Stimme: Aber Ihr versteht heutzutage kein Kunstwerk aus uns zurechtzukneten, bestenfalls gangbare Mittelware und viel Halbes, Schiefes, Mißratenes und Verkrüppeltes darunter, dank diesem seltsamen Ding, das man bei uns Mädchenerziehung nennt. Her mit dem Magic Marker. Drei Absätze weiter unten: Warum ich gerade nach Heidelberg gegangen bin, will ich Dir gleich im voraus erzählen, weil die Veranlassung dazu eben zu mir ins Zimmer gekommen ist und auf dem Sofa sitzt und gähnt; Stratz läßt diese als Meta aus Karlsruhe, kühl, blond und bebrillt beschreiben, frigide, wenn nicht, zwischen den Zeilen, sogar lesbisch, wörtlich: als Mann, der in eine weibliche Hülle geschlüpft ist. Um ihretwillen bin ich gerade nach Heidelberg gegangen. Denn sie ist die einzige studierende Frau, die ich kenne.

Also schrieb Stratz' Heroine Erna Bauernfeind an ihren überseeischen Verlobten John Henry van Lennep: Da Du, wie die meisten Männer, niemals ernstlich über die Frauenfrage nachgedacht hast, sondern uns einfach so genommen hast, wie wir nun einmal, durch Euch, heutzutage sind, so will es Dir nicht in den Kopf, daß es weit moralischer und vernünftiger ist, den Abend bei einem guten Buche hinter der Studierlampe zuzubringen, als im Ballsaal erhitzt und schweratmend, im tief ausgeschnittenen Kleid und wehender Schleppe aus dem Arme eines fremden Herrn in den des nächsten zu fliegen, wie ich das als vielgefeierte Ballkönigin die letzten Winter durchgemacht habe. Selbe Seite, unten: Stelle Dir einmal vor, lieber John Henry, Du seiest ein Mädchen. Gib Dir einmal alle Mühe, soweit das einem sonnenverbrannten Gewaltmenschen und Selfmademan aus Shanghai möglich ist. Et cetera. Zehn Seiten weiter schließlich: Und so bildeten sich allmählich zwei Seiten meines Wesens heraus, die eigentlich ganz voneinander verschieden waren. Hier, am Abend, in Gesellschaft, die elegante junge Dame, die reiche Erbin, Goldfisch und Ballkönigin, so sah mich die Welt, so hast Du mich kennengelernt, dort, am Morgen, ein fleißiger junger Gymnasiast, der den Kopf in beide Hände stützte und sich mit den Geheimnissen der ciceronianischen Perioden und der Kegelschnitte abquälte. Dies letztere war ich. Ich selbst. Vivian verspürte nicht übel Lust, diesen populären Schmöker der letzten Jahrhundertwende bis zum Ende durchzulesen. D.H. Lawrence, der sich zu allen Zeiten gern in weibliche Netzwerke verstrickt hatte, ließ die drei emanzipierten Richthofen-Schwestern Else, Frieda und Nusch, angesichts derer er sich auch selbst erstmals, schriftstellerisch, in der ersten Person weiblichen Geschlechts versuchte, in seinen Texten auf, wie er glaubte, typisch deutsche Art im feministischen Idiom theoretisieren. In Mr. Noon stand aber auch: Er war der Frauen, die redeten und diskutierten und Privilegien hatten, und des theoretischen Lebens überdrüssig. Oh, wenn er doch nur bei den gewöhnlichen Soldaten wäre; des Mannes verwegenes männliches Leben voll Gleichgültigkeit, Blutszufriedenheit und geistiger Abgestumpftheit. And oh that a man would arise in me. That the man I am might cease to be. Vivian vernahm, synchron mit einem Hustenanfall Bodo Petersens, ein helles Lachen aus dem Treppenhaus. Sollte das etwa Pat Meiers Stimme sein? Die niemand in Handschuhsheim je hatte richtig lachen hören? Vivian schloß ihre Tür zum Flur, legte eine CD in den Discman und blätterte in ihren Fotokopien weiter: Auf einer Wanderung durch die Schweiz hatte sich Lawrence eines Abends als österreichischer Arzt aus Graz ausgegeben, eine Variation auf Professor Doktor Groß, den krassen Psychopathen sowie maßgeblichen Liebhaber seiner Frau, und zwar mit Erfolg, so gut mußte sein Deutsch damals gewesen sein. Des Dichters Post nach England dagegen verbriefte sich schon bald wie folgt: On 1st July comes my sister-in-law from Munich: but speaks good English.

Johanna trug ein rauchblaues Kleid aus Flor und einen weißen Hut und war, mit Lawrences Worten, wie die Landschaft. Hans Mühlenkamm hatte sich das weiße Diogenes-Taschenbuch mit dem rosa Hemdchen Tamara de Lempickas darauf am Abend seines Besuchs gleich mit nach Hause geben lassen und wollte noch in derselben Nacht Friedas und David Herberts wilde Beuerberger Flitterwoche darin nachlesen; er brauchte sich ja am Morgen bei Dr. med. Ancelet, der er, wie Vivian unter der Tür dann doch gebeichtet, das eine oder andere Rezept veruntreut hatte, nicht wieder blicken lassen. La Chemise rose hatte sich auch von daher als äußerst kompliziert erwiesen, als Hans seiner Freundin gestanden hatte, daß es ihm äußerst schwerfiele, an einer Plakatwand mit einem in Dessous sich räkelnden weiblichen Wesen einfach so vorüberzugehen: Ich halte unweigerlich kurz, wie für Sekunden angepinnt, inne, Vivian, bin mir dabei natürlich aller perfiden politischen Implikationen dieser von Männern ausgeklügelten Gegenüberstellung vollends bewußt, schuldhaft bewußt sogar, und doch bleibe ich immer wieder, wie verzaubert, stehen, verlangsame zumindest meine Schritte und schiele, was ja noch schlimmer ist, auf diese so überlebensgroßen wie selbstverständlich verwerflichen Repräsentationen sogenannter Femininität. Was kann ich dagegen tun? Wie kann ich mich wehren? Wie schützen vor mir selbst? Vivian war ihrem Freund daraufhin über den zermarterten, aschblonden Kopf gefahren und hatte gesagt: Dies, Hänschen, ist Teil eines fürwahr langwierigen, sich eben im Umgang mit Widersprüchen manifestierenden Zivilisationsprozesses.

Andererseits zeitigte sexistische Werbung einen ähnlichen Effekt wie Pornographie, welche Drucilla Cornell literaturtheoretisch beschrieben hatte als Aufzeichnungsmodus äußerst aufschlußreicher, über zweidimensional behavioristische Reiz-Reaktions-Schemata, auf welche Pornographie aus konservativ feministischer Sicht oft reduziert wurde, hinausweisender Inszenierungen phantasmatischer Szenarien, die als Symptom männlicher Abwehr von Kastrationsangst interpretiert gehörten. Barbara Vinken faßte das, lacanistischerweise, wie folgt zusammen: Die Frau in der Pornographie sei die Projektion dessen, was der Mann zu sein fürchte, nämlich das kastrierte Andere, schlimmstenfalls reduziert auf einen zerstückelten Körper, ein blutendes Loch. Allein des Mannes im pornographischen Film ständig bestens ausgeleuchtete Dauererektion versichere ihn des förmlichen Gegenteils, nämlich er selbst, ein Mann, zu sein. Vivian hatte überlegt, dies aber Hans gegenüber für sich behalten: Wenn es schon nicht möglich sein sollte, mit einem Orgasmus zu streiten, ob sich nicht, da es hier ja um ein als Sein verkleidetes Haben ging, mit einer Erektion in den kritischen Dialog treten lassen könne. Als Mann, selbstredend. Ihre Mutter hatte ein Buch Alberto Moravias hierzu besessen, das den Titel Ich und Er trug. Immer wieder schallend hatte Gerlinde Atkinson während dessen Lektüre gelacht. Schade, daß ich da nie einen feministischen Blick hineingeworfen habe, dachte die Magistrandin mit dem Bubikopf. Barbara Vinken in ihrem Vorwort zu Drucilla Cornells Die Versuchung der Pornographie: Das Begehren kann nicht vom Subjekt ausgedrückt werden; vielmehr markiert es die Grenze des Subjekts, das es gleichzeitig durchkreuzt. Weitere Stichworte auf einem hellgrauen DIN A4-Zettel, den sie nach Hänschens spätem Aufbruch, noch kurz vor dem Schlafengehen, angelegt hatte: Literalismus als Phallizismus bei Catharine MacKinnon klären. Fuckers and fuckees, das Objekt als Subjekt bei Drucilla Cornell? Deren Idee von einer entfesselten weiblichen Pornographieproduktion, die den fetischisierten, weiblichen Körper als künstliches Produkt, damit Weiblichkeit als Maskerade, zur Darstellung bringen soll. Ginge das bei Beate Uhse über den Ladentisch? A massive inflatable doll? Aus Fleisch und Blut?

Wenige Tage später erhielt Vivian von Hans Richard Wagners 1864er bis 1868er Briefe an seine Putzmacherin, 1906 in Wien als Buch veröffentlicht, mit einem selbstklebenden Zettel aus der verflossenen Praxis dran, auf dem zu lesen stand: Kennst du Hanns Fuchs' 1903 in Berlin publiziertes Buch Richard Wagner und die Homosexualität unter besonderer Berücksichtigung der sexuellen Anomalien seiner Gestalten? P. S. Auch Beethoven hat, nach Magnus Hirschfeld jedenfalls, allein im Morgenrock erfolgreich komponieren können. Und was sich der putzsüchtige Wagner nicht alles von seiner, bevor sie ihn später so gehässig verraten sollte, ausnehmend toleranten Modistin Goldwag hatte anfertigen lassen: Weitschwingende Morgenröcke aus rosa Seide, verschwenderisch gerüscht, mit Schleifchen dran und innen aufreizend gefüttert, kokette Rüschen-Chemisen für Hunderte von Gulden, Seiden-Stiefelchen in Weiß, Rosa, Blau, Gelb, Grau und Grün. Vivian fand es mysteriös, daß diese nichts als ins geradezu fanatische Detail gehenden Briefe schon zu Wagners Lebzeiten, 1877, wie Hans dazugeschrieben hatte, in einer Wiener Zeitung abgedruckt worden waren. Zu welchem Zweck und wessen Nutzen eigentlich? Allgemeiner Erheiterung halber? Eine Rache der Goldwag? Um den Antisemiten bloßzustellen? Ihm gar Respekt zu erweisen? Und Respekt wovor? Dem Genie? Dem Weib? Im Manne? Vivian Atkinson, die eben noch versonnen am Fenster gestanden hatte, ihr Augenmerk auf die baumdunklen, haarigen Schluchten des im Mondlicht liegenden Odenwalds geheftet, nahm schwungvoll Platz an ihrer rosaroten Rokoko-Arbeitsplatte, vor ihrem kleinen, grauen Texas Instrument, und warf es voller Neugier, wie so oft: auf sich selber, an. Binnen einer Stunde hatte die Studentin zweiundzwanzig bislang ungeahnte Fragestellungen zur Krise der Kategorie in den Flüssigkristall gehämmert.

Es war Freitag, späterer Abend, und in der Leitung Frauke Stöver: Wir fahren nach Mannheim, gehen ins HD 800, kommst du mit? Wer wir, fragte die Studierende, aus Rudolph Stratz' vorletztem Kapitel herausgerissen. Angela und ich natürlich, entgegnete die Doktorandin. Angeblich war sie inzwischen mit Angela verheiratet, wodurch die Italienerin, ganz legal, Stöver hieß. Vivian hatte seit Ewigkeiten nichts von den beiden gehört, sagte also einigermaßen enthusiastisch zu, Mannheim war eigentlich immer gut, stahl sich dann aber, für fünf Minuten nur, noch einmal an ihre beiden Bücher, das aus Papier, das dann doch Eingang in ihre Untersuchungen gefunden hatte, und das unter Strom, auf dem sie ihre Untersuchungen fixierte, zurück, denn die zunächst an Männern dezidiert desinteressierte Meta hatte sich soeben, das hieß: vor hundert Jahren, in einem Bestseller immerhin, während sich Erna mit John Henry überworfen hatte, in einen Feministen, den Herrn Boniser, verliebt. Erna, im Treppenhaus: Da kommt er, mit Meta Wiggers zusammen. Guten Abend, Herr Boniser. Die Bauernfeind schlüpfte mit einem leichten Gruß in ihr Zimmer, klinkte zu und blieb sehr nachdenklich stehen. An sich boten die beiden, die sie durch das Fenster beobachtete, der Frauenrechtler und die Philologin, nichts Auffälliges; wobei die Windows 95-Rechtschreibprüfung doch tatsächlich vorschlug, den Terminus Frauenrechtler in Frauenrechtlerin zu verbessern. Microsoft Word. Aber

Ernas scharfen Augen entging doch eines nicht: Sie hatten verstohlen im Gehen die kleinen Finger ineinander eingehenkelt. Das ließ bei der kühlen Blonden tief, sehr tief blicken. Und so ließ Stratz seine Heldin weitergrübeln: Wenn die kühle Blonde einmal ihren Zwicker abnahm, um ungehindert Thränen zu vergießen, oder gar, jedenfalls mit rührendem Ungeschick, Küsse auszutauschen versuchte, dann mußte es schon sehr weit gekommen sein. Bis zum äußersten Gipfelpunkt der Möglichkeit, bis zur Verlobung. Wie Else Jaffe, notierte Vivian auf ihrem Bildschirm, zog es Meta Wiggers nun Richtung Oberbayern weiter: Wir wollen so bald wie möglich heiraten und dann nach München übersiedeln. Dort setze ich meine Studien natürlich fort und mache mein Examen, nur mit mehr Gemächlichkeit als bisher, und er widmet sich ganz der Frauenfrage, theoretisch, in Schrift und Wort. Heidelberg und München, der feuchte Traum eines jeden GI's, dachte der brünette Army Brat, zog sich schnell um und ihren Lidstrich nach, dann klingelten unten auch schon Angela und Frauke, mit eigenem Auto unterwegs seit ihrem Rückweg von Venedig und der Po-Ebene, einem verbeulten Lancia, kardinalrot, den sie, mit Hilfe Heidemarios, durch den badischen TÜV hatten schleusen können.

Was war ein Mann, und was war sein Geschlecht? Angela hatte, zu einem plissierten Cheerleader-Minirock in Weiß, ein königsblaues Oberteil an, gewirkt aus nichts als durchsichtiger Spitze, extrem anliegend auf der Haut und, absolut unübersehbar, nichts darunter. Vivian Atkinson, von ihrer eigenen bisherigen Wahrnehmung geplättet, bemerkte an diesem Abend erstmals, daß Angela Stöver, geborene Guida, nämlich Angelo Guida, völlig flachbrüstig war, überhaupt keinen Busen hatte, nicht einmal die Andeutung eines solchen, schon gar nicht einen abnehmbaren. Aber ich habe ja Fraukes Busen, würde sie womöglich, auf ihre schicksalhafte, in herkömmlicher Hinsicht durchweg naturgemäß lesbare Anatomie angesprochen, sagen. Und welch soziale Konstruktion Frauke Stöver heute abend vor sich her trug: in einem elastischen, tief dekolletierten, gleichzeitig nabelfreien Top aus blutrot schillernden Pailletten. Was war denn das nun für ein Kleidungsstück, fragte sich die Mitgenommene, und was verhüllte es? Den Busen? Um dafür den Nabel zu enthüllen? Was überhaupt bedeutete ein Dekolleté? Eine Asymptote wahrscheinlich, kam Vivian mit Frauke, die ein mathematisches As war, überein. Wo war eigentlich der entsprechende Diskurs über die Männerkleidung abgeblieben? Hatten die Männer das sogenannte Weibliche, ihr Weibliches, gleichsam deterritorialisiert, dermaßen vehement mit Signifikanz überhäuft, daß niemand mehr auf die Idee kam, ihre territoriale Männlichkeit unter die Lupe zu nehmen? Wie aber sollte sich auch einerseits über Männlichkeit diskutieren lassen, ohne andererseits in die reaktionären, abermals phallozentrischen Fallen der Kritischen Männerforschung zu tappen? Gab es hier überhaupt irgendeinen Ausweg? Auch der Diskurs über das Weibliche formulierte sich ja in den meisten Fällen als ein männlicher über das Andere des Männlichen, während das Männliche selbst, als Ort des Sprechens, unausgesprochen, sprichwörtlich außer Frage, damit unangetastet, ja unantastbar blieb. Logisch gälte es weiterhin, über die Frau, im Sinne ihrer kulturellen Konstruktion, und damit die geschlechtliche Relation der relativen Geschlechter zu sprechen, faßte Frauke die Angelegenheit, während Angela längst auf der Tanzfläche verschwunden war, zusammen, mehr gäbe es über die Männer vorläufig nicht zu sagen, und damit basta. Unten herum war Frauke Stöver butch angezogen wie gewohnt: Combat-Hose, Springerstiefel.

Die Italienerin wirbelte unterdessen mit nahezu waagerecht fliegendem Rocksaum über die Tanzfläche. Vivian ertappte sich dabei, nach ihrem Penis Ausschau zu halten, und fragte Frauke: Ist das Lacan? Lacans Penis als Objekt des weiblichen Fetischismus? Die selbsterklärte Lesbierin erwiderte: Genau. Den normativen, daher unsichtbaren, weiblichen Fetischismus zu bestreiten, hieße, Heterosexualität, sprich: weibliches Begehren nach dem Phallus am männlichen Körper, als Naturgesetz mißzuverstehen. Daß Angela Stövers Schwanz weiblichen Geschlechts war, machte die Sache nicht weniger kompliziert: Konnte Vivians Blick womöglich ein lesbischer gewesen sein? Wenn sich Körper lesen ließen, waren sie doch auch übersetzbar. Doch niemals der Penis in den Phallus, sagte Lacan. Niemand besaß den Phallus. Schwierig, schwierig, längeres Schweigen, Mann oh Mann. Lacans Theorie als Komödie der menschlichen Irrungen und Wirrungen, der tragischen Unzulänglichkeiten, eine Identität zu verwirklichen. Warum hatte er sich dabei eigentlich so ausschließlich auf das sprachliche System Freuds eingelassen? Wenigstens bekam der DJ eine schöne Kreuzblende hin. Irre Bluse, übrigens, die Angela da trägt, bemerkte Vivian und nippte an ihrer Cola. Das sei, um Gottes Willen, keine Bluse, wußte die andere zu erwidern, sondern ein Body. Angela hat sich diesen Body, wie seltsam Frauke dieses Wort betonte und gleich wiederholte: diesen Body, auf unserer vorehelichen Hochzeitsreise in Verona zugelegt. The Two Gentlemen of Verona, assoziierte die Soldatentochter William Shakespeare und seine adoleszenten Female Impersonators, die sich, als Mädchen auf der Bühne, immer wieder auch, dem jeweiligen Stück gemäß, als Knaben nicht entlarven mußten, sondern gleichsam doppelt und dreifach verkleiden durften, sagte aber nichts weiter, woraufhin auch Frauke Stöver, mit plötzlich schräg gesenktem Haupt, in Richtung Dancefloor trottete. Wahrscheinlich eine familiär vererbte, aus Travemünde mitgebrachte Haltung, dachte Vivian Atkinson, und nicht gerade elegant. Eher wie auf ein Schwimmbecken zu.

Das HD 800 fand an Freitagen über einer Leder-Bar im hinteren Trakt des MS Connexion, einer der größten Gay Discos

Europas, Mannheim, Neckarau, Hafennähe, Angelstraße, Kolbehalle, unter maßgeblicher Mitwirkung von Source-Leuten aus Heidelberg statt. An Samstagen hätte es Frauke, Angela und Vivian passieren können, daß sie als Frauen gar nicht eingelassen worden wären; dann lief der Abend etwa unter dem Titel Pleasuredome, und Stefan George hätte seine helle Freude hier gefunden, womöglich auch den hellen Wahnsinn, denn Männerbund und Männerbund konnten zwei völlig verschieden gelagerte Angelegenheiten sein. Wann, fragte sich Vivian, bedeutete eines Mannes forcierte Antifemininität auch seine homoerotische Fixierung? Hans Mayer hatte es für Otto Weininger wie folgt gefaßt: Freundschaft anstelle der Geschlechtlichkeit; Männerbund statt der erotisierten weiblichen Kulturformen des Theaters oder Balletts; Volkstänze statt der sexuellen Ersatzhandlungen von Can-Can oder Walzer; Lodenkleidung und nicht Samt oder Seide der verhüllenden Enthüllung; männliche Philosophie statt der weiblichen Psychologie; Deutsche und nicht Juden. War demnach nicht, andererseits, eines Mannes Femininität als möglicher Verweis auf seine Heterosexualität zu bewerten? Frauke Stöver hatte einmal einen aufsehenerregenden Aufsatz veröffentlicht, in dem sie die Spielfilme des Franzosen Eric Rohmer, Claires Knie, Der Freund meiner Freundin, et cetera, als Dokumente weiblicher Identifikation interpretierte, Rohmers voyeuristischen Blick, seine begehrende Kamera, als weitgehend lesbisch. Ich frage mich, ob sich das so halten läßt, dachte Vivian, und was wäre dann über Godard zu sagen? Hans Mühlenkamm und Vivian Atkinson waren einmal als Frauen auf einem Bikini Kill-Konzert gewesen, in das Männer nicht eingelassen wurden. Vivian in ihrem maßgeschneiderten Anzug, Hans in einem schlechtsitzenden Stewardessen-Kostüm der AUA. Hatten sie damit nicht quasi, für einen Abend, einen Frauenbund gebildet? Welche symbolistischen Wege war Charles Baudelaire, für den die Lesbierin, nach Walter Benjamin, die Heroine der Modernität verkörperte, unter dem Pseudonamen Manuela de Monteverde gegangen? Was eigentlich erwartete den Namenstransvestiten im Internet? Wenn sich ein Name tragen ließ wie eine Chemise, was wäre dann eine Pseudochemise?

Fünf Uhr morgens, und der Fragestellungen kein Ende. Der ramponierte Lancia parkte neben einer hohen, überwucherten Backsteinmauer. Malerisch funkelten die zahllosen Lichter des nahegelegenen, das ganze Viertel überragenden Großkraftwerks in der Dämmerung. War nun alles Sich-Produzieren, selbst noch so viriles Gehabe, hatte Marjorie Garber mit Lacan überlegt, weil es kunstprodukthaft, disloziert war und seinen Mangel, seine Zweifel, seine Angst ausstellte, feminin? Lacans dazugehörige Konstruktion ging so: Den Phallus zu haben, sei, was, in der Vorstellung, für die Männer gälte; der Phallus, das Objekt der Begierde, zu sein, was, in der Phantasie, für die Frauen gälte; während der Cross Dresser, nenne ihn Elvis, nenne ihn, meinetwegen, ausnahmsweise auch Angela, auf dritter Ebene, neben Haben und Sein, nämlich durch Scheinen, gleichzeitig Ersatz für Haben, sowie Schutz vor dem Verlust, repräsentiert und nichts als repräsentiert, nicht die Frau und nicht den Mann, sondern sein eigenes Phantom, verstanden? Puh, machte Vivian Atkinson, wie eigentlich jedesmal, wenn sie an Jacques Lacan geriet, mit dessen Analysen ihre expansive Magisterarbeit, bei aller dezidiert postlacanistischen Interrogativität, gleichsam parasitär verbandelt war: Okay, der Phallus als äußerst möglicher Signifikant einer unmöglichen Identität. Je größer der Mangel, desto nachdrücklicher die männliche Parade. Richtig, sagte Frauke, die neben ihr am Steuer saß; Angela, auf der Rückbank, war schon in Seckenheim eingeschlafen. Was aber, fragte Vivian vorsichtig, als das Ortsschild Edingens in den zitternden Scheinwerferkegeln des Lancia aufleuchtete, ist denn nun der Unterschied zwischen Phantom und Subjekt? Roland Barthes schrieb, versuchte Frauke Stöver auszuholen, daß unser Körper als bloß sinnlicher Gegenstand nichts bedeute, ja: nichts bedeuten könne; die Kleidung erst gewährleiste den Übergang vom Sinnlichen zum Sinn, und ich füge nun, Vivian, hinzu: zum Übersinnlichen. Zum Übersinnlichen der Unterhose, wenn du so willst. Laß mich aber vorher an meinem Tabakspeicher raus, sagte die Beifahrerin im letzten Moment; Frauke Stöver wäre auf der B 37 beinahe nonstop durch Edingen hindurchgedonnert. Angeblich sollte, erwähnte Vivian noch beim Aussteigen, des Heilands Vorhaut ja im Hildesheimer Dom liegen. Wofür Frauke in diesem Augenblick allerdings kein Ohr hatte.

Ziemliche Überraschung dann, Pat Meier in der Morgendämmerung auf der ausgestorbenen Edinger Hauptstraße zu begegnen. Ich parke drüben, neben dem Turnverein, bemühte sie sich, verlegen lächelnd, zu versichern, und war schon auf der anderen Straßenseite verschwunden. An ihrem rechten Handgelenk erkennbar eine kleine Plastiktüte, schwarz, undurchsichtig, diskret. Ganz wie aus einem Sex Shop, dachte Vivian, drehte sich um und sah im selben Moment oben Herrn Petersens Licht verlöschen. Komisch, wirklich komisch, amüsierte sich die Heimkehrende beim Aufschließen der Haustür. In ihrer Wohnung öffnete sie noch eine Flasche Eichbaum-Bier und ließ die vergangene Nacht Revue passieren. Im Gegensatz zu Venus Xtravaganza, deren Energien zum Überleben, bevor sie, wahrscheinlich von einem Freier, kaltblütig ermordet wurde, ganz auf gesellschaftliche Assimilation gerichtet waren, konnte Angela Stövers autonome Performanz im HD 800 als durchaus politisch destabilisierend eingeschätzt werden. Andererseits bot sie, das hatte schon Hans hervorgehoben, in ihrer Gebärunfähigkeit, als in sexistischer Hinsicht sozusagen bessere Frau, zum Leidwesen nicht nur des Vatikans, sprichwörtlich grenzenlose Sexualität ohne Folgen. Jennie Livingston wurde nun aus bestimmten Richtungen vorgeworfen, sich mit ihrem Film Paris Is Burning am Elend der Marginalisierten auch an dem multiplen symbolischen Widerspruch in Venus Xtravaganzas traurigem Dasein, bereichert zu haben. Kein einfacher Einwand. Assommons les pauvres, hatte Baudelaire, der selbst im Armenviertel lebte, schon 1869 in Le Spleen de Paris gedichtet. Der Spleen, laut Walter Benjamin, als Staudamm gegen den Pessimismus. Siegfried Kracauer wiederum hatte betont: Die Gesellschaft umkleide die Elendsstätten mit Romantik, um sie zu verewigen. Vivian war auf diesen Komplex erst kürzlich in einer österreichischen Kunstzeitschrift gestoßen. Am selben Ort waren nun jene Glücklicheren, die, wie Angela Stöver, konstruktiv entkanonisiert mit ihren Elementen des Hybriden umgehen konnten, und abermals vor allem jene, welche solches an anderen zu schätzen wußten, kulturlinker Bastardophilie bezichtigt worden. Letztere als Überkompensation sexistischen beziehungsweise rassistischen Hasses. Oder als postmodernes Geplapper eines Peter Weibel. Womit wir denn allesamt komplett blockiert wären, dachte Vivian und ging ins Bad und alsbald weiter in ihr Bett.

Am folgenden Samstagmorgen läutete sie erstmals aus freien Stücken bei ihrem Nachbarn Bodo Petersen. Ob er Faksimiles von Werbeanzeigen aus den sechziger Jahren besäße, in welchen die damals brandneuen Kunststoffe der BASF auf weiblicher Haut angepriesen würden, fragte sie ihn höflich. Doch er machte nur: Hä? Womöglich klingelten ihm die Ohren vom Vorabend mit Pat Meier. Er hatte tatsächlich noch um elf seinen Schlafanzug an. Hellgelb. Auffallend verfleckt, fand Vivian. Hatten die beiden Chemie-Fans im Bett mit irgendwelchen Säften herumexperimentiert? Nichts für ungut, Herr Petersen, sagte die Studentin und huschte schnell in ihre Wohnung zurück. Sie fand Bodo Petersen an diesem Morgen auffallend abstoßend. Allein die Haare, welche ihm aus Nase und Ohren herauswuchsen, konnten eine Frau für den Rest ihres Lebens zur Lesbierin machen. Wie Petersen aussah, dachte Vivian, könnte er glatt Bulle, ja, Innenminister sein. Oder bei einer neuen deutschen Spielfilmproduktion anheuern, wo er neben den hünenhaften Nazigöttinnen, mit welchen seit einigen Jahren alle weiblichen Hauptrollen besetzt wurden, eine höchst passende Figur abgegeben hätte. Etwas pickelig, gut aufgelegt und plump. Wie die Bundesrepublik auf dem internationalen Parkett.

Nun gut. Der Zettel, der die Vierundzwanzigjährige bei ihrem Nachbarn hatte läuten lassen, enthielt, beidseitig, die schwer zu entziffernden Notizen aus einem zurückliegenden Seminar, deren Zentralgedanke des Homöovestismus, die Verkleidung der Frau als Frau, welcher so in der Uni nicht gefallen war, in Vivians Magisterarbeit aufgenommen werden sollte. Dazu ein Zitat aus einem schlüpfrigen, bei der Hanauer Großmutter gefundenen Schmöker namens Erotik und Spitzenhöschen, 1964: Die letzten Jahre brachten künstliche Fasern wie Perlon, Nylon und andere auf den Markt. Damit schrumpfte das Dessous zu einer Winzigkeit zusammen, die man mit Leichtigkeit in einer geschlossenen Faust verbergen könnte. Die Frauen sehen darin reizvoll aus wie nie zuvor. Ein paar Anzeigen der BASF hätten sich da, fotokopiert, rekontextualisiert, sehr schön gemacht; vielleicht würde ja die ominöse Pat Meier welche zu Hause herumfliegen haben. Unangenehmer Gedanke allerdings, dort anzurufen. Im August-Heft der Zeitschrift konkret hatte Otto Köhler geschrieben, das Bunau-Werk in Auschwitz sei 1941 vom Ludwigshafener BASF-Standort aus geplant worden: Außerordentlich schöne Landschaft, im Süden des Ortes ein Konzentrationslager mit zwanzigtausend jüdischen Arbeitskräften.

Aus dem Brevier der Dame, 1949, den weiblichen Verbleib der beliebten Hose nach dem verlorenen Krieg betreffend: Kleidsam ist die Herrenhose nur für ganz schlanke Frauen und junge Mädchen. Frauen mit ausgeprägten weiblichen

Rundungen, starken Hüften und voller Büste sollten lieber darauf verzichten. Die Hose ist ein männliches Kleidungsstück und paßt eben einmal nicht zu allzuviel Weiblichkeit. Wozu auch, wer sollte denn sonst all die vielen entzückenden, typisch weiblichen Dinge tragen? Andererseits: Girls will be boys and boys will be girls. It's a mixed up muddled up shook up world except for Lola. Das alte Lied der englischen Beat Band The Kinks, dann doch, gleichsam androzentrisch androgyn, der binären Praxis verhaftet: Mehr war 1970 wahrscheinlich nicht drin. Auf demselbem Zettel, derselben Seite, abermals darunter: Die Kategorienkrise als eine rein männliche Zeichenkrise, welche folgenlos auszuagieren allein der männliche Cross Dresser im Ballkleid, als eben privilegierter Mann, in der Lage ist. Mit einem Bleistift, senkrecht daneben gekritzelt: Welcher sich dadurch des erniedrigenden Codes der Weiblichkeit, ihrer restlos minderwertigen Objekthaftigkeit, performativ bedienen darf; wohingegen die transvestische Frau, zu Friedenszeiten im Herrenanzug, wirklich Verbotenes tut, nämlich Subjektstatus erlangt und also Karriere macht. Ließen sich hier sinnvoll Fragezeichen setzen? Konnte es, nach alledem, nur Homöovestitinnen oder auch Homöovestiten geben? Eckige Klammer auf: Das Weibliche als das verdrängte Begehren als das Erotische; eckige Klammer zu. Kopfüber, am Fuß der Seite, in Korinnas Schrift, die Namen Lyotard, Derrida, Deleuze und Guattari. In ihrer eigenen: Foucaults Dispositiv. Die Magistrandin hatte tatsächlich Schwierigkeiten, ganz genau zu erinnern, worauf sie mit ihren Notizen aus dem letzten Wintersemester eigentlich hinausgewollt hatte. Am besten alles immer gleich ausformulieren.

Iring Fetscher befragt Ernst Bloch 1967 nach seiner Jugend in Ludwigshafen. Erstens: hungriger Junge, zweitens: die Doppelexistenz am gleichen Fluß. Ludwigshafen und Mannheim als Zusammenstoß, der Musik ergibt, knirschend, zugleich eigentümlich dröhnend. Dieser Zusammenstoß von Ludwigshafen und Mannheim war, nun, man kann sagen, sagt Bloch, der Die Phänomenologie des Geistes, nach eigenen Angaben, erotisch gelesen hat, ein Zusammenstoß von Hegel und Marx, nebeneinander an den Ufern des Rheins; die alte Kultur dort drüben und das Futurum hier, das rohe, neue, wildwesthafte, jahrmarkthafte, diese lebende Karl-May-Szenerie, mit Wirtshäusern, die hießen Zum Sohn der Wildnis oder Zum Scharfrichter, wenigstens realistische Titel für Wirtschaften, fand Bloch. Seine damalige Einstellung: Ich kenne nur Karl May und Hegel; alles, was es sonst gibt, ist aus beiden eine unreinliche Mischung; wozu soll ich das lesen? Die nächsten Stationen des Philosophen: München, Berlin, Heidelberg. Bloch: Heidelberg wurde mir wichtig um seiner selbst willen. An der Universität hatte ich nichts Besonderes zu tun, ich war ja schon in Berlin ein junger Doktor. Ich traf in Heidelberg meinen Freund Georg Lukács wieder, den ich in Budapest kennengelernt hatte. Dann gab es den Kreis um Max Weber. Es gab auch viel Spaß mit Figuren, die wir nicht besonders geschätzt haben. Verblühte Wespen unter den Weibern und besoffene Lokomotivführer unter den Professoren, die so rasten und so feuilletonistisch sein wollten, wie es kein Feuilletonist zustande bringt; kurz darauf: Aber es war auch ein Genius loci, der die Nähe Heidelbergs zu Ludwigshafen aufhob und Heidelberg so entfernt machte, beinahe wie Moskau oder das alte Spanien. Gleichzeitig der Schreibtisch im oberbayerischen Garmisch. Ernst Bloch: In Garmisch sind auch die Anfänge meiner Philosophie schriftlich entstanden, also eine bayerische Geburt, mit dem Willen, der Alpen würdig zu sein, die ich vor meinem Fenster hatte. Da haben wir es wieder, dachte Vivian Atkinson und wandte ihr Gesicht vorsichtig den Steinbrüchen zu. Ob Pat Meier wohl gerade da oben saß?

Georg Lukács zu Fetscher über Blochs Prosa: Eine Mischung aus Hebels Schatzkästlein und Hegels Phänomenologie. Das Prinzip Hoffnung, dritter Teil: Wunschbilder im Spiegel. Sich schöner machen als man ist. Vivian exzerpierte handschriftlich: Freilich kann kein Mensch aus sich machen, was nicht vorher schon in ihm angefangen hat. Unterstrich angefangen und notierte, mit einem Pfeil, das Wort prozessual daneben. Sexus als Prozeß. Ebenso zieht ihn draußen, an schönen Hüllen, Gebärden und Dingen, nur an, was im eigenen Wünschen lange schon, wenn auch vage, lebt und sich daher gern verführen läßt. Stift, Schminke, fremde Federn helfen dem Traum von sich gleichsam aus der Höhle. Out of the closet, wie es im Patrick Henry Village geheißen hatte. Da geht er und posiert, pulvert das bißchen Vorhandene auf oder fälscht es um. Doch eben nicht so, als ob einer sich ganz verfälschen könnte; wenigstens sein Wünschen ist echt. Der Drang des Kleinbürgers: Mehr scheinen als sein. Mehr sein als scheinen aber, schreibt der Ludwigshafener, dies Umgekehrte wird durch kein Herrichten nachgemacht; weshalb es nirgends so viel Kitsch gibt wie in der Schicht, die sich selber als unecht erträgt. Das Unsere als lichtecht, es wird außer dem Schlips noch wenig getragen. Hierüber mußte die Studentin ein paar Minuten lang auf ihrem Sofa nachdenken. Nächster Abschnitt: Was einem heute der Spiegel erzählt. Vivians Verweis: Was der Spiegel einst dem Mädchenfreund Lewis Carroll erzählte. Dessen Buch Alice hinter den Spiegeln besorgen. Dann: Das neue Kleid, die beleuchtete Auslage. Nun könne keiner aus seiner Haut heraus. Aber leicht in eine neue hinein; daher eben sei alles Herrichten Ankleiden. Frauen zögen sich mit dem Gewand ein neues Stück ihrer selbst an. Dieselbe Frau als eine andere, wenn in einem anderen Kleid, mit Bloch: im feinen Schaum des weiblichen Putzes.

Ein metallisches Quietschen drang aus der Richtung des Schwabenheimer Hofs herüber, dem anderen, wenig belebten Neckarufer, das schon zu Dossenheim gehörte. Ein rüstiger Rentner hatte Vivian einmal mit seinem Kahn Odin dorthin übergesetzt. Flußaufwärts ewig keine Brücke, flußabwärts erst die altertümliche Fähre zwischen Neckarhausen und Ladenburg. Die Studierende legte Das Prinzip Hoffnung beiseite, trat kurz ans Fenster, dort war außer einem gerade anlegenden Frachtschiff nichts Besonderes zu sehen, und nahm dann Platz vor ihrem dunkelblau leuchtenden Bildschirm: Was konnte ein sogenanntes Rasseweib mit sich selbst anfangen? Gab es eigentlich auch weiblichen Selbsthaß? Wie den von Theodor Lessing geschilderten jüdischen Selbsthaß? Lessing, welcher 1930 die Assimilation zugunsten des Zionismus ablehnte, hatte geschrieben: Du wirst einer von den andern und wirkst fabelhaft echt. Vielleicht ein wenig zu deutsch, um völlig deutsch zu sein. Auschwitz oder Israel, wie es Hans Mayer später zusammenfaßte. War es andererseits der jüdischen Intelligenz, heutiges Beispiel: Daniel Boyarin, nicht in gewisser Hinsicht auch positiv anzurechnen, eine dialektische Differenz zur Kategorie der Rasse entwickelt zu haben? Oder wäre dieser Gedanke nur abermals mit antisemitischen Konnotationen zu fassen? Wie bei Otto Weininger, der sein Judentum hatte überwinden wollen, um deutscher als der Deutsche zu werden. War Weininger nicht auch ein weiblicher Selbsthasser? Weiblicher Selbsthaß also doch existent? Von deutschem Selbsthaß hatte Vivian nie gehört; die Nation war, im wörtlichen Sinne, ausschließlich auf Identität angelegt. Auf Territorialität. Im horizontalen Sinne. Hier machte Vivian einen Querverweis zu Tel Aviv, Herzls Hügel des Frühlings, auf Deutsch: Altneuland. Okay. Deutsches Selbstmitleid, deutsche Götterdämmerung, deutscher Weltkrieg: das deutsche Vaterland vermochte im Spiegelsaal der Geschichte aus dem bittersüßen Gefühl ewiglichen Mangels heraus die allergrößte Zerstörungskraft zu entfesseln. Sich selbst apokalyptisch mit in den Abgrund reißend; das war die deutsche Spezialität, von daher bildete deutsches Sentiment dann doch eine Variante des

Selbsthasses. Wie verhielt sich Thomas Manns berühmtes Leiden an Deutschland dazu? Als Ekel oder Genuß? Melancholia? Die antideutsche Haltung eines Hans Mühlenkamm konnte zum Komplex des Selbsthasses nicht gerechnet werden, denn der Antideutsche war automatisch ausgeschlossen, selbst gar nicht mehr deutsch. Undeutsch. Hans Mühlenkamm war kein Deutscher. Klar.

Vivian Atkinson hatte die OEG via Heidelberg in Richtung Weinheim genommen und war kurz vor dem Handschuhsheimer Gewerbegebiet, Haltestelle Burgstraße, ausgestiegen. Als sie an der Haustür zu Ilse Lehrerins WG klingelte, machte niemand auf. Ilse war womöglich die ganzen Sommerferien über verreist, das Ehepaar Stöver weiß der Teufel wo, und Pat mochte sich tatsächlich in ihrem verschwörerischen Ausguck aufhalten. Also bestieg Vivian die nächste OEG gen Weinheim und war schon zwei Stationen später wieder an der frischen Luft, wo sich der Westwind an der Klippe des Odenwalds brach, schlug die Bahnhofstraße zum Dossenheimer Rathaus ein und die Hauptstraße weiter hinauf bis zum Steinbruchweg. Nun ging es wirklich steil bergan, ein schmales asphaltiertes Sträßchen, anfänglich noch von Eigenheimen gesäumt, bald nur noch von Brombeerhecken. Dann eine Wendestelle, Ende des Straßenbelags, und wenige Minuten später, linker Hand, gigantische archaische Förderanlagen, weitgehend überwuchert, stark verrostet. Ein Grüppchen Arbeiter schlug sich mit Buschmessern durch das Gestrüpp, legte irgendwelche stählernen Taue bloß, ein paar andere standen hoch oben auf einer eisernen Ruine und bearbeiteten diese so lange mit Vorschlaghämmern, bis einzelne Bruchstücke der maroden Mechanik herabstürzten, die dann von zwei weiteren Arbeitern auffallend träge auf einen verbeulten Lastwagen geladen wurden. Oberhalb dieser Szenerie ragte, orange und riesig, halbkreisförmig, der nördlichste der drei großen Dossenheimer Steinbrüche in den Himmel.

Vivian, von plötzlicher Neugier ergriffen, trat an die Arbeiter heran und fragte, ob der Steinbruch denn nunmehr stillgelegt würde. Zwei gaben ihr gar keine Antwort, ein dritter verwies, in gebrochenem Deutsch, auf den Polier, einen älteren Mann im blauen Overall, der soeben, neben einem alten, sandfarbenen VW-Pritschenwagen ohne Zulassungsschilder, sehr unverblümt ins staubige Gebüsch pinkelte. Es kam wohl äußerst selten vor, daß sich eine weibliche Person hierher verirrte, dachte Vivian, Pat Meier nahm gewiß einen anderen Weg zu ihrer über der Abbruchkante liegenden Stellung. Mißtrauisch trat der Polier auf die Studentin zu. Nein, der Steinbruch werde erst in drei, vier Jahren aufgegeben. Bis dahin sei sein Betreten sowohl lebensgefährlich als auch strengstens untersagt. Hinter dem Pritschenwagen, unter den stillstehenden Loren, erkannte die Fremde einen Jeep der US Army, gleichfalls abgemeldet, also ohne Nummernschild, jedoch mit laufendem Motor, langsam vorbeirollend. Sie fröstelte ein bißchen; die offene Feindseligkeit dieser Männer ließ sie flugs Abschied nehmen, weiter bergan gehen. Nach wenigen Minuten ein korrodiertes Viadukt der ehemaligen Werksbahn, schwindelerregend hoch über dem dunklen Waldweg, mit einer Weiche in der Mitte, dadurch wie eine Wünschelrute aufgebogen. Dann, linker Hand, der ebene Boden des Steinbruchs, die ansteigende Zufahrt, ein offenes Tor, von zahlreichen Verbotsschildern gesäumt, um die sich Vivian nicht scherte. Mit klopfendem Herzen trat sie in die gewaltige Arena ein, die ihr so oft abendlich heimgeleuchtet hatte, und legte ihren Kopf in den Nacken, um dort oben womöglich Pat und ihre Geräte ausmachen zu können. Obwohl sich, wie die Leute sagten, nur sehen ließe, was auch gewußt werde, hatte sich die Darmstädterin offensichtlich so gut getarnt, daß der Army Brat, selbst nach längerem Hinschauen, nicht einmal zu erinnern vermochte, wo genau sie damals an Fronleichnam mit Bodo Petersen auf Pats Unterschlupf gestoßen war. Es blieb nur eine Möglichkeit: die Schnittkante des Steinbruchs entlang hinaufzuklettern, bis sie auf Pat Meier stieße. Und dies alles nur um der Illustration ihrer Magisterarbeit willen?

Not really. Es war eher ein feierliches Sehnen, das Vivian weitertrieb, zunächst tiefer in den Steinbruch hinein, der noch ein zweites, höhergelegenes Plateau besaß. Als sie dessen Niveau über eine breite, für Schwerfahrzeuge angeschüttete, Schräge erreichte, machte sie dort aus, was von unten nicht sichtbar, nämlich im toten Winkel gewesen war: eine ganze Flotte ausgedienter Fahrzeuge, Anhänger und Container der US Army mit schlampig übertünchten Hoheitszeichen, in Reih und Glied abgestellt, zu welchem Zweck? Wessen Erbauung? Hatte ihr Daddy Rodney Atkinson diese Government Issues, Oldtimer der glorreichen Siebten Armee, hierher verscherbelt? Vivian beschloß augenblicklich, sich diesen gespenstischen Fuhrpark, respektive Friedhof, genauer anzuschauen, und trat auf ein martialisch dreinblickendes Fahrzeug zu, wollte, wie einst als Tomboy, über dessen mannshohe Reifen zum Führerhaus hinaufklettern. In eben diesem Moment vernahm sie hinter sich ein Motorengeräusch, wandte erschrocken ihren Kopf und erkannte den sandfarbenen Pritschenwagen des Poliers, welcher sich im Schrittempo näherte und etwa zwanzig Meter hinter ihr stehenblieb. Die Studierende bemühte sich, eine möglichst unbekümmert wirkende Haltung einzunehmen, und kehrte betont langsam, in einem großen Bogen, zur Schräge und schließlich dem nach wie vor offenen Tor zurück. Der unheimliche Volkswagen blieb ihr dabei im stets gleichen, schleichenden Abstand auf den Fersen. Blieb sie stehen, hielt er an. Bog sie am Ende des verbotenen Geländes nach links erneut in den ansteigenden Waldweg ein, rollte der Pritschenwagen im Leerlauf nach rechts zu den alten Förderanlagen hinab.

Vivian Atkinson atmete auf, beschleunigte ihren Schritt, kroch unter einem Schlagbaum durch, zu dem der verbitterte Polier mit Sicherheit einen Schlüssel besaß. Aber es war ja gar nicht verboten, hier, auf markiertem Weg, in den Odenwald hineinzuwandern; erst als die Neugierige abermals nach links ausbrach, an verbeulten, durchgerosteten Unterständen vorbei, übers Geröll, den Niederschlag ewig zurückliegender Sprengungen, ins Dickicht kroch, und, unter einem Stacheldraht hindurch, bis an die steile Kante vor, befand sie sich erneut auf untersagtem Gelände. Es war mittlerweile fünfzehn Uhr geworden. In frommem Akkord klang das Geläut eines der drei Dossenheimer Gotteshäuser herauf. Etwa dasjenige der Neuapostolischen Kirche? Gehörte das Fragestellen, sinnierte die nunmehr Erhitzte, eigentlich ganz dem konfessionellen Kanon an, oder stellte es eine auch atheistisch zu instrumentalisierende Kulturtechnik dar? Glauben hieß ja nicht Wissen, hieß es. Oder sogar, in einem Wort: Nichtwissen. War es denn überhaupt denkbar, wissend Fragen zu stellen? Beziehungsweise wissentlich? Was für ein Quatsch, hier oben auf ausgesetzter Klippe, über die sogenannten letzten Dinge loszugrübeln, befand die junge Atkinson, band sich ihr Blouson um die Hüften und stand jetzt, halb aufgerichtet im Dickicht vor dem Abgrund, im gerippten NVA-Achselhemd und Blue Jeans da. Wagte aber nicht, sich hinzusetzen, ihre Beine vom Steinbruch baumeln zu lassen, denn sie konnte dort unten die Männer herumfuhrwerken sehen, sogar ihre Stimmen hören. Weiter hinten, sehr deutlich, eigentlich nah, der Edinger Wasserturm sowie der hohe, neuere Kling-Malz-Silo; daneben, um einiges niedriger, ihr Domizil, der Tabakspeicher. Dennoch: Die Berge wirkten aus der Ebene konkreter als die in der Niederung verstreuten Siedlungen vom Gebirge aus.

Unweit des steinernen Zenits erreichte Vivian Atkinson Pat Meiers Unterstand. Die Gesuchte persönlich nicht anwesend, ihre Geräte in diversen hölzernen Kisten verstaut und verriegelt, gut versteckt unter all dem Geäst, auch Eingeweihten nur unmittelbar von der ausgesetzten Kante aus überhaupt wahrnehmbar. Womöglich würde sich Pat erst bei hereinfallender Abenddämmerung hier oben blicken lassen. Vielleicht bezog sie tagsüber nur an Sonn- und Feiertagen, wenn im Steinbruch nicht gearbeitet wurde, Stellung. Also legte sich Vivian rücklings ins Gras, welches ganz vorn, vor dem beginnenden Unterholz, einen Streifen bildete, und versuchte sich auszumalen, was ein freischärlerisches Dasein für eine Frau eigentlich mit sich brächte. Gerade gestern erst hatte sie, in der Musikzeitschrift Spex, einen Artikel über die eritreischen Kämpferinnen der EPLF gelesen, von denen eine betont hatte: Wir haben uns nie dazu herabgelassen, Frauen zu sein, und wir haben niemandem erlaubt, uns zu erniedrigen. Seltsame Formulierung, hatte Vivian, in ihrer Badewanne liegend, noch gedacht, dann aber hatte das Telefon geklingelt, und Korinna Kohn war drangewesen, direkt zurück von einer Spritztour zum Heiligen Walldürner Blutaltar, Stätte des allseits beglaubigten Blutwunders von 1330, sehr aufgedreht, auffallend quasselig. Vivian dabei nackt, inmitten ihres Zimmers und einer sich ausbreitenden Pfütze Badewassers.

Aus Vivian Atkinsons Weininger-Exzerpten: Alle wirklich nach Emanzipation strebenden, alle mit einem gewissen Recht berühmten und geistig irgendwie hervorragenden Frauen weisen stets zahlreiche männliche Züge auf. Daß eine homosexuelle Liebe gerade das Weib mehr ehrt als das heterosexuelle Verhältnis. Daß die Neigung zu lesbischer Liebe in einer Frau eben Ausfluß ihrer Männlichkeit, diese aber Bedingung ihres Höherstehens ist. George Sands Verhältnisse mit Musset, dem weibischesten Lyriker, sowie Chopin, den man sogar als den einzigen weiblichen Musiker bezeichnen könnte. Mme de Staëls sexuelle Beziehung zu August Wilhelm Schlegel, dem homosexuellen Hauslehrer ihrer Kinder.

Klara Schumanns Gatten würde man bloß dem Gesichte nach zu gewissen Zeiten seines Lebens eher für ein Weib halten denn für einen Mann, und auch in seiner Musik ist viel, wenn auch nicht immer gleich viel, Weiblichkeit. Und was die emanzipierten Frauen anlangt: Nur der Mann in ihnen ist es, der sich emanzipieren will. Freien Zulaß zu allem, kein Hindernis in den Weg derjenigen, deren wahre psychische Bedürfnisse sie, stets in Gemäßheit ihrer körperlichen Beschaffenheit, zu männlicher Beschäftigung treiben, für die Frauen mit männlichen Zügen. Aber weg mit der Parteibildung, weg mit der unwahren Revolutionierung, weg mit der ganzen Frauenbewegung, die in so vielem widernatürliches und künstliches, im Grunde verlogenes Streben schafft. Der größte, der einzige Feind der Emanzipation der Frau ist die Frau.

Ende August 1997 war Prinzessin Diana aus England in einem Pariser Tunnel, samt Geliebtem und Chauffeur, gegen einen Betonpfeiler gerast. Frontal in den Tod gehetzt von einer Meute sie penetrant für ihre Zwecke reklamierender Fotografen, welche sich, durch die in London auf Anhieb entfesselten, massenhysterischen Feierlichkeiten, gleichsam nachträglich legitimiert betrachten durften. So jedenfalls sah es Grete Mühlenkamm, die seit einer Woche, in Zivil, bei ihrem Bruder in der Unteren Straße logierte. Eben wollte sie abermals den Zucker gereicht bekommen, denn mit vier Würfeln hatte sie anscheinend noch nicht genügend im Tee. Vivian, im Schneidersitz zwischen den beiden Geschwistern positioniert, reichte ihr die Südzucker-Pappschachtel hinüber und gähnte ungeniert stimmhaft. Seit Hans den bunten vegetarischen Tisch abgedeckt hatte, Gretes vielgepriesenes subtropisches Frühstück, zu dem die Studentin kurzfristig eingeladen worden war, lümmelte sie mit den anderen vor dem Fernseher. Dabei hätte sie gewiß Besseres zu tun gehabt als jene doofen Sendungen auf den sogenannten privaten Sendern SAT 1, RTL und Pro Sieben, die heute nachmittag über den Bildschirm ihres Freundes flimmerten, zu kontrollieren, wie Grete sich betont kulturkritisch ausdrückte. Etwa Sonja: Bei mir pinkelt Mann im Sitzen. Danach Bärbel Schäfer: Und so was nennst du Busen? Sowie simultan, wobei Grete während der jeweiligen Werbeblöcke, die sie zu anderen Sendezeiten kontrollierte, ganz hektisch hin und her schaltete, Arabella Kiesbauer: Mein Busen macht mich sexy. Wurde die bundesdeutsche Bevölkerung mit derartigen, ja auch Korinna Kohns durchaus wissenschaftliche Aufmerksamkeit beanspruchenden Sendungen zu ihren, wie es angloamerikanisch hieß, Private Parts, eigentlich sexualisiert? Mobilisiert? Fertiggemacht? Entmündigt im Foucaultschen Sinne? Logisch, ganz klar, meinte Grete Mühlenkamm; gleichzeitig kam sie Vivian Atkinson aber auf geradezu symbiotische Weise mit ihrem Studienobjekt verhaftet vor. Dennoch mußte der resoluten Stewardeß zugutegehalten werden, daß sie ihren sanften Bruder schon zu dessen Offenbacher Zeiten mit ihrer analytischen Grille infiziert hatte. Warum nur lebte diese Mittzwanzigerin noch immer bei ihren Eltern?

Ihr momentaner, eigentlich erster längerer Besuch bei Hans war auf die Lektüre des neuen Heftes der Frauenzeitschrift Amica zurückzuführen, worin das von einer Bürgermeisterin regierte Heidelberg als die frauenfreundlichste Stadt Deutschlands ermittelt worden war, und zwar statistisch ermittelt worden war, dicht gefolgt von Korinnas kurfürstlichem Karlsruhe, Göttingen auf drittem Platz als der erotischsten aller Städte, Potsdam auf viertem als derjenigen mit den meisten Kindertagesstätten; das arme Dortmund als Arschlochstadt und Schlußlicht an dreißigster Stelle. Amicas Kriterien waren dabei erstens Sicherheit, zweitens Beruf und Karriere, drittens Shopping, viertens Kinderfreundlichkeit, fünftens Lebensqualität, und, außer Konkurrenz, weil subjektiv, Erotik gewesen. Lest nur mal die hanebüchene Erklärung zum Punkt Shopping, sagte Grete, als der Fernseher endlich ausgeschaltet war, und Vivian las über Hänschens Schulter hinweg: Spätestens hier könnte man uns vorwerfen, wir hätten das Leben einer Frau mal wieder auf die drei K's reduziert: Karriere, Kinder und jetzt auch noch Konsum. Wir finden: Diese drei spielen nun mal eine wichtige Rolle für Frauen. Alle Einkaufssparten konnten wir nicht untersuchen, deswegen haben wir uns auf die Zahl von Mode- und Kosmetikgeschäften konzentriert. Anzahl des Verkaufspersonals einerseits, der Parfümerien, DOB-Geschäfte, Friseure, Dessous-Läden pro fünfzigtausend Einwohnerinnen andererseits. Ist ja doll, sagte Vivian. Grete mußte zwar während ihrer Arbeit Make-up tragen, zeigte aber sonst, abgesehen von einem stets fein gezogenen Lidstrich, kein übermäßiges Interesse an weiblicher Kosmetik. Und die zumeist fernöstliche Mode, die sie während ihrer Freizeit trug, würde gewiß in keinem der von Amica registrierten Geschäfte erhältlich sein. Hans Mühlenkamms ältere Schwester war also angereist, um die von der vorgeblichen Frauenzeitschrift entworfene geschlechtliche Topographie Heidelbergs mit eigenen Kulturstudien vor Ort zu konterkarieren. Schwellenangst vorm Designertempel? Ganz normal, wenn Sie sich nicht ständig in diesem Milieu bewegen, sagt, zum Beispiel, die Münchner Diplompsychologin Dr. Anna Schoch in Amicas vergleichendem Städtetest und empfiehlt: Einfach mal reingehen. Amicas Nachfrage: Um sich dann von herablassenden Verkäuferinnen taxieren zu lassen? Frau Dr. Schochs Antwort: Wenn das wirklich passiert, machen Sie sich klar, was eine Verkäuferin verdient und welche Ausbildung sie hat. Wird ja immer irrer, lachte Vivian Atkinson. Die Frau im Kimono begann ihr zu gefallen.

And the winner is: Heidelberg, in puncto Kinderfreundlichkeit auf erstem Platz, Shopping auf zweitem, Erotik auf fünftem, Lebensqualität auf siebtem, Sicherheit auf zwölftem, und weiblicher Karrieremöglichkeiten, seinem absolut schwächsten Punkt, auf vierzehntem von dreißig Plätzen. Jedes Kriterium, minus der selbstverständlich heterosexuell codierten Erotik, die nun einmal Geschmacksache sei, gleich schwer gewichtet. Leipzig, mit den angeblich besten Karrieremöglichkeiten für Frauen, wegen seines miesen Shopping-Angebots für, mit Hänschens herben Worten, aufgetakelte Fregatten aber, nur auf dem zwanzigsten Platz, von Leipziger Erotik, auf Platz dreißig, ganz zu schweigen. Amicas Göttingen dagegen war, weil es numerisch die meisten Kerle pro eintausend Weiber aufbieten konnte, nämlich neunhundertsechsundfünfzig, knapp zehn Prozent mehr als etwa Würzburg, in Sachen Erotik absolut führend. Denn wozu überhaupt waren die Männer gleich wieder da? Zum Bumsen, höhnte Grete. Aber Amica hatte auch die Zahl der Eheschließungen gezählt, und wie viele Männer in den Spielfilm Romeo und Julia gingen. Der beste Heidelberger Ort zum Flirten: Die Neckarwiese, Höhe Uferstraße, Neuenheim. Mitbringen zur dynamischen Kontaktaufnahme: Frisbee, Volleyball oder Diavolo. Unter den feministischen Errungenschaften der Bürgermeisterin mit Namen Weber, laut Amica-Interview: Die Abschaffung von Angsträumen, Vivian hatte zuerst Angstträumen gelesen, sowie die Einrichtung von kurzen Wegen. Außerdem in Grete Mühlenkamms Boardcase: Die neue Ausgabe der Zeitschrift Emma mit einem Gespräch der Schriftstellerinnen Elfriede Jelinek und Marlene Streeruwitz, bei dem die Jelinek wohl hundertmal das Wörtchen man fallengelassen hatte. Offensichtlich von Alice Schwarzer hineinredigiert, lautete Gretes diesbezüglicher Befund.

Heidelberg werden wir schonen, denn dort wollen wir einmal wohnen. Bis heute hielt sich in der Bevölkerung die Legende von den Flugblättern mit ebendiesem Wortlaut, welche im Frühjahr 1945 von amerikanischen Militärflugzeugen über der Stadt abgeworfen worden sein sollten; dabei hatte selbst der Odenwald-Verleger Pieper zu keinem Zeitpunkt ein solches in der Hand gehabt. Als die Amis schließlich heranrückten, fuhr ihnen eine kleine Heidelberger Delegation entgegen, um die Verschonung ihrer Stadt, nicht aber deren Kapitulation auszuhandeln. Dr. Dieter Brüggemann war dabei und berichtet vierzig Jahre später, am 30. 3. 1985, im Hotel Prinz: Gegen einundzwanzig Uhr setzten wir uns in Marsch. Wir fuhren im offenen Kübelwagen. Die Brücke hier in Neuenheim war noch unzerstört. Jetzt ging es die Handschuhsheimer Landstraße, Richtung Dossenheim, aus der Stadt hinaus, in langsamem Tempo. Die letzten deutschen Vorposten lagen am Friedhof beiderseits der Straße. Sie winkten uns zu, natürlich waren sie unterrichtet, und dann ging es ins Niemandsland. Der Dolmetscher entfaltete eine große, behelfsmäßig hergestellte, weiße Fahne. Nun hätte eigentlich, nach Völkerrecht, noch ein Trompeter dazugehört, der ein Trompetensignal blies, um dem Feind unsere Ankunft anzuzeigen. Aber wer hatte schon gegen Kriegsende einen Trompeter? Den gab es schon längst nicht mehr. Als Ersatz rief der Dolmetscher, zu Fuß neben dem nun im Schrittempo fahrenden Wagen einhergehend, laut und ständig: Parlamentär. Parlamentär. Parlamentär. Nach kurzer Zeit langten wir beim amerikanischen Vorposten an. Sie nahmen uns in Empfang, und, eine erste Überraschung, die Augen wurden uns nicht verbunden. Wir durften offenen Blickes sehen, was sich da tat. Natürlich interessierte ich mich schon als Offizier meines eigenen Lagers sehr dafür, was ich zu Gesicht bekam. Und der Grund, warum man uns sehend ließ, war mir sehr bald klar. Aufgereiht, in Richtung Heidelberg, stand ein schwerer Sherman-Panzer hinter dem anderen auf der Landstraße. Das sahen wir, und das sollten wir offenbar auch sehen.

Noch in derselben Nacht, in sprichwörtlich letzter Minute des Krieges, wurde Heidelbergs von Goethe besungene Alte Brücke, die Karl-Theodor-Brücke, von der großdeutschen

Wehrmacht, genauer: dem Unteroffizier der Pioniere Schlicksupp aus Mannheim-Neckarau, wo heute Heidelberger das HD 800 betreiben, gesprengt. Wenige Jahre später wurde sie wieder aufgebaut. Die Judenanlage, an der wir hier, Ecke Philosophenweg und Hirschgasse, stehen, ist nicht zurückbenannt worden und heißt bis heute Hölderlin-Anlage, referierte Vivian Atkinson, wobei Judenanlage, Judengasse, et cetera, wahrscheinlich auch schon ausgrenzende Bezeichnungen gewesen seien. Grete und Hans blieben kurz stehen, ließen ihre Blicke über den Fluß hinweg auf der Altstadt ruhen, glaubten sogar Hänschens Mansarde zu erkennen. Die Lokkerung des Kontaktverbots zwischen Amerikanern und Deutschen sei dann vor allem von jungen Mädchen, damals Fräuleins genannt, sowie von Intellektuellen und Arbeitern begrüßt worden. Mit Kindern spielende GI's an jeder Straßenecke. Erst der offen gezeigte Militarismus, welcher mit dem Hauptquartier der Siebten Armee in die Stadt einzog, habe das Vertrauen der Bevölkerung in die US Army als eine gleichsam zivile Streitmacht unterminiert. Off Limits schon bald die meisten Ausschänke der Einheimischen. Die OEG sei wieder gefahren, sogar in die total zerstörten Quadrate Mannheims hinüber. Eine sei dadurch entgleist, daß zwei Neunjährige Steine auf die Schienen gelegt hätten: Ein Toter und achtzehn Verletzte, nach Werner Piepers Recherchen. Der spätere Bundespräsident Heuss und ein Kommunist mit dem klangvollen Namen Agricola als Begründer der Rhein-Neckar-Zeitung. Heimatforscher Pieper hatte darin einen Leserbrief gefunden, nach dem Frauen in Männerhosen dieselben sofort zur Verfügung stellen sollten. Karl Jaspers kehrte an die Universität zurück. Zu Weihnachten 1945 die friedliche Beleuchtung der Schloßruine durch die auf der Molkenkur residierenden Besatzer. Hans zeigte Grete die Molkenkur. Links davon das Haus, in dem Sissi, die österreichische Kaiserin, gewohnt hatte. Grete trug nun eine Kawasaki-Lederjacke, offen, über ihrem Kimono. Der arbeitslose Gelegenheitsarzthelfer in einem ölverschmierten Overall von Ford Kurpfalz aus Mannheim, die fortgeschrittene Magistrandin in einem unauffälligen Sommerkleid von H&M. Binnen kurzem näherten sich die drei dem Stift Neuburg, der alten Benediktinerabtei. Warum es in dieser Gegend eigentlich so unnatürlich warm sei, wollte Grete wissen. Vivians Antwort: Durch die Emissionen der BASF.

Aha. Schlote. Phalli. Natürlich, sagte die Stewardeß, immer steif und ewig geil. Genau, der Schornstein fickt das Klima, und er kommt unentwegt, griff Hans Gretes Idee spaßeshalber auf, aber seine Schwester fragte sofort kritisch nach: Kannst du eine Erektion haben und gleichzeitig nicht an Vergewaltigung denken? Kannst du dich aus einer Erektion herausdenken? Kennst du bell hooks' Aufsatz Power to the Pussy; We Don't Wannabe Dicks in Drag? Darin zitiert sie Madonna: I wouldn't want a penis. It would be like having a third leg. It would seem like a contraption that would get in the way. I think I have a dick in my brain. I don't need to have one between my legs. Der zierliche Arbeitslose zuckte unschlüssig mit den Schultern und schaute hilfesuchend zu Vivian hinüber. Die Soldatentochter hatte dieser Komplex ja schon sehr oft beschäftigt, eigentlich bereits, seit ihre sexbesessene Mutter den netten GI Amos aus dem manierlichen Nachbarhaus am nördlichen San Jacinto Drive als Schlappschwanz apostrophiert und mit den Worten: der Junge ist doch total gehemmt, belegt hatte. Bis heute war Vivian nicht gewillt, Männer allzu simpel auf ihre martialischen Stoßkräfte zu reduzieren. Deshalb bemühte sie sich nun, zu Füßen des alten Klosters, in lieblicher, obstträchtiger Südhanglage, an Hänschens Stelle zu antworten, indem sie in freien Stükken ein weiteres Mal Drucilla Cornells Gedanken zur Pornographie herbeizitierte. Lacan, dem Hilfskonstrukteur, darüber hinaus womöglich ein Frauenfeind wie Weininger, Freud und Žižek, käme hier abermals eine besondere Bedeutung zu, weil er darauf insistierte, daß das Männliche und das Weibliche Signifikanten seien und männliche Identität in ihrer Einheitlichkeit immer fehlschlagen werde, weil sie von dem phantasmatischen Objekt Frau abhängig sei; wozu Grete eine abgründig komische Episode aus ihrer Zeit als tambourinschlagende Rockröhre in einer japanischen Hard Rock Band beizusteuern wußte. Die Verleumdung und Verunglimpfung der Frau, welche in der Pornographie so lebhaft vor Augen geführt werde, artikuliere eine Spaltung im Mann, die ihm den Zugang zur Wahrheit seines Phantasmas beharrlich versperre. Diese Barriere verhindere, durchaus tragischerweise, so Atkinson nach Cornell, den zärtlichen Umgang mit dem Anderen, nach dem er sich doch eigentlich verzweifelt sehne.

Pornographie sei also nicht, was die Männer wollten, sondern Ersatz für den Mangel und die Spaltung der Männer, welche die ihnen auferlegte Struktur männlicher Identität besetze. Nicht männliche Macht, sondern der Mangel an Sicherheit darüber, wer sie eigentlich seien, käme in der Pornographie zur Darstellung. Es sei wohl wirklich um einiges verflixter, einen Schwanz als eine Möse zu haben. Fände denn Grete nicht auch, daß letztere, im Vergleich zur monumentalen Singularität des männlichen Dings, eine geradezu phänomenale Pluralität aufwiese? Handele es sich also demnach um Kastrationsangst, knüpfte Grete Mühlenkamm so beharrlich wie ernsthaft an, wenn die USA die internationalen Klimakonventionen boykottierten? Warum überhaupt habe die amerikanische Philosophie, im Gegensatz zur europäischen, andauernd, bis noch vor kurzem, die Psychoanalyse angegriffen? Und warum sei sie heute an deutschen Universitäten, setzte Vivian hinzu, ganz konkret von ihrer Abschaffung bedroht? Ich finde, deine Schwester sollte unbedingt mal Frauke kennenlernen, bemerkte sie später, als Grete allein, auf Amicas Spuren, durch Heidelbergs Fußgängerzone bummelte. Meinst du denn tatsächlich, fragte Hans überrascht nach, daß sie auch für Angela Stöver, geborene Guida, bereit ist? Innerlich?

Es stände mir völlig frei, ein Kapitel über diese trockene Rose da zu schreiben, wenn der Gegenstand der Mühe wert wäre. Es ist eine Blume vom Karneval des letzten Jahres. Ich habe sie selbst in den Treibhäusern Valentins gepflückt, und abends, eine Stunde vor dem Ball, ging ich, hoffnungsvoll und in angenehmer Aufregung, zu Frau von Hautcastel, um sie ihr zu schenken. Sie nahm sie, legte sie auf ihren Putztisch, ohne sie anzusehen, ja sogar ohne mich anzusehen. Wie hätte sie aber auch auf mich achten können: war sie doch damit beschäftigt, sich selbst zu betrachten. Ganz geschmückt stand sie vor einem großen Spiegel und legte die letzte Hand an ihren Putz. So sehr war sie in Anspruch genommen, so völlig war ihre Aufmerksamkeit auf die vor ihr aufgehäuften Bänder, Tülltücher und kleinen Putzsachen gerichtet, daß mir nicht einmal ein Blick, ein Zeichen zuteil wurde. Ich ergab mich darein: demütig hielt ich Nadeln, in meiner Hand zurechtgelegt, stets bereit, aber ihr Nadelkissen war ihr näher zur Hand, und sie nahm sie von ihrem Nadelkissen. Und wenn ich die Hand vorstreckte, nahm sie sie gleichgültig aus meiner Hand, und wollte sie sie nehmen, so tastete sie danach, ohne den Blick von ihrem Spiegel abzuwenden, aus Furcht, sich aus dem Auge zu verlieren. Eine Zeitlang hielt ich einen zweiten Spiegel hinter sie, damit sie ihre Toilette besser mustern konnte. Und als ihr Gesicht aus einem Spiegel im andern wieder erschien, erblickte ich eine Reihe von Koketten, von denen keine mich beachtete. Im zunehmend ausufernden Stadium ihrer Magisterarbeit entdeckte Vivian Atkinson mittlerweile fast überall Zusammenhänge. Selbst der altertümliche General de Maistre ließ sich plötzlich für geschlechtliches Haben, Sein und Scheinen gewinnen.

Die Frau im Spiegel, 1794. De Maistre vermochte aber auch, vier Kapitel seiner Reise um mein Zimmer später, hinter die vermaledeiten Spiegel zu steigen. Vivian schrieb sich die folgende Passage über des schriftstellernden Generals sogenanntes Anderes ab: Kurz, es war wach, und zwar sehr wach, als meine Seele sich von den Banden des Schlafes losmachte. Schon lange fühlte diese, wenn auch nur unklar, die Empfindungen des Anderen mit; aber sie war noch in den Schleier der Nacht und des Schlafes eingehüllt, und dieser Schleier schien ihr in Gaze, in Linon, in indische Leinwand verwandelt zu sein. In all dieses Zeug also war meine arme Seele eingepackt, und um sie in seinem Reich fester zu halten, fügte der Gott des Schlafes seinen eigenen Fesseln noch wirre blonde Locken, Bandschleifen und Perlenhalsbänder hinzu: es war ein Jammer, sie in diesen Netzen zappeln zu sehen. Die Aufregung des edelsten Teils meiner Selbst teilte sich dem Anderen mit, und dies wirkte wiederum mächtig auf meine Seele ein. Ich war ganz und gar in einen schwer zu beschreibenden Zustand geraten, als meine Seele durch Scharfsinn oder Zufall ein Mittel fand, sich aus der Gaze zu befreien, die sie erstickte. Ob sie eine Öffnung bemerkte oder ob sie, was natürlicher ist, sich ganz einfach einfallen ließ, sie zu beseitigen, weiß ich nicht; Tatsache ist, daß sie den Ausweg aus dem Labyrinth fand. Die wirren Locken waren zwar immer noch da, aber sie waren kein Hindernis mehr, sondern vielmehr ein Hilfsmittel: meine Seele faßte sie, wie ein Mensch, der im Begriff ist zu ertrinken, sich an dem Gras des Ufers festklammert. Aber das Perlenhalsband zerriß beim Anfassen, und die Perlen glitten von der Schnur und rollten auf das Sofa und von da auf den Fußboden der Frau Hautcastel; denn vermöge einer Grille, deren Grund schwer anzugeben wäre, glaubte meine Seele bei dieser Frau zu sein. Ein dicker Veilchenstrauß fiel auf die Erde; meine Seele erwachte darüber, kam wieder nach Hause und brachte Vernunft und Wirklichkeit wieder mit.

Hier brach Vivian ihre Abschrift ab, ging, an der Ohio-Landkarte vorbei, zu ihrem Bücherregal und zog die Erinnerungen des liebestollen Abbé de Choisy heraus, ein authentisches Kuriosum aus dem siebzehnten Jahrhundert, rund hundert Jahre vor Xavier de Maistre, mit dem Originaltitel Les Mémoires de l'Abbé de Choisy habillé en femme. Vivian suchte nun gezielt nach jener Stelle, wo sich der Geistliche, als Schürzenjäger in doppelter Hinsicht, über die Gründe seiner zwanghaften Vorliebe für komplizierte weibliche Kleidung und Toilette verbreitet. Ich habe überlegt, schrieb François-Timoléon de Choisy, woher mir eine so bizarre Lust kommt, und dies ist das Ergebnis: Es ist das Wesen Gottes, geliebt und angebetet zu werden; der Mensch trachtet, soweit es ihm seine Schwäche erlaubt, nach demselben Ziel; da es nun Schönheit ist, die Liebe erregt, und da sie gewöhnlich das Erbteil der Frauen ist, versuchen die Männer, wenn es vorkommt, daß sie ein wenig Schönheit, die Liebe erwecken könnte, besitzen oder zu besitzen glauben, diese durch weiblichen Putz, der sehr vorteilhaft ist, zu vergrößern. Sie fühlen dann die unaussprechliche Freude, geliebt zu werden. Ich habe mehrmals das, was ich sage, in süßer Erfahrung selbst empfunden, und wenn ich mit einem schönen Morgenrock, Diamanten und Schönheitspflästerchen auf Bällen oder im Theater war und ganz nahe habe sagen hören: Das ist wirklich eine schöne Frau, dann habe ich in mir ein Vergnügen empfunden, das mit nichts anderem verglichen werden kann, so groß ist es. Vivian vermochte dem Abbé, aus wiederum ihrer eigenen, heterosexuellen Erfahrung, nicht restlos darin zu folgen, daß weibliche Schönheit die einzige Schönheit sein sollte, welche sich lieben ließ, und ordnete dieses Zitat, gemeinsam mit General de Maistres vor einer knappen Viertelstunde transkribierter Reverie, dem Lacanismus zu.

Andererseits hatte der galante Abbé im aufreizenden Silbermoiré eine Jungfer nach der anderen aufs Kreuz gelegt; seinen verlockenden Reizen waren sowohl heterosexuelle als auch homosexuelle Frauen und Männer erlegen. Das vermeintlich innerliche erotische Begehren offenbarte sich der Leserin hier ganz als äußeres Konstrukt, als fröhliche Folge performativ verführerischer, gleichsam unter gesellschaftlicher Aufsicht stehender Prozesse, die sich am allerwenigsten in einem fixen Persönlichkeitskern verorten ließen. Würde sich Vivian denn womöglich für Hans erweichen können, wenn dieser sich ihr, anstatt in entfremdeter Arbeitskleidung, im zeitgemäßen Äquivalent zu François-Timoléons gestickten Miedern und schwarzgoldenen Morgenröcken näherte, mit, wie der Abbé ausgeführt hatte, Garnituren aus weißem Satin, einem geschnürten Gürtel und einer großen Schleife auf dem Hintern, um die Taille anzuzeigen, einer langen Schleppe, einer stark gepuderten Perücke, Ohrgehängen, Schönheitspflästerchen und einer kleinen Haube aus Schleifen? Müßte sie strukturell als schwuler Macho Man betrachtet werden, wenn sie sich in ein dermaßen kompliziert à la femme aufgemachtes Hänschen Pompadour verknallte? Oder gar, und hier war nur schwer weiterzukommen, dieser als eine Lesbe? Monique Wittig hatte ja 1973 in Le corps lesbien geschrieben, Lesben seien keine Frauen, da die Kategorie Frau, als historisches Produkt der Zwangsheterosexualität, ein ausschließlich auf Männer bezogenes Geschlecht bezeichne. Aber war nicht genauso das System der Homosexualität ganz fatal im Binären verstrickt? Besaß nicht schon das homo einen Identitäten weitaus festlegenderen Charakter als das hetero? Hatte Richard Wagner, andersherum, schwirrte es Vivian Atkinson durch den Kopf, wenn er bei seiner Cosima schlief, womöglich Konkubinenwäsche, maßgeschneiderte, getragen? Und wie war Friedrich Nietzsche angezogen, wenn er Lou Andreas-Salomé die Peitsche reichte?

Nach Luce Irigaray besaßen Weiblichkeit und Melancholie eine gemeinsame Struktur. Also los, noch einmal ans Bücherregal, und noch einmal zurück in De Maistres Jahrhundert: Karl Philipp Moritz' theatromanischer Anti-Held Reiser, gefangen in einem pathogen abgewandelten melancholischen Teufelskreis, aus welchem heraus das Subjekt nicht mehr mit seinem Thema umgehen kann, war nur in jenem Moment nicht unglücklich gewesen, hatte nur in jener Konstellation keine Verzweiflung aus Mangel an Existenz empfunden, kein Gefühl eines Eingeschlossenseins in Selbstwidersprochenheit und keinerlei Anzeichen von Seelenlähmung, als er, Anton, auf der Bühne die Clelie, ein junges Mädchen, performen durfte. Vivians flüchtige, demnächst in Fragestellung zu bringende Stichworte hierzu: Das Andere als das Eigene. Das Eigene im Anderen. Das Andere im Eigenen. Das Eigene als das Andere. Die melancholische Verschränkung von Außenwelt und Selbst. Siehe auch: Der hypochondrische Blick in den Fluß. Die pietistische Selbstbeobachtung als frühes Exempel entsubjektivierten Schreibens. Das Reflektierenmüssen als die tiefste Melancholie jedes echten und großen Romans. Georg Lukács. Und damit Schluß für heute, denn in gut fünf Minuten fuhr ein Triebwagen durch Edingen, in dem Hans Mühlenkamm sitzen sollte. Er hatte kurzfristig angerufen, ob Vivian nicht zusteigen wolle, nach Mannheim zum Bummeln, einfach so, sie wisse schon. Grete sei bereits seit Tagen erneut im internationalen Luftraum unterwegs, serviere dort irgendwelchen Geschäftsleuten lächelnd Palatschinken, ein Scheißjob eigentlich, so Hans, als Vivian pünktlich neben ihm Platz nahm, er wisse gar nicht, wodurch genau sich die hohe soziale wie sexuelle Reputation der Stewardessen so lange hielte. Immerhin hast auch du dich damals für Bikini Kill in ein Stewardessen-Kostüm geworfen, warf die Vierundzwanzigjährige mit dem herausgewachsenen Bubikopf ein. Ach, Schnickschnack, machte der kleine Mann in der großen UPS-Jacke, unter der er ein lindgrünes Nyltest-Hemd trug, neben ihr. Ungewöhnlich ungehalten. Vivian ahnte schon, daß Hans Mühlenkamm wieder einmal kein Geld bei sich hatte, allerdings auch keines von ihr geliehen haben wollte. Also flehte sie innerlich zum Himmel, daß sie beide nicht, wie bei ihrer letzten Besorgungsfahrt nach Mannheim, abermals auf der ungemütlichen Polizeiwache landeten.

Die Studentin aus dem Tabakspeicher hatte einfach nicht die Nerven einer Diebin. Noch nie gehabt, selbst als Tomboy im Patrick Henry Village nicht. Wohl hatte sie ihrem Hänschen auf der Wache sehr wortgewandt aus der Patsche geholfen, so daß den Polizisten schließlich nichts anderes übriggeblieben war, als Hans und Vivian mit den besten Wünschen für den weiteren Nachmittag wieder aus ihrem Revier zu entlassen, zuvor, bei Engelhorn & Sturm, war sie hingegen bleich wie die Wand gewesen, als ihr Freund all die Ralph Lauren-Polohemden, in größter Seelenruhe, eines nach dem anderen eingesackt hatte. Heute schien es ihr zum ersten Mal, als sei auch Hans nervös. Edingen-West. Eine Horde Schüler stieg ein. Neu-Edingen, Gewerbegebiet. Ein Betrunkener aus Mutterstadt mit unüberhörbar pfälzischem Idiom und klapprigem Fahrrad, lautstark sexistische Blondinenwitze auspalavernd. Eine Migrantin mit gigantischer Skai-Handtasche. Nun, Grete lebte, erzählte Hans, deswegen bei ihren Eltern, da sie ohnehin kaum je am Stück im Lande sei. Einen Freund hätte sie in Kuala Lumpur, unmittelbar zu Füßen des höchsten Gebäudes der Welt, ja, einen festen Freund, seit Jahren schon, er habe ihn einmal gesehen, auf einem Videofilm, was solle er sagen, so ein Mann halt, in den sogenannten besten Jahren, solide, weißer Anzug, Tropfenbrille, Holländer oder so etwas, nein, Engländer. Mit Sicherheit kein Frauenrechtler.

Drei Stunden später lungerten, in die Betrachtung ihres Diebesguts versenkt, Hans und Vivian vor dem kurfürstlichen Schloß herum, welches die Mannheimer Universität beherbergte. Die deutsche Mannheimer Universität; denn Mannheim beherbergte auch die University of Maryland des US-amerikanischen Militärs, in deren Mensa Heidemario einst als Tellerwäscher gearbeitet hatte. Münchens University of Maryland, an der Vivians Cousin Snooks studiert hatte, war nach dem Kalten Krieg geschlossen worden, und Snooks war mit einer rothaarigen Aschaffenburgerin nach New Orleans gezogen, wo er Bassist in einer vielbeschäftigten Band namens Petticoat Government wurde. Hans Mühlenkamm versicherte Vivian Atkinson, soweit er dies überblicken könne, der politischen Korrektheit aller seiner besitzergreifenden Taten; dann erst ließ sie sich diverses, nicht allzu teures Zubehör für ihr elektronisches Texas Instrument, welches zu Hause längst über dem Namen Lukács eingeschlummert war, aushändigen. Kein Ladendetektiv schien den grazilen Freibeuter und seine attraktive, neben ihm her flanierende Begleiterin heute überhaupt in mißtrauischen Augenschein genommen zu haben. Lag es an Hänschens Jacke? An Vivians giftgrünem Samtcord-Schlauchkleid, jenem extravaganten Mitbringsel aus dem Bauland, das sie heute zum wiederholten Mal an ihres aschblonden Verehrers Seite trug? Sie wußten es nicht. Wie du in dem Kleid überhaupt gehen kannst, hatte Hans abermals bemerkt. Schließlich verschwanden die beiden für zwei, drei Stunden in einem gut sortierten Plattenladen, wo Vivian ihr gesamtes Bargeld ausgab, und fanden sich nach Geschäftsschluß erneut im kurfürstlichen, von zahlreichen Auf- und Abfahrten zur großen Rheinbrücke durchkreuzten Schloßgarten wieder, mit Blick auf den Strom und Ludwigshafen drüben, Blochs proletarisch-kapitalistische Mischwirklichkeit ohne Maske, die desolate, dem Abriß preisgegebene Walzmühle, Vivians Ex-Freund und DJ hatte dort oft Platten aufgelegt, wie, nordwärts, die florierende chemische Fabrik. Ernst Bloch: Der harte, seltsame, knisternde Akkord zwischen dem Futurum links des Rheins und dem Antiquarium rechts des Rheins ging mir ziemlich deutlich durch mein ganzes Philosophieren nach. Noch das Alte zu plündern, zu Neuem zu montieren, gelänge vom Standort solcher Städte am besten.

Des Marxisten Nymphen im Uferschilf gedenkend, erzählte Hans Vivian von den alchemistischen Wassergeistern des Odenwälder Forstmeisters Fabricius, die in den Waldböden die Elektrolyse regelten, damit Wasserstoffionen die Gesteine zersetzen und Sauerstoff sie verwittern lassen konnte, von Ätherwesen, welche die hauchdünnen Wasserfilme auf den Oberflächen der Erdkrümel schufen, in denen Millionen von Kleinsttieren lebten, von Figuren aus dem Zwischenreich, die als Nöcke im Rauschen der Bäche für den Sauerstoffgehalt der Gewässer sorgten, damit diese den Fischen Lebensraum gewähren konnten, als Nymphen die Quellen beschützten und als Nixen die besonderen Waldorgane an Teichen und Seen. Fabricius: Wir besuchten am Abend die Nymphen eines Quellteichs in tiefem Felsenkessel. Sie führten die Pferde freundlich zum Wasser und beruhigten die Rehe, die zum Schöpfen kamen, so daß sie sich von uns nicht stören ließen. Kein Wunder, daß der Psychedeliker Werner Pieper die spirituellen Werke des Weinheimer Försters verlegt hatte. Im deutschen Märchen dagegen stünde oft Wald für Welt als undurchdringliche Wirrnis, bedauerlicherweise und auch völlig falsch, erläuterte Hans Mühlenkamm und schwärmte, wie unlängst erst von Irmgard Möller, von Hexen, Feen und Maiden. Ein Intercity-Zug fuhr donnernd über die Konrad-Adenauer-Brücke, bedrohlich loderten die Fackeln der BASF mit der untergehenden Sonne um die Wette.

Vivian Atkinson wollte nun nicht gleich so arrogant sein, Hänschens im Angesicht des mitreißenden Rheins hervorsprudelnde Erzählungen als unwissenschaftlich abzutun, und stellte daher einige Nachfragen zum fabelhaften Wesen der Elfen, Dryaden, Sylphen, und wie sie alle hießen. Von den rückwärtssprechenen Zwergen aus dem Felsenmeer, die den Drogenhändler Heiner in seiner Gefangenschaft so drangsalierten, hatte Hans allerdings noch nie ein Wort gelesen. Wohl aber vom Odenwälder Usus des Totkitzelns. So wußte er etwa vom Wildeleuthäusel, einem Felsgeklüft im Sensbachtal, wo eben wilde Leute, kleine, häßliche, zottige, nahezu unbekleidete, meist ausgestoßene Gestalten, gehaust haben sollten. Eines Tages habe ein von Gaimühle nach Hebstahl fahrender Fuhrmann mit Steinen nach dem Wildeleuthäusel geworfen und sei daraufhin von einer wilden Frau zu Tode gekitzelt worden. Darüber hinaus sollte sich eine germanische Priesterin aus Waldkatzenbach nach der Einführung des Christentums in das Wildeleuthäusel zurückgezogen haben. Ob diese, oder ihr Geist, vielleicht den Fuhrmann totgekitzelt hatte? Etwa vier Kilometer Luftlinie nordwestlich des besagten Felsgeklüfts befand sich, im kühlen Rindengrund bei Unter-Sensbach, der Wildfrauenstein, von dem ebenfalls die Sage vom Totkitzeln ging. Auch südlich des Haßlochs bei Groß-Bieberau sollte es einst so einen Wildfrauenstein gegeben haben. Eine andere Legende berichtete von einer Odenwälder Bauersfrau, die ihren eigenen Mann totgekitzelt hatte, nachdem dieser ihr zugerufen hatte: Du wäschst ja trocken. Vivian Atkinson hatte gar keine Ahnung gehabt, wie gut sich ihr Freund hinter den Porphyr-Steinbrüchen auskannte. Sofort verabredete sie sich mit ihm, so bald wie möglich gemeinsam in das geheimnisvolle Gebirge hineinzufahren. Bin mal gespannt, was du dir dafür anziehen wirst, bemerkte Hans Mühlenkamm und gab seiner Frau in Grün einen freundschaftlichen Stoß in die Rippen.

Aus Vivian Atkinsons Weininger-Exzerpten: Wie wir stets nur Männern wirklich wertvolle Enthüllungen über die psychischen Vorgänge im Weibe danken, so haben hier auch bloß Männer die Empfindungen der schwangeren Frau geschildert. Wir bleiben demnach nur auf eines angewiesen: auf das, was in den Männern selbst Weibliches ist. Das Prinzip der sexuellen Zwischenformen erweist sich hier in gewissem Sinne als die Voraussetzung jedes wahren Urteils eines Mannes über die Frau. Im anatomischen Bau: die Prominenz der männlichen Genitalien, die dem Körper des Mannes den Charakter eines Gefäßes so völlig nimmt. Der Zustand der sexuellen Erregtheit bedeutet für die Frau nur die höchste Steigerung ihres Gesamtdaseins. Die Brautnacht endlich, der Moment der Defloration, ist der wichtigste, ich möchte sagen der Halbierungspunkt des ganzen Lebens der Frau. Die Frau ist nur sexuell, der Mann ist auch sexuell. Die morphologische Abhebung der männlichen Genitalien vom Körper des Mannes könnte abermals als symbolisch für dieses Verhältnis angesehen werden. So kann sich der Mann seiner Sexualität gegenüberstellen und sie losgelöst von anderem in Betracht ziehen. Beim Weibe kann sich die Sexualität nicht durch eine zeitliche Begrenzung ihrer Ausbrüche noch durch ein anatomisches Organ, in dem sie äußerlich sichtbar lokalisiert ist, abheben von einer nichtsexuellen Sphäre. Grob ausgedrückt: der Mann hat den Penis, aber die Vagina hat die Frau.

Weininger: Frauen geht jedes Unsterblichkeitsbewußtsein völlig ab. Das absolute Weib hat kein Ich. Der Mann hat alles in sich, und mag nur dies oder jenes in sich besonders begünstigen. Er kann zur höchsten Höhe hinaufgelangen und aufs tiefste entarten, er kann zum Tiere, zur Pflanze, er kann auch zum Weibe werden, und darum gibt es weibliche, weibische Männer. Aber die Frau kann nie zum Manne werden. Ein weiblicher Genius ist demnach eine contradictio in adjecto; denn Genialität war ja nur gesteigerte, voll entfaltete, höhere, allgemein bewußte Männlichkeit. Der geniale Mensch hat, wie alles, so auch das Weib völlig in sich; aber das Weib selbst ist nur ein Teil im Weltall, und der Teil kann nicht das Ganze, Weiblichkeit also nicht Genialität in sich schließen. Das Prinzip aller Begrifflichkeit sind die logischen Axiome, und diese fehlen den Frauen; ihnen ist nicht das Prinzip der Identität Richtschnur, welches allein dem Begriff seine eindeutige Bestimmtheit verleihen kann, und sie machen sich nicht das principium contradictionis zur Norm, das einzig ihn, als völlig selbständigen, gegen alle anderen möglichen und wirklichen Dinge abgrenzt. Darum, weil das Denken des Weibes vornehmlich eine Art Schmecken ist, bleibt auch Geschmack, im weitesten Sinne, die vornehmste weibliche Eigenschaft, das Höchste, was eine Frau selbständig erreichen und worin sie es bis zu einer gewissen Vollendung bringen kann.

Gemeinde Mudau, 25. September 1997, 8:30 Uhr, Vorwahl Edingen: 06203. Schweißgebadet war Korinna Kohn in ihrem weißen Doppelbett aufgewacht und gleich zum Telefon gelaufen. Sie hatte geträumt, den für Oktober angekündigten Routledge Reader Re-thinking Abortion redigieren zu müssen; Routledge als der Verlag, in dem die Bücher Judith Butlers, Donna Haraways und so weiter erschienen. Wann genau sie eigentlich niederkäme, fragte der Army Brat, nachdem sie sich alles mitfühlend angehört hatte, und die Sträflingsbraut antwortete: Ende Januar, Anfang Februar. A propos Donna Haraway, Mary Shelley beginnt ihre Vorbemerkung zu Frankenstein mit den Worten: Doctor Darwin und einige deutsche Physiologen würden das Ereignis, auf welches diese Erzählung sich stützt, als undenkbar verweisen. Hättest du das gewußt? Ich war auch baff; ist aber logisch. Und wenn du nun schon mal dran bist, möchte ich eben schnell noch von dir wissen, ob du es für sinnvoll hältst, das Abhören von Exotica-Schallplatten als rassistisch zu bezeichnen. Desgleichen das Plazieren einer Ananas im Wohnbereich als kolonialistisch? Was sei hier verwerflicher: die Zierde oder der Verzehr? Vivian aber war gerade erst, nämlich durch Korinnas Anruf, aufgewacht und versprach, später zurückzurufen. Warf sich ihr amerikanisches Sommerkleid über und lief zum Kiosk hinunter, wo sie einige Süßigkeiten, die Rhein-Neckar-Zeitung sowie das Veranstaltungsmagazin für Mannheim und Heidelberg erwarb. Zwei alte Männer mit schmalkrempigen Cord-Hüten unterhielten sich vor der Trinkhalle darüber, daß der Edinger SPD-Bürgermeister zu einer neuen Partnerstadt in die Türkei geflogen sei, sehr zum Mißbehagen der örtlichen CDU, welcher die beiden biertrinkenden Alten offensichtlich angehörten. Daß der Mann im Kiosk womöglich Türke war, schien sie nicht weiter zu stören. Der Altweibersommer, der dieses Jahr Hoch Ottmar hieß, hatte die Quecksilbersäulen der Thermometer auf über zwanzig Grad Celsius hochgetrieben. Neben dem Eingang zum Tabakspeicher lagen die kostenlosen Käse- und Wochenblätter, einmal aus Mannheim, einmal aus Heidelberg, im Briefkasten ein Brief von Daddy Atkinson, auf der Fußmatte oben, vor Vivians Wohnungstür, Petersens ausgelesener Mannheimer Morgen. Einen Becher Kaffee aufgebrüht; die beiden Candy Bars sollten als Frühstück reichen.

Vivian strich sich eine Strähne aus dem Gesicht. Ihr Pony war so lang geworden, daß sie ihn schon seit Wochen, meist erfolglos, zum Seitenscheitel zu kämmen versuchte. Würde sie sich eine Haarspange besorgen und vorübergehend wie ein Girlie aussehen müssen? Lieber noch eine Weile durch die Fransen blinzeln wie jetzt am sonnigen Küchentisch; und wie Chan Marshall damals auf der schummrigen Bühne. Wir brauchen Gesundheitsräume und kontrollierte Heroinabgabe: Der Drogenverein Mannheim feiert sein fünfundzwanzigstes Jubiläum; morgen dazu ein Hoffest in K3. Ortskernsanierung Edingen: Der neue Meßplatz war eingeweiht worden. Die Kakerlakenplage drüben in Ladenburg unter Kontrolle. Kontakte: Emanuella, heiß wie der Amazonas. Teeny Aileen, neunzehn und blond. Die Herrin Lady Mona mit Gespielin. Alles Mannheim und Ludwigshafen. Im Heidelberger Raum: Glühende Lava, einhundertzwanzig Oberweite. Trans-Gabriela aus Brazil, gut bestückt, Oberweite achtzig B. Möglicherweise würde die neben einem Mann als Frau und neben einer Frau als Mann gelesen werden; der streng binarische Erkennungsdienst war durch und durch heterosexuell determiniert. Topmodell Melanie, zwanzig, kaffeebraun, Oberweite fünfhundert, rasiert, Superservice. Das Besondere in Ludwigshafen: Transsexuelle Chanel, Megabusen, gut bestückt.

Neu in Bruchsal: Antonella, griffige Figur, Natursekt, Kaviar. Megabusen neu, mit Namen Sandy, zwanzig, Luxusbeine. Daniel, der Liebesspeer für Sie und Ihn. Jasmin aus Mexico, exotic, wieder da. Vivian verschluckte sich an ihrem Kaffee. Plötzlicher Gedanke: Was war eigentlich wirklich mit Korinna Kohn passiert? Im Heidelberger Amtsanzeiger: Frauennotruf in Heidelberg; Prävention gegen sexuelle Gewalt. Eine Veranstaltungsreihe unter der Schirmherrschaft von Oberbürgermeisterin Beate Weber. Kontakte: Angelika, blondes Rubensmodell, zärtlicher Kuschelsex oder Bizarrerotik. Direkt darunter, fett und gerahmt: Einhundertzehn Kilogramm, hübsch verpackt, zwanzig Jahre. Neckarsteinach: Wieder neue internationale Mädchen in allen Hautfarben, bei individuellem Service ohne Zeitdruck. Der Snickers-Riegel schmolz zwischen Vivians Fingern. Drehte die arme Korinna im Bauland durch? Schon wieder Neckarsteinach: Neue Mädchen eingetroffen. Cora, Strapslady, weißes und schwarzes Studio. Pornographie, nach Judith Butler: Symptome der ständig verfehlten imaginären Beziehung zwischen den Geschlechtern, die Unwirklichkeit der Geschlechterrollen vorführend. Was führte Donna Haraway eigentlich vor? Würde sie eine querschnittsgelähmte Person im elektrischen Rollstuhl als Cyborg bezeichnen? Scharfer Leckerbissen und heißer Feger; kleingedruckt darunter: Kollegin gesucht. Re-thinking Prostitution? Philippinisches Girl Gie-Gie, auch sonn- und feiertags. Wo überhaupt hatte Korinna Kohn ihren Routledge-Katalog her? Vielleicht sollte Vivian sie gar nicht erst zurückrufen, sondern sogleich hinfahren.

Die Rhein-Neckar-Zeitung vermeldete einen Verkehrsunfall im Einmündungsbereich der L 600 zum Patrick Henry Village, verursacht durch eine sechsundzwanzigjährige Honda-Fahrerin. John Deeres innovative Endmontage für Traktoren, groß aufgemacht im Mannheimer Morgen. Kleiner: Ein maskierter Mann lauerte in Mörlenbach an einem Gebüsch einem fünfzehn Jahre alten Mädchen auf, bedrohte die Schülerin mit einem Butterfly-Messer und zwang sie, sich zu entkleiden. Das Opfer versetzte dem Unbekannten einen Stoß in den Unterleib. Daraufhin suchte er das Weite. Zur Schau stellte sich in den Abendstunden des Dienstags ein etwa vierundzwanzigjähriger Mann einer jungen Frau. Er näherte sich ihr auf dem Verbindungsfußweg zwischen der Rheingoldstraße und dem Nibelungenweg, berührte sie zunächst von hinten und als sich die Frau umschaute, zeigte er sich unsittlich. Ein Bericht mit Foto vom Kreisschützenball in Edingen. Mouse On Mars heute abend in Heidelbergs Schwimmbad Musik Club; da ließe sich mit Hans hingehen. Im Heidelberger Freibad war Vivian während ihrer wilden Tomboy-Jahre, Tomboys: Mädchen, die im Freien spielen, damals noch einfach nur in einer Badehose, von einem adoleszenten Bademeister-Lehrling in den gerade eben sich zu wölben beginnenden Busen gekniffen worden. Woraufhin sie ihn dann lieber erst einmal abgebunden hatte. Andererseits: Steinalter Krautrock mit Guru Guru im Heidelberger Karlstorbahnhof. Deren legendärer Trommler Mani Neumeier, repliziert, im Wachsfigurenmuseum von Tokio. Vivian beschloß, sich eine Verbindung in den hinteren Odenwald herauszusuchen, blätterte aber vorerst in der Rhein-Neckar-Zeitung weiter. Am 27. September um elf würde die frauenfreundliche Oberbürgermeisterin mit der badischen Weinkönigin Andrea Galli sowie dem Schloßzwerg Perkeo das Heidelberger Altstadtfest eröffnen, durch die Untere Straße ab fünfzehn Uhr deshalb Blues Rock mit East Of Leimen schallen. Seit Wochen schon zogen Kolonnen der Rathaus-Chefin durch die Altstadt, um sogenannte wild geklebte Plakate abzukratzen, studentische Graffiti wegzuätzen, und so weiter. Obdachlose waren spurlos aus der Stadt entfernt, Wagenburgen geschleift worden, Autonome Zentren standen unmittelbar vor ihrer Schließung. Am 24.10., yeah, endlich Sleater-Kinney live in Karlsruhe. Und damit genug der morgendlichen Presseschau. Schon halb elf durch.

Vivian trat an ihre geflochtene Kleiderkiste und suchte sich eine Unterhose heraus. Was wäre für die Männer am Kiosk der Unterschied gewesen, wenn sie gewußt hätten, daß die junge hochgewachsene Frau mit den beiden Schokoriegeln nichts unter ihrem Kleid getragen hatte? Die Studentin schnürte ihre Buffalos und packte Jacques Lacans Encore in ihren Rucksack. Das Buch mußte noch heute zurückgegeben werden; den Aufsatz Gott und das Genießen der Frau hatte sie ohnehin, beim besten Willen, nicht kapiert: Höchst seltsame, dem französischen Satzbau ergebene Übersetzung, griechische Schriftzeichen und kryptische Formeln all over, schon in der Überschrift das der vor Frau diagonal durchgestrichen. Lacan: Also nennt man's, wie man kann, dieses Genießen, vaginal, man redet vom hinteren Ende des Muttermundes und anderen Stuß, das darf man wohl sagen. Wenn einfach sie's empfinden würde und nichts davon wüßte, das würde erlauben, mancherlei Zweifel aufzuwerfen auf seiten der famosen Frigidität. Klartext dagegen in dem zweiten Buch, das heute ultimativ zur Bibliothek zurückmußte. Valerie Solanas 1968 in ihrem Manifest der Gesellschaft zur Vernichtung der Männer, abgekürzt S.C.U.M., welche nur ein Mitglied, nämlich die Autorin selbst, kannte: Der Mann ist eine biologische Katastrophe: das männliche y-Gen ist ein unvollständiges weibliches x-Gen, das heißt, es hat eine unvollständige Chromosomenstruktur. Mit anderen Worten, der Mann ist eine unvollständige Frau, eine wandelnde Fehlgeburt, die schon im Genstadium verkümmert ist. Mann sein, heißt, kaputt sein; Männlichkeit ist eine Mangelkrankheit, und Männer sind seelische Krüppel. Im Gegensatz zu der von

Männern verbreiteten Version, daß die Frau ein rudimentärer Mann sei, nicht ausgebildet im entscheidenden Detail, der Klitoris. War so etwas nun sexistisch? Rassistisch gar? Donna Haraway fand es ja schon rassistisch, gegen Genmanipulationen einzutreten. Vivian hielt es viel eher umgekehrt für interessant zu überlegen, wann der Gentechniker rassistisch handelte: Wenn er eine niedrigere oder eine höhere Art züchtete? Was wäre überhaupt ein genetisch verbesserter Mann? Auf jeden Fall einer, der nicht mehr vergewaltigte und mordete. Wo aber fing männliche Gewalt an? War, hatte Silvia Bovenschen 1976 gefragt, Logik bereits ein Stück viriler Niedertracht? Noch einmal, von Vivian fotokopiert, das eingedeutschte Manifesto der solipsistischen Society for Cutting up Men, knallgelb broschiert, ein Macho Man darauf, nackt bis auf Slip, Helm und Sonnenbrille, der sich in seine Unterhose, wie eine Windel sitzt die, sehr drastisch eine Kugel jagt: Wenn er glaubt, er sei eine Frau, gerät er in eine diffuse sexuelle Hochstimmung. Vögeln ist für den Mann ein Akt der Verdrängung gegen den Wunsch, eine Frau zu sein. Aber Sexualität sei selbst Sublimation. Der Mann müsse dauernd zwanghaft kompensieren, daß er keine Frau sei. Valerie Solanas befand, daß er die ganze Welt in einen Scheißhaufen verwandelt hätte, und drückte ihre Pistole ausgerechnet auf Andy Warhol ab. Klassischer Fall: Phallische Frau.

Barbara Vinken, Universität Hannover, hatte es auf den Punkt gebracht: Die Frau will, was ihr fehlt, und dadurch bestätigt sie, daß der Mann es hat. Siehe auch Frauke und Angela. Angela's gotta have it. Geschlechtliches Haben, Sein und Scheinen auf allen Kanälen der Perzeption. Vivian überlegte kurz, ob sie auch Kleider einpacken sollte, beschloß dann aber, daß Unterwäsche genügte, vielleicht einige Strumpfhosen für eventuelles Herbstwetter. Erotik und Spitzenhöschen, 1964: Hauchdünne Strümpfe werden als stark erotisch bestimmte Kleidung empfunden. Darum tragen

Mädchen im Kindesalter keine solchen, sondern neutrale. Sie sind noch keine geschlechtsreifen Partnerinnen und sollen daher auch nicht durch die Kleidung fälschlich als solche gekennzeichnet werden. Die Bostoner Darsteller der Hasty Pudding-Tanzmädchen von 1917 demnach läufige Girls? Des gestrengen Zensors geschlechtsreife Partnerinnen? Nichtsdestotrotz wurde selbst noch so dünnen Strumpfhosen eine wärmende Wirkung zugeschrieben, und Vivian Atkinson packte ein paar davon ein. Neben ihrem Bett lag, noch immer so gut wie ungelesen, Caroline Walker Bynums Buch Fragmentierung und Erlösung. Wovon, fragte sich Vivian plötzlich, bestritt Frauke Stöver eigentlich ihren Lebensunterhalt? Verdiente ihr Vater in der schleswig-holsteinischen Marmeladenfabrik so viel Geld, daß er seine seit vielen Semestern auf der Stelle an der Vorhaut Jesu herumdoktornde, bald zweiunddreißigjährige Tochter ewiglich aushalten konnte? Oder hatte Ilse Lehrerin die Miete ausgesetzt? Schaffte vielleicht Angela Stöver alles Geld aus der Lesben-Pizzeria heran? Vivian fiel auf, daß sie nicht die geringste Ahnung und sich auch noch nie Gedanken darüber gemacht hatte, wie alt Angela überhaupt war. Eine Frau ohne Alter, womöglich schon über vierzig? Frauke über ihre so gut wie faltenlose Gattin: Sie ist viel eitler als ich. Immerzu hat sie alle zwanzig Nägel feinsäuberlich lackiert. Rein rechtlich war Angela wahrscheinlich Fraukes Mann. Auch die Krankenkasse würde sie als solchen führen. Also: Er ist viel eitler als ich. Immerzu hat er alle zwanzig Nägel feinsäuberlich lackiert. Wie der Abbé de Choisy. Unterzog die Travemünderin den Sissy Boy aus der Po-Ebene damit nun einem dichotomen Weltbild oder gerade nicht? Am OEG-Bahnhof hing ein riesiges Plakat, das für die Oktober-Ausgabe der Frauenzeitschrift freundin warb. Darauf der wie hingeworfene Fotoabzug einer Frau im Spiegel, zu Hause, von hinten. Unter dem in die Hüfte gestützten rechten Arm hindurch verwackelt abgedrückt. Schwarzer Bikini, ein Teil des freien Rückens, das Spiegelbild unscharf, goldenes Haarband, konzentrierter Lippenstift-Einsatz. Neben dem Abzug eine Büroklammer, sowohl den Arbeitsplatz markierend als einen überdimensionalen Zettel fixierend, auf dem dreist die getippten Worte standen: Frauen gucken öfter in den Spiegel als Männer. Leerzeile. Es gibt ja auch mehr zu sehen. Uh oh, machte Vivian, nur halb belustigt; beinahe wäre ihr der Triebwagen davongefahren.

Bodo Petersen hatte Vivian tags zuvor die Abbildung eines deutschen Wohnzimmers aus der Zeit des Wirtschaftswunders unter der Tür durchgeschoben, auf der fast alle verwendeten Kunststoffe einzeln benannt waren und in deren Betrachtung sich die Magistrandin nun in der Überland-Tram vertiefte: Das Hochdruck-Polyäthylen der Kaffeetassen, das Trolitul der Eierbecher-Garnitur, das Lupolen des Frühstückskörbchens, des öligen Vaters bügelfreies Perlon-Oberhemd, sein strapazierfähiger Diolen-Straßenanzug, das pflegeleichte Perlon-Spielkleid des braven Kindes, die steife Trevira-Kombination der demütigen Mutter, ihre Damenstrümpfe aus Cupresa; die Anbauküche mit Hornitex-Belag und schwarzem Linoleum-Sockel. Ansonsten flogen noch Eimer aus Hostalen herum, Schüsseln aus Stratoplast, Kehrschaufeln aus schlagfestem Polystyrol. Na und? Petersen hatte diese Abbildung, seiner handschriftlichen Hinzufügung zufolge, aus einem bald zwanzig Jahre alten, offenbar eher nostalgisch als analytisch angelegten Buch namens Die Pubertät der Republik herauskopiert. Nicht eigentlich, was Vivian benötigte, obwohl möglicherweise interessant als quasi entnazifiziertes Nachspiel auf den unheilschwangeren Karl Aloys Schenzinger, nämlich dessen und seiner Gleichgesinnten Idee von der mobilmachenden Gewinnung nationaler Kunststoffe aus dem Geist des Bocksgesangs.

Die Kontinuität des Dritten Reiches während der florierenden Bundesrepublik Deutschland hatte die von der herrschenden Öffentlichkeit als zwar hübsche, aber ganz offensichtlich unbefriedigte junge Frau apostrophierte Beate Klarsfeld am 7. November 1968 dazu veranlaßt, den damaligen Bundeskanzler Kiesinger zu ohrfeigen. Nach einem Foto, das heute vergilbt in Pat Meiers Zimmer hing, hatte des Politikers Nase auf diese formidable Quittung hin zu bluten begonnen; siehe auch Sigmund Freuds und Wilhelm Fließ' erotische Korrespondenz über das Nasenbluten als menstruelles Äquivalent. Darunter hatte Pat einen Ausriß aus dem Stern geklebt, auf dem Sebastian Haffners kommentierende Worte standen: Früher einmal wurde eine Ohrfeige als Aufforderung zum Duell verstanden, und in sehr altmodischen Kreisen ist sie das wohl auch heute noch. Vielleicht schwebte Frau Klarsfeld so etwas wie diese Art von vergilbtem Ehrenkodex vor. Aber er galt oder gilt nur unter Männern: Daran hat auch die Emanzipation nichts geändert. Eine Frau kann man nicht zum Duell fordern. Deswegen dürfte oder darf, unter dem alten Ehrenkodex, eine Frau einen Mann nur in einer einzigen Situation ohrfeigen, nämlich um eine sexuelle Belästigung abzuwehren. Welche Emanzipation, überlegte Vivian Atkinson, während die OEG Wieblingen passierte, konnte Haffner 1968 gemeint haben? Diejenige des Mannes von seiner Vergangenheit?

Die Bücher waren flugs zurückgegeben; der Zug ins Neckartal verließ den Heidelberger Hauptbahnhof um dreizehn Uhr. Kleine Dampfwölkchen kräuselten sich über der Oberfläche des Neckars. Nach einer ohne jedwedes Gespräch und ganz ohne Lektüre zugebrachten halben Stunde Bahnfahrt: Ankunft in Eberbach. Dort fünf Minuten für das Umsteigen in den bereitstehenden BRN-Bus 821, der, voller pendelnder Schüler und Schülerinnen, über Waldkatzenbach, Strümpfelbrunn, Mülben, Wagenschwend, Scheidental, Waldauerbach, Schlossau, nach Mudau fuhr. Fast eine ganze Stunde weiterer Fahrzeit dorthin, durch das in luftiger Höhe sanft geschwungene Bauland, Odins Wälder zunehmend von ausgedehntem Ackerland unterbrochen. Am alten, seit 1973 stillgelegten Bahnhof stieg die Studentin aus, begutachtete, während sie ihren Rucksack schulterte, die ausgediente Schmalspur-Dampflok vor dem Gebäude, orientierte sich kurz und absolvierte den Rest ihrer unangekündigten Anreise zu Fuß, wanderte aus dem in seiner Mittagsruhe liegenden Städtchen wieder hinaus, an dessen Peripherie Heiners blitzblankes, schneeweißes Anwesen lag. Korinna Kohn, nun deutlich schwanger, in einem braunen Kaftan, unbändig überrascht, was Vivians Blitzbesuch betraf, ihre Freundin deshalb sogleich mit Küssen überhäufend, war eben erst von ihrer Frauenärztin aus Amorbach, Bayern, zurückgekommen; glühend und tickend noch stand die historische Tatra-Limousine in der geteerten Einfahrt.

Sofort tauschten sich die beiden Kommilitoninnen darüber aus, daß es bezeichnenderweise nach wie vor überwiegend männliche Frauenärzte gab; noch ihre Mütter waren, wie selbstverständlich, zu schwerenöterischen, teure Sportwagen fahrenden Gynäkologen gepilgert, um sich, von Kopf bis Fuß entblößt, nicht selten schmerzhaft, abtasten, öffnen, inspizieren und vermessen zu lassen. Wo fand sich das Äquivalent eines so zu nennenden Männerarztes, der gesunde Knabenkörper pathologisierte? Well, nirgendwo. Also war Vivian und Korinna ihr Frausein schon in jungen Jahren als Krankheit beigebracht worden, welche regelmäßig in Richtung Fortpflanzungsfähigkeit respektive Kohabitationsfähigkeit behandelt gehörte. Ihre weiblich sexualisierten Körper, unreine Szenarien schier endlosen Eindringens und Herausfließens, besaßen keinerlei Schranken, vor denen die herrschende Hygiene halt gemacht hätte. Demgegenüber stand das reine, überlegen hermetische, allenfalls Sperma spendierende Modell männlicher Sexualität: Kein Schmutz, kein Blut, keine Sekrete, keine Milch. Hast du schon gemerkt, fragte Korinna

Kohn, daß Menstruationsblut in Werbespots immer klinisch blau dargestellt wird? Blau wie das Bändchen an meinem Tampon, ergänzte Vivian Atkinson. Sie wußte auch, daß Hellblau früher die Farbe für kleine Mädchen und Rosa diejenige für kleine Jungen gewesen sei. Doch wie hatte sich dieses Blatt gewendet? Es gab gynäkologische Lehrbücher, Frauke Stöver besaß ein solches aus den siebziger Jahren, in denen sprichwörtlich von der Überflüssigkeit der Mammae, sobald eine Frau nicht mehr stillte, die Rede war. Zur effizienten Vorbeugung gegen Brustkrebs hatten namhafte Gynäkologen allen Ernstes vorgeschlagen, die gefährlichen Brustdrüsen schon frühzeitig, gleich beim erwachenden Mädchen, operativ zu entfernen. Allein, bevor der sadistische Doktor sein Körperpartien fragmentierendes, Leibesinseln isolierendes sowie Organe sezierendes Messer durch die Oberfläche der Frau stoßen konnte, hatte sich das überflüssige, gerissene Körperteil schon eine neue Aufgabe gesucht: Es diente fortan als Sexsymbol.

Die beiden Kommilitoninnen hatten gelernt, daß Körper zunächst einmal kein Geschlecht besaßen. Kulturspezifisch vergeschlechtlicht wurden sie erst durch gesellschaftliches Wissen, Praktiken der Wahrnehmung, Darstellung und Thematisierung. Dazu muß ich dir unbedingt etwas zeigen, rief Korinna und lief nach drinnen. Vivian ließ sich auf der Terrasse nieder. Noch immer sah hier alles so aus, als wäre Heiner gerade eben erst verhaftet worden. Warum schmiß die Tennisspielerin nicht all den weißen Plunder auf den Müll? Doch da kam sie schon wieder, hatte ein altes Spiegel-Heft aus den sechziger Jahren in ihrer Hand und darin einen Artikel aufgeschlagen, der mit den Worten Und wir zeigen unsere Brüste für jeden überschrieben war. Vier Fotos nahmen dabei mehr Platz ein als der gesamte Text. Angeklagte Ursula Seppel vor Gericht: Eine junge Frau mit Bob, Rodenstock-Brille und großen, kugelförmigen Brüsten unter einer dunklen, transparenten Bluse mit Volant-Kragen. Studentinnen-Striptease im Gerichtssaal: Sechs junge Frauen mit entblößten Oberkörpern, Pamphlete verlesend; vorn drei Männer, einer unkenntlich, einer studentisch, lächelnd, einer bürgerlich, brüskiert. Angeklagte, Polizei: Zwei uniformierte Wachleute, dazwischen, im Körperprofil, mit abgewandtem Gesicht, eine barbusige Frau. Abtransport einer Studentin aus dem Gerichtssaal: Mindestens drei Uniformierte zerren an einer unscharfen Person undefinierbaren Geschlechts. Als ob sie sie vierteilen wollten.

Korinna Kohn, im Liegestuhl, las vor: Und wir zeigen unsere Brüste für jeden, sangen sechs Studentinnen des SDS-Arbeitskreises Emanzipation am letzten Donnerstag im Hamburger Amtsgericht und zogen Pullover und Blusen aus. Das Stichwort für den Solidaritäts-Striptease hatte ungewollt das Gericht gegeben, vor dem sich die Studentin Ursula Seppel wegen Hausfriedensbruchs verantworten mußte, weil sie bei einem früheren Studenten-Prozeß der Aufforderung der Polizei, das Gerichtsgebäude zu verlassen, nicht nachgekommen sei. Obwohl Ursula Seppel in durchsichtiger Bluse ohne Dessous erschienen war, hatte Richter Wolfgang Schneider, einundvierzig, die Verhandlung unbefangen eröffnet, weil er den schwarzverschleierten Busen für einen modischen Gag gehalten hatte. Doch als er, wie die Mädchen erwartet hatten, verkündete, der gegen ihn vorgebrachte Befangenheitsantrag der Angeklagten werde zurückgewiesen, formierten sich die vorsorglich ohne Büstenhalter gekommenen Zuhörerinnen zum Oben-ohne-Sextett. Auch Ursula Seppel entblößte ihren Busen, sprang über die Barriere und sang die frei nach Brecht gedichtete Ballade von den asexuellen Richtern mit. Richter Schneider, Klammer auf, Zitat: Diese Art von Befangenheit möchte ich mir gern erhalten, ich möchte nämlich auch weiterhin bei Oben-ohne etwas empfinden, Klammer zu, rief Polizei und ließ die Mädchen abführen. Da wäre meine Mami sicher gern dabeigewesen, bemerkte Vivian Atkinson trokken, selbst konkret-Hefte zeigten ja damals Oben-ohne-Mädchen auf dem Cover. Meine Mutti nicht, entgegnete Korinna, erhob sich schwerfällig aus dem Liegestuhl, um das Spiegel-Heft wieder nach drinnen zu bringen, hielt dann aber in der Terrassentür an und fragte unvermittelt: Trägst du eigentlich einen Büstenhalter unter deinem Sommerkleid? Nein, antwortete Vivian, und du unter deinem Kaftan? Auch nicht.

Nun denn, was sagt die Frauenärztin? Alles in Ordnung; mit Plessners Worten: Leib bin ich, Körper habe ich. Allerdings ist sie der trügerischen Überzeugung, daß die uns Frauen für einen gewissen Lebensabschnitt unterstellte Gebärfähigkeit der Ursprung aller binären Konzeptualisierungen von Körpern sei und nicht ihrerseits Effekt von polarisierenden Machttechniken. A propos, ich habe ein Buch für dich, unten aus Amorbach, eröffnete Korinna. Liegt oben neben meinem Bett, ist gelb. Vivian nahm ihren Rucksack, ging hinauf und entdeckte neben Heiners und Korinnas Doppelbett in einem Bücherhaufen eine gelbe Schwarte mit violetter Aufschrift: Komödiantin, Dirne? Der Künstlerin Leben und Lieben im Lichte der Wahrheit, von Medizinalrat Dr. Bernhard A. Bauer, Spezialarzt für Gynäkologie in Wien, verlegt bei Fiba, Wien und Leipzig 1927. Tausend Dank, Korinna; war das nicht viel zu teuer? Oh nein, meine Frauenärztin hat es, mit ihrer Zugehfrau, anläßlich der kürzlichen Übernahme der Praxis, auf dem Dachboden gefunden und mir, als ich von dir erzählte, ganz einfach mitgegeben. Komisches Wort: Zugehfrau, und was es denn von ihr, Vivian, zu erzählen gäbe, wollte die Magistrandin wissen. Na, dein Thema, gab Korinna zurück. Und dein Thema, konterte Vivian, hast du es noch, oder hat es längst dich?

Korinna Kohn büffelte, wie sie freimütig eingestand, bereits seit Wochen, nämlich seit sie mit der historischen Materialsammlung zu dem transsexuellen Tennis Champion Renée Richards abgeschlossen hatte, über Sir Galahad, bürgerlich Bertha Eckstein-Diener, anerkannte Verfasserin der ersten weiblichen Kulturgeschichte deutscher Sprache, wenngleich unter männlichem Gralsritter-Pseudonym: Mütter und Amazonen, 1932, von Bachofens Mutterrecht ausgehend, aber auch dem idiosynkratischen Idiotenführer durch die Russische Literatur von 1925 und einigen weiteren Kuriosa, nur eine davon, eine Kulturgeschichte der Seide, im Zweiten Weltkrieg unter weiblichem Namen, dem Pseudonamen Helen Diner, veröffentlicht. Wollte Sir Galahad denn keine Frau sein? Weit gefehlt, Viv, sprach die Richterstochter und blätterte hastig in der Autorin erstem Roman Die Kegelschnitte Gottes von 1920. Hör mal, hier: Es hatte doch auch sein Gutes, so ein ganz alleines Ich zu sein, nur aus sich selbst heraus veränderbar. Da schloß man sich zu und liebte bloß nach Wahl herein. Wie bitte, hakte die angereiste Soldatentochter nach, und liebte was? Und liebte bloß nach Wahl herein, wiederholte die Tennisspielerin im braunen Kaftan, es geht ja noch weiter: Zum Beispiel einen Barsoi; du kennst doch Barsois, diese russischen Windhunde? Beim ersten Anblick des unvergleichlichen Tieres, das fremd und resigniert hinter seinem Wiener Herrn schritt, geriet sie in tagelanges Entzücken, bekam feuchte Augen vor der, Achtung, Vivian, Harfe dieses Leibes, dem durchscheinende Rippen gleich Saiten anlagen, ruhte auch nicht, bis sie die eingezogenen Flanken des russischen Windspiels am eignen Körper lebendig besaß. Eine Übung war dazu besonders gut, las Korinna fort: Auf dem Rücken liegend, den Leib sichelförmig einsaugen, und in die Mulde das Gefäß mit den Goldfischen ausgießen. Konnten die Fische dann in dieser Beckenschale, ohne Grund zu berühren, flossenschlagend umherschwimmen, war es in Ordnung und ergab am aufrechten Körper den heißerliebten

Kontur, Ausrufezeichen. No kidding? Vivian fand es irre, daß Korinna eine Leibesinsel gefunden hatte, die sich als Gewässer darstellte. Am liebsten hätte sie diese Stelle gleich in Flüssigkristall gehauen.

Mir kommt Sir Galahads Verhalten außerordentlich morbide vor, sagte sie zu ihrer Freundin. Kann es sein, daß hier, im Rassehund, die deutschen Götter dämmern? Du selbst hast mir doch vor einigen Monaten Maria Groeners 1927er Weibeslehre ausgeliehen, ohne die ich gar nicht auf Sir Galahad gestoßen wäre, antwortete Korinna Kohn, aber anscheinend hast du es nicht gelesen, denn das Buch kommt mit demselben Einwand, von rechts außen. Die Schwangere rannte nach oben, um Die Weibeslehre, Von Weibes Wohl und Mannes Macht, verfaßt in St. Ilgen bei Heidelberg, verlegt im Verlag Psychokratie, Hattenheim, Rheingau, aus ihrem Bücherhaufen zu fischen, kehrte atemlos auf die Terrasse zurück, ließ sich in Heiners geliebter Hollywood-Schaukel, die sich ein Heilbronner Gartencenter-Chef mit einem Sack Ecstasy-Pillen hatte aufwiegen lassen, nieder und legte los: Die Urzeit, angesehen als Hegerin kleiner, rassereiner und unbedrängter Völkerfamilien, konnte sehr wohl dem Weibe die Macht in die Hand geben, wobei sich die Groener auf Bachofen bezieht; aber wenn ein Land für immer und ewig vernichtet werden soll um seiner Leistung willen, schreibt sie, dann wird allein der Mann, der allein der Träger des Gedankens der metaphysischen Ehrenpflicht am Geschlechte ist und der also einen Grad des Durchhaltens und der Todesverachtung diktieren kann, der Weibes Natur fernliegt, ein Land kraftvoll zum Siege und zur Selbstbehauptung lenken können. Die Karlsruherin blätterte weiter: Das Weib sei nun, von alledem befreit, auch ihrem Mädchennamen, dem ihres Vaters nämlich, Geistträgerin, namenlose, Symbol des ewigen tat twam asi der göttlich unnennbaren Verschmelzung; hast du so etwas schon gehört? Vivian wußte auch nicht, was tat twam asi war.

Die gottselige Charakterlosigkeit des Weibes, schreibt Maria Groener, selbst Weib, sofern das, warf die Zuhörerin ein, nun wirklich kein männliches Pseudonym ist, als die Stärkeprobe lichter Mannesherrschaft. Herrschaftszeiten als das häufigst verwendete Schimpfwort der Hanau-Oma. Soviel mal vorausgeschickt, bevor sie Sir Galahad an den Kragen geht.

Jüdische Sexualität ist es auch, die ein Buch erfüllt, das vielleicht derzeit das gelesenste in Deutschland ist: Sir Galahads Kegelschnitte Gottes, Albert Langen, München. Wenn die Angabe richtig ist, die als offenes Geheimnis über dieses Buch verbreitet wird, die nämlich, daß die Verfasserin eine Frau sei, so haben wir wahrscheinlich in der Frau Sibyl das Selbstbildnis der Verfasserin zu sehen. Lies mal selbst, Vivian. Korinna reichte ihrer Kommilitonin Die Weibeslehre herüber. Diese Frau, heraufgewachsen ohne Kinderstube, aber mit dem hungernden Geiste der dekadenten formtrunkenen Aesthetin, verfällt nach der ersten schwärmerisch=gottsucherischen Verbindung mit einem hysterisch=okkulten Arier dem pervers vivisektorischen Juden. Vor ihm fliehend, gibt sie sich selbst im Arme des um ihretwillen wegen Bigamie verhafteten Inders den Tod. Zwölf Zeilen weiter unten blieb Vivian Atkinson an der Formulierung hängen, Sir Galahad baue ein sexuelles Fabelindien vor unseren Augen auf, das nirgends existiere denn im Kopfe einer Jüdin oder Verjudeten. Wort für Wort zitierte Groener Sir Galahad, wo sie ihr am schamlosesten erschien, nämlich die sündige, gleichsam gynäkologische Aufklärung eines unschuldigen, jungfräulichen Frauenzimmers im Atmen des Schoßes, Schließen und Spannen, Entgegenschwellen, die verborgenen Innenwände geschmeidig übend so zu erstarken, daß zu den Gezeiten des Eros aus ihnen die Mondwelle sich der Sonnenflut entgegenwerfe; nach jedem Liebesstrahl wie mit inneren Zauberzangen den blumenglatten Ring zurückschließen in Unberührtheit. Was tun, setzte Maria Groener hier dagegen, um unser Volk zu retten aus dem Fangnetze des Verderbers? Und beendete Die Weibeslehre eine Seite weiter mit Goethes Worten: Der Mann gehorche. Das Weib diene. Dienen aber heißt zuvorkommen. Goethe, Goldoni And Woman-Hating. Vivian räusperte sich. Korinna lackierte ihre Fußnägel preußischblau. Im Anhang warb der Greifenverlag zu Rudolstadt für Frau Groeners Hominibus bonae voluntatis; Das Buch vom Weibe im Lichte Schopenhauers: Menschen deutscher Innerlichkeit, lest dieses Buch, gebt es weiter und verbreitet es, wo ihr nur könnt. Das fanden Vivian und Korinna aber interessant: Die deutsche Innerlichkeit im Lichte des Tausendjährigen Reiches.

Wenn der arische Gott in unseren Seelen geboren werden soll, hatte Maria Groener in St. Ilgen geschrieben, dann muß der Gott Jehova zertrümmert werden, und um einen Gott zu verwirklichen, muß alles zerstört werden, was einen Gott konstruiert. Komischer Begriff von Konstruktion und auch von Religion, bemerkte das Einzelkind aus dem Patrick Henry Village, aber die Gedanken ihrer Gastgeberin hingen bereits erneut der abgöttisch korsettierten Sir Galahad nach. Als die 1899 ihren ersten Sohn Percy, von Perceval, dem Taldurchdringer, Wolfram von Eschenbachs Parzival bis Richard Wagners Parsifal, gebar, fielen die Leute aus allen Wolken. Die Schriftstellerin mit der eisernen Wespentaille hatte tatsächlich, in ihren eigenen Worten: stets selbst genau soviel abgenommen als ihre Frucht schwoll. Die feinen, harten Sehnen straff eingezogen, ohne Erlahmen, von Willen übergossen. Die noble Mulde nur eben ausgefüllt. Korinna Kohn hatte hoffentlich nicht auch solche Flausen im Kopf. Die mondweiße Mulde zwischen den Borsoi-Flanken: Ein planer Spiegel. Schließlich der unvermeidliche Kaiserschnitt. Die ersten Sätze von Mütter und Amazonen, Sir Galahads Buch über die Gynäkokratie: Am Anfang war die Frau. Der Mann erscheint erstmalig in Sohnesgestalt, als das biologisch Jüngere und Spätere. Die Frau als das Gegebene, der Mann als das Gewordene; so ließ sich Frauenrecht nicht erstreiten. Aber eines mußte Vivian Korinna und ihrer durchgeknallten Gralsritterin lassen: Wenn Sir Galahad, mit Bachofen, die Frau als Natur begriff, war sie selbst, alias Bertha Eckstein-Diener, immerhin mehr, Kultur, geworden, noble Mulde, ein Park mit Goldfischteich.

Erwartungsgemäß erwies sich auch Dr. Bernhard A. Bauer, Spezialarzt für Gynäkologie in Wien, dessen Werk Vivian während der nächsten Tage studierte, zumeist im Garten herumlungernd, aber auch auf der Schneidershecke, jenen steinernen Limes-Fundamenten im Wald bei Schlossau, von denen sie, Seite an Seite mit Korinna, ihre Beine baumeln ließ, als durchweg misogyner Gynäkologe. Er schrieb: Nicht mit Weininger wollen wir das weibliche Geschlecht nach der Art seiner Lebensführung in die beiden Typen Mutter und Dirne gesondert einteilen, sondern wir wollen und müssen den Mut haben zuzugestehen, daß diese beiden Typen in jedem Weibe vereint vorhanden seien. Fehlt eine dieser beiden Komponenten, dann ist das Weib eben nicht mehr Weib, sondern ein Zwitterding; das Weib ohne den Hang zum Dirnentum ebenso wie das Weib ohne den Wunsch nach Mutterschaft. Vivian hatte sich nicht verkneifen können, diese Stelle laut vorzulesen und Korinna damit aus ihrer Lektüre von Womanizing Nietzsche herauszureißen, jenem vor zwei Jahren erschienenen Buch der an der University of Texas lehrenden Philosophin Kelly Oliver, das die werdende Mutter derzeit, gleichzeitig mit Richard Ekins' ungleich leichter zu lesendem Male Femaling durchackerte. Du weißt schon, fragte Vivian plötzlich, daß heute das Wintersemester beginnt? Und beide Kommilitoninnen versuchten sich augenblicklich vorzustellen, wie ihr Professor womöglich gerade über die Karl-Theodor-Brücke radelte.

Darf ich? Die vierundzwanzigjährige Heidelbergerin schaute der siebenundzwanzigjährigen Karlsruherin in die Lektüre und verstand erst einmal so gut wie gar nichts. I agree, schrieb Kelly Oliver, with the diagnosis of philosophy's need to try to become woman in order to avoid the crisis of the Enlightenment subject, man. I will not only diagnose philosophy's desire to become woman, but also philosophy's success at opening itself onto the feminine. Becoming woman immer in Anführungszeichen. Nietzsche und sein Leser Derrida, erklärte Korinna, hätten den philosophischen Diskurs für andere Stimmen, multiple Stimmen, geöffnet. Gleichzeitig aber würden weder Nietzsche, noch Derrida oder Lacan das Weibliche wirklich hereinlassen. Vivian glaubte, vom weiblichen Geschlecht der Philosophie bei Daniel Boyarin gelesen zu haben, bekam den genauen Verhalt aber nicht mehr so recht zusammen und sprang aufgewühlt von dem backsteinernen römischen Mauerwerk hinab. Suchte den nächsten Baum mit einem weiß daraufgepinselten L und lief die ehemalige Demarkationslinie zunächst nach links, dann ebenso viele Schritte nach rechts entlang. Siegfried aber war nunmehr zu seinen männlichen Jahren gekommen, deklamierte sie. Er ging in das Land hinaus, fing Bären und Löwen und hing sie zum Gespött an die Bäume auf, worüber sich jedermann verwunderte. Kein Philosoph, dieser Siegfried, rief Korinna von den Resten des Wachtpostens herüber. Doch hatte es hier je Löwen gegeben? Waren es überhaupt Nibelungen, die Heiner in seiner Zelle bedrängten?

Und was ist mit Male Femaling? Das klingt doch irgendwie vielversprechend. Die mit einem leichten südwestafrikanischen Safari-Kostüm aus Mutter Kohns Beständen bekleidete Vivian griff sich den aufgeschlagenen Ekins vom Mauerwerk und blieb auf Anhieb an einer Stelle hängen, wo der Autor, Leiter des nordirischen Trans-Gender Archive, der interessierten Leserschaft anempfahl, den wissenschaftlichen Teil, welchen er Mainly Theory überschrieben und ohnedies nicht eben erkenntnistheoretisch angelegt hatte, gern zu überspringen, um sogleich zu Mainly Practice, all den bizarren Fallgeschichten, auf die der Archivar so stolz war, vorzustoßen. Das ist ja wie in alten Aufklärungsbüchern, fand Vivian, wo die Wissenschaft den an allen bewußten Stellen gelüfteten Deckmantel gebildet hatte, der des Lesers liederliche Lüste erst legitimierte. Oder wie in der aktuellen männlichen Philosophie, stimmte die Studierende im Kaftan, heute einem anthrazitgrauen, zu, dieser weitgehend zum Pragmatismus verkommenen Disziplin, die mir im Hörsaal bestenfalls noch als mehr oder weniger geklitterte Geschichte der Philosophie begegnet. Du hast recht, sagte Vivian, dieser Ekins ist offensichtlich alles andere als ein Literaturwissenschaftler; aber Judith Butler, ist sie denn keine Philosophin? Momentan hat sie, wie du weißt, einen Lehrstuhl für Rhetorik inne, belehrte Korinna ihre Kommilitonin und sprach gleich weiter: Ich finde, das namibische Safari-Kleidchen meiner Mutter, zumal über dem Riefenstahlschen Hemdhöschen, macht dich ausgesprochen reizvoll; ich freue mich schon, beides im nächsten Sommer wieder tragen zu können.

A propos Male Femaling, ließ Vivian sich nicht abbringen, hat Rainer Werner Fassbinder nicht einen ziemlich düsteren Spielfilm darüber gedreht, daß sich ein Homosexueller von seinem Penis trennt, um mit einem heterosexuellen Mann zusammensein zu können? Und glaubst du, daß Judith Butler sich diesen Film angesehen hat? Wie bringst du eigentlich den gemeinsamen Nenner von Performance und Impersonation ins Deutsche? Als Darstellung? Verkörperung? Personifikation? In Abgrenzung zur Imitation? Wenn Angela Stöver sich Butlers idealisierter Vorstellung von der Parodie nicht anschließen mag, ich finde ja auch nichts in dem Sinne Parodistisches an ihrem femininen Habitus, muß sie ja noch kein Fall für Richard Ekins sein. Beziehungsweise: Können wir überhaupt Butler-Gängerinnen sein, ohne deren, wie ich finde: überflüssige, Chimäre von der parodistischen Wiederholung zu unterschreiben? Nun mach dir mal um so was keine Sorgen, entgegnete, eine fette Brombeere auf ihre Wurmstichigkeit hin untersuchend, Korinna Kohn. Außerdem erhielt ich letzte Woche eine Postkarte von Frauke, auf der sie von Angelas neuester Grille, der Male Impersonation, schwärmt. Das muß dann aber wirklich ein Fall von parodistischer Wiederholung sein, lachte die Frau im Safari-Kleid überrascht auf. Sie nennt sich an diesen Tagen Angelo, erklärte ihre Freundin, sieht aus wie die Schriftstellerin Annemarie Schwarzenbach und jobbt bis in die Puppen im MS Connexion; wobei bis in die Puppen auch mal etymologisch zu klären wäre. Angelos Lieblingsspruch, wenn jemand ihm, wie Frauke schreibt, komisch kommt: Sie wissen wohl nicht, mit wem Sie sprechen. Wobei es aufschlußreich wäre, zu wissen, ob Angela feminine Dessous unter Angelos maskulinem Outfit trägt. Und wenn wir schon dabei sind: Auch von Frauke gibt es Neuigkeiten; sie arbeitet, nachdem ihr Vater seine langjährigen Zahlungen eingestellt hat, als Hosteß, läßt aber im dunkeln, worin ihre entsprechende Tätigkeit besteht. Frauke Stöver, bei einem Escort Service gelandet? Mainly Practice? Vivian Atkinson konnte sich das überhaupt nicht vorstellen. Hatte sie deshalb vielleicht keine diesbezügliche Postkarte erhalten? Korinna Kohn kramte in ihrem Match-Sack nach einer Bürste. Seitdem sie schwanger war, verwendete die aparte Dunkelblonde verhältnismäßig viel Zeit und Mühe auf ihre Frisur; heute war es diejenige der Rita Hayworth, aufgedonnert, 1953, in William Dieterles Salome.

Lies mal das hier. Die Frau auf der römischen Mauer, tief im Odenwald, reichte ihrer Freundin ein aufgebogenes, rotschwarzes rororo-Bändchen, und Vivian las, zunächst still für sich, worauf die andere gedeutet hatte: Aber häufig fühlte er noch so etwas wie eine Last auf seinem Rücken: das waren seine Komplexe; er fragte sich, ob er nicht Freud in Wien aufsuchen sollte: Ich reise ohne Geld, zu Fuß, wenn nötig, und sage ihm: ich habe keinen Groschen, aber ich bin ein Fall. Kenne ich, sagte die Frau auf dem Waldboden sofort, Die Kindheit eines Chefs von Jean-Paul Sartre, blätterte nach vorn und las laut vor: Ich bin entzückend in meinem kleinen Engelskostüm. Ihr kleiner Junge ist zum Auffressen. Er ist einfach süß in seinem Engelskostüm. Wie heißt du denn? Jacqueline? Lucienne? Margot? Ich heiße Lucien. Lucien, der Lichte, wie Luzifer, der Lichtbringer, der gefallene Engel. Sartre: Er war nicht ganz sicher, kein kleines Mädchen zu sein. Es geht hier, Korinna, auch um das Geschlecht der Engel. Viele Leute hatten ihn geküßt und ihn kleines Fräulein genannt, alle fanden ihn so reizend mit seinen Gazeflügeln, seinem langen blauen Kleidchen, seinen nackten Ärmchen und seinen blonden Locken. Er hatte Angst, die Leute würden sich plötzlich dahin entscheiden, ihn nicht mehr für einen kleinen Jungen zu halten. Er könnte sich noch so sehr dagegen sträuben, niemand würde auf ihn hören. Er würde sein Kleid nicht mehr ablegen dürfen, es sei denn zum Schlafen, und am Morgen läge es am Fußende seines Bettes, und wenn er tagsüber einmal Pipi machen wollte, so müßte er es hochnehmen wie Nénette und sich niederkauern. Alle würden ihn meine liebe Kleine anreden, und am Ende war es schon soweit: Ich bin ein kleines Mädchen.

Vivian Atkinson blätterte gezielt nach hinten und las: Die Wandlung war vollzogen. Vor einer Stunde war ein anmutiger und unsicherer Jüngling in dieses Café eingetreten, jetzt war es ein Mann, der es verließ, ein Chef unter den Franzosen. Der dann aber, fügte die Vorleserin hinzu, vorsichtshalber doch noch beschließt, sich einen Schnurrbart wachsen zu lassen. Und weiter vorn, ziemlich am Anfang der Kindheit dieses Chefs, folgende Stelle: Was würde geschehen, wenn man Mutti das Kleid auszöge, und wenn sie Papas Hose anzöge? Vielleicht würde ihr auf der Stelle ein schwarzer Schnurrbart wachsen. Irre. Irrer Dialog auch zwischen Vater und Muttersohn; erneutes Blättern, Korinna Kohn blinzelte durch das Laub nach der Sonne. Werde ich auch einmal Chef? Aber sicher, mein Männlein, dazu habe ich dich in die Welt gesetzt. Und wem werde ich befehlen? Wenn ich tot bin, wirst du der Fabrikherr und wirst meine Arbeiter kommandieren. Sartre läßt später einen Homosexuellen zu ihm sagen: Sie sind Rimbaud, er hatte Ihre großen Hände, als er nach Paris kam, um Verlaine kennenzulernen, er hatte dieses rosenrote Gesicht eines gesunden Bauernjungen und diesen langen schmalen Körper eines blonden Mädchens. Nötigt den zukünftigen Chef, seinen Kragen abzulegen und das Hemd zu öffnen, führt den verwirrten Engel vor den Spiegel und läßt ihn die, so Sartre, entzückende Harmonie seiner roten Wangen und seines weißen Brustansatzes bewundern. Das ist genau die Stelle, die ich suchte, sagte Korinna.

Zieh das hier mal an. Korinna Kohn, ihres Mutterleibes halber, konnte sich überhaupt nicht mehr vorstellen, wie dieses sexy Tenniskleid, das sie anläßlich einer Meisterschaft, deren Titel sie gewonnen hatte, getragen hatte, eigentlich saß. Und es saß, fanden beide, gut an Vivian Atkinsons schlankem Körper. Nur oben herum eine Spur lockerer und um allenfalls jenen einen Zentimeter kürzer, den Vivian größer war als ihre Freundin. Weiße Frotteesöckchen, weiße Sneakers, dasselbe Modell wie die damaligen Martina Navratilovas, vervollständigten das Bild. Die Besucherin fragte sich, ob Heiner Korinna eventuell auf dem Tennisplatz kennengelernt hatte, beide ganz in Weiß, aber es war irgendwie unmöglich, mit der Karlsruherin über ihren einsitzenden Freund zu reden. Abgesehen davon, trug Korinna Kohn, wenngleich heute morgen in einem strahlend weißen Nyltest-Frisierkittel, eigentlich nur auf dem Tennisplatz Weiß. Als Vivian einen Moment lang allein im Wohnzimmer stand, dachte sie plötzlich, daß es vielleicht doch besser gewesen wäre, eigene Kleider mit in den Odenwald zu bringen. Aber da kehrte Korinna schon mit einem italienischen Kosmetikköfferchen aus dem Badezimmer zurück und zog aus diesem eine weiße Porzellanflasche mit goldener Verschlußkappe heraus. Aufschrift: Versace White Jeans Woman. Sein erstes posthumes Eau de Toilette, sagte die Tennisspielerin feierlich und hatte ihre Freundin in ihrem überaus kurzen Tenniskleid schon damit eingesprüht. Als nächstes wurde Vivian von ihrer Kommilitonin geschminkt, und zwar im Stil der achtziger Jahre. Laß mich nur einmal sehen, wehrte Korinna alle Einwände ihres ungeduldig werdenden Opfers ab, wie ich 1988, am Tag meines größten Triumphes, aussah. Vivian Atkinson aber erinnerte die ganze Prozedur daran, wie ihre deutsche Mutter sie im Karneval alljährlich als Indianerhäuptling verkleidet und dazu nach der neuesten Damenmode geschminkt hatte. Als sie sich dann zum ersten Mal selbst für ein Kostüm hatte entscheiden dürfen, hatte sie dasjenige des Lonesome Cowboy gewählt, ohne jegliches Make-up. Mir ist kalt, sagte Vivian zu Korinna, und kurz darauf hatte sie einen weichgespülten weißen Pullover über dem Tenniskleid an. Puder-, Mascara-, Rouge- und Lippenstift-Spuren klebten an seinem V-Ausschnitt, so gleichsam hektisch war er ihr von Korinna übergezogen worden, die sich jetzt auch noch mit einer heißen Brennschere sowie klebrigem Haarspray an Vivians Strähnen zu schaffen machte. Und nun, fragte die ergebene, gegen ihren Geschmack Geschmückte schließlich, all dressed up and nowhere to go? Ganz im Gegenteil, lachte Korinna und war erneut im Badezimmer verschwunden.

Kurze Zeit später hörte Vivian von oben das Zuziehen des Duschvorhangs, das Plätschern der Dusche, das automatische Einschalten des Gas-Boilers. Sie ging in die Küche, um sich den unmöglichen kirschroten Lippenstift, den ihre Freundin ihr aufgetragen hatte, abzutupfen, und als sie ihr

Spiegelbild in Heiners albernem Coca-Cola-Spiegel sah, dachte sie, womöglich zum ersten Mal in ihrem Leben: Das ist eine Amerikanerin; weniger: das bin ich, eher schon: das ist ich. Ich setzt sich hin. Und so weiter. Lewis Carroll: Sogleich war Alice durch das Glas geschlüpft und flink in das Spiegelzimmer hinabgesprungen. Lag hinter Heiners Spiegel Amerika? Das letzte Kapitel von Alice hinter den Spiegeln hieß: Wer träumte wen? Alice fragt ihre Katze: Hat mich der Schwarze König wirklich geträumt, Mieze? Du warst doch seine Frau, mein Kleines. Siehe auch die Frau als schwanzlose Katze in Virginia Woolfs Room of One's Own. Venus Xtravaganza hatte in Paris Is Burning nicht nur Frau sein wollen, sondern, was für sie untrennbar miteinander verbunden war: auch weiß. War es denn eine Steigerungsmöglichkeit des Anderen, das Geschlecht mit der Rasse zu multiplizieren? Gar mit der Art? Gab es nicht einen Spielfilm mit dem Titel King Kong und die weiße Frau? Selbst auf postkolonialen, südostasiatischen Transvestiten-Schönheitswettbewerben war es gar keine Frage, daß alle auch nur im entferntesten aussichtsreichen Kandidaten wie weiße, angelsächsische, protestantische, mittelständische, heterosexuelle, kurzum wie westliche US-Amerikanerinnen aussehen mußten: The global American otherness, in aller Welt imaginiert, in aller Welt beschworen.

Was hingegen war, zumal nach dem unglückseligen Wegfall der Union der Sozialistischen Sowjetrepubliken im Osten, das Andere des Amerikaners? The Alien, dachte Vivian, konnte allenfalls das äußere Andere ersetzen; aber Amerika hatte ja, wenn es auch paradox klang, so ließ sich doch sagen: seit seiner Entdeckung, immer auch das innere Andere, wenngleich nicht gekannt, so doch gehabt. Siehe auch den Indianer, dachte Vivian, seine Klamotten, seine Kriegsbemalung, sein Make-up, seine, nach Weininger, Weiberfrisuren. Indianer, Indian, von Indien, India, abgeleitet, das Kolumbus per westlichem Kurs im fernen Osten entdeckt zu haben glaubte.

Heutzutage, nach der fast vollständigen Ausrottung der, ja, genau: effeminierten amerikanischen Ureinwohnerschaft, waren es, neben den ewig stigmatisierten Afroamerikanern, ganz besonders Asiaten, welche das sowohl sexuelle wie rassische Andere zur euro- wie androzentrisch als teuflisch und bedrohlich empfundenen Deckungsgleichheit brachten. Warum diese mehr als ethnographische Konzentration, womöglich eine perfide Projektion, auf den fernen Osten? Weil in Thailand, Malaysia, auf den Philippinen die sogenannten sekundären Geschlechtsunterschiede, sowohl die biologischen als auch die sozialen, geringfügiger ausfielen? Und deshalb die ambivalente Formel There's nothing ambiguous about ambiguity offensichtlich leichter, sprich: ansprechender, ansehnlicher, zu veranschaulichen war? Ließe sich dieses Graffito auch auf Heidelberg, Germany, übertragen? Und was war mit Vietnam? Israel gar? Vivian verspürte ein dringendes Verlangen nach ihrem Texas Instrument, das sie immerhin seit anderthalb Wochen nicht angerührt hatte. Doch ließ sich denn der mögliche Unterschied zwischen dem Anderen und dem Fremden nicht auch auf einer Papierserviette wie jener, mit der sie sich eben die amerikanisch-deutschen Lippen abgetupft hatte, klären? Selbst auf ihren Schneidezähnen hatte Lippenstift geklebt. Und schließlich: War das Fremde überhaupt immer auch das Rätselhafte?

Immanuel Kant war der festen Überzeugung gewesen: Die Frau verrät ihr Geheimnis nicht. Und Otto Weininger hatte eben dies seinem Kapitel über männliche und weibliche Sexualität als Motto vorangestellt. Sigmund Freud hatte in einer Vorlesung mit dem Titel Die Weiblichkeit phantasiert: Über das Rätsel der Weiblichkeit haben die Menschen zu allen Zeiten gegrübelt. Auch Sie werden sich von diesem Grübeln nicht ausgeschlossen haben, insofern Sie Männer sind; von den Frauen unter Ihnen erwartet man es nicht, sie sind selbst diese Rätsel. Frauenarzt Dr. Bauer in seinem Wälzer über das Leben und Lieben der Künstlerin im Lichte der Wahrheit: Das Weib vermag all die Tausende von Metamorphosen in seinem Leben deshalb so gut zu spielen, weil es als Ganzes eine einzige Metamorphose ist. Als Vivian nun so aufreizend herausgeputzt in Heiners Küche saß, erinnerte sie sich an Silvia Bovenschen, die betont hatte, daß unter der Patina der kosmetischen Industrie nicht einfach das Naturschöne stecke. Schwierig, hatte die Literaturwissenschaftlerin geschrieben, werde es bei einer Bindung der Idee des Schönen nicht an ein von Männerhand geschaffenes Bild der Frau, sondern an eine empirische Frau. Marilyn Monroe, als Kunstprodukt, Weiblichkeitsmythos und Opfer einer unmenschlichen Kulturindustrie in einem, ließe sich nicht nachträglich in eine natürliche und eine künstliche Frau spalten, nach dem Muster: den einen Teil Norman Mailer zu überlassen, den anderen in Jeans zu stecken und für Women's Lib zu reklamieren. Die ganze Frau gehört auf unsere Seite, hatte Bovenschen, die angeblich selbst nie Jeans trug, interessant wäre zu wissen, ob nicht einmal weiße, in den siebziger Jahren geschrieben. Wenn Jeans aber als natürlich galten, waren sie doch das fraulichste aller Kleidungsstücke, erinnerte sich Vivian an die Formel: Frau ist gleich Natur, Mann ist gleich Kultur. Typisch, dachte sie: Das synthetische Baby Doll als Männererfindung für den von ihm fetischisierten Frauenkörper. Keine Dame würde je Herrenschlüpfer sammeln. Oder Herrenschuhe. Warum aber sammelten Frauen, ohne jeden Fetischismus, schränkeweise Stöckelschuhe?

Ich komme gleich, überschrie Korinna Kohn das Dröhnen ihres elektrischen Föns. War, andererseits, räsonierte ihre Freundin fort, Levi Strauss' Baumwollköper-Arbeitshose nicht längst zur Freizeithose umcodiert worden? Und was hatte das wiederum mit emanzipiertem Frausein zu tun? Silvia Bovenschen über die Selbstinszenierung des glatten, wie von einem unbekannten Kunststoff überzogenen Körpers der späten Marlene Dietrich: Die Vorführung einer Vorstellung eines Körpers der Frau. Im Englischen hießen Strumpfhosen Tights, die Engen. Im amerikanischen Englisch Panty Hose; Panty gleichzeitig umgangssprachlich für Schwächling, Memme. Die Strumpfhose markierte Weiblichkeit in ihrer Charakteristik als Oberfläche. Auch die als solche ausgewiesenen Mädchen-Jeans für die Jeans-Mädchen der sechziger und siebziger Jahre waren immer die anliegendsten gewesen. Als Tomboy Vivian sich, wie ihre Mutter damals flachste, zu runden begann, wollten ihr erst einmal gar keine herkömmlichen Blue Demins, sprich: Jungen-Hosen, mehr passen. Sie fragte: Wie hat Elvis, The Pelvis, bloß in diese Dinger hineingepaßt? Und gab sich erst sehr viel später als Studentin selbst die Antwort: Der hat sein Becken, im Genderfuck-Hüftschwung, doch nur inszeniert. Wie Willie Ninja, voguender Angestellter der Madonna Road Show. Heutige Stretch Jeans, die Vivian primitiv fand und lieber landläufig weniger gut sitzende Jeans aus der Herrenabteilung trug, markierten nicht selten sogar die Schamlippen ihrer Trägerin.

Wenn die Frau die Schöne, die Seiende, war, der Mann aber der Bedeutende, der Werdende, fragte sich, während Korinna oben im Bad ihre Haare ondulierte, Vivian, ihr expressiv, nahezu expressionistisch wie im Stummfilm geschminktes Gesicht in der Schneide des Brotmessers betrachtend, was symbolisierte dann eine werdende Mutter? Nach Ortega y Gasset bestand der Beruf des Weibes darin, des Mannes konkretes Ideal, seine Bezauberung, seine Illusion zu sein. Frauentum. Hatte sich Angela diese brotlose Kunst mit Hilfe ihrer monatlich erscheinenden, bigotten Monika aus Donauwörth erwählt? Arbeitete sie, wenn Angelo nicht gerade in Mannheim jobbte, überhaupt noch regelmäßig in der Handschuhsheimer Pizzeria? Oder hatte Ortega y Gasset auf Hänschen Pompadours Feen angespielt, von denen der gemeine Gynäkologe Bauer behauptete: Das Beste, was die Feen dem kleinen Wesen wegnehmen, wenn sie ihm dafür Schönheit geben, ist das Herz? Schöne Frauen hatten gewöhnlich kein Herz. Korinna Kohn, von oben: Brauchen wir Jacken? Ich glaube nicht, antwortete die Besucherin, denn mittlerweile war die Sonne über dem Bauland herausgekommen, und des Drogenhändlers Küche mit dem nachgemachten Art-Deco-Spiegel und der ornamentreichen, von seinem auf mysteriöse Weise umgekommenen Vorbewohner übernommenen islamischen Küchenuhr wurde von wärmendem Herbstlicht durchströmt. Doch da hatte die schwangere Richterstochter schon einen ganzen Haufen Textilien die Treppe heruntergeworfen.

Nun befanden sich die beiden Kommilitoninnen auf der Landstraße, über Reisenbach, Eberbach und Hirschhorn zur Hirschquelle zwischen Heddesbach und Heiligkreuzsteinach, wo Korinna Kohn einen ganzen, im Kofferraum des Tatra mitgeführten Kasten leerer Mineralwasserflaschen auffüllte. Für Heiner, sagte sie einsilbig, während sie eine Flasche nach der anderen unter den gefaßten Brunnen hielt, und Vivian fragte lieber gar nicht erst, wozu. Dafür aber: Schmuggelst du das Zeug selbst in den Knast, oder hast du dazu einen Dritten? Einen Dritten, antwortete Korinna knapp, Lutz, Spitzname: Luzifer, aus Neckarkatzenbach, er kommt an jedem dritten Donnerstag vorbei und fährt dann gleich zu Heiner weiter. Er ist es auch, der Heiners Dogge in Pflege genommen hat. Vivian Atkinson fröstelte trotz ihres V-Ausschnitt-Pullovers über dem Tenniskleid, trotz des eierschalenfarbenen, taillierten, bis an die Knie reichenden Popeline-Übergangsmantels, den sie sich beim Verlassen des Autos um die Schultern gelegt hatte, trotz der kurz vor der Abfahrt, mit Blick auf den durchwachsenen Himmel, noch untergezogenen hautfarbenen Lycra-Strumpfhose. Heiners Welt war ihr einfach nicht geheuer. Einen halben Kilometer weiter, hinter der im Nebel, den Wolken liegenden Paßhöhe, hielt die Fahrerin schon wieder an. Dort unten liegt Heiligkreuzsteinach, sagte sie, die heute einen zum Umstandskleid umgeänderten Karlsruher Talar trug, und deutete auf ein idyllisch anmutendes kleines Örtchen im Tal. Senkrecht stieg der Rauch aus diversen Schornsteinen auf; im inneren Odenwald hatte die Heizperiode bereits vor Wochen begonnen. An einer Straßenecke standen zwei ältere Männer mit Hüten. Vor Vivians und Korinnas Füßen ein kurpfälzischer Grenzstein von 1791. Eine offene Hütte für Wanderer. Nebeltröpfchen rollten über Vivians gelackte Frisur, blieben an ihren verkleisterten Wimpern hängen. Nur noch zwei, drei Kilometer bis Altneudorf, sagte Korinna verheißungsvoll. Altneudorf. Tel Aviv. Altneuland. Theodor Herzl. Auch Daniel Boyarin. Westlich des Dorfes die Steinach, die Hänge, der Judenwald.

Die Abzweigung nach Schriesheim, das Oberdorf, der Campingplatz Steinach Perle, Altneudorf ein Straßendorf, der Tatra im Schrittempo, untertourig, hell klirrte das Dutzend Flaschen im Kofferraum. Jetzt das Unterdorf, der Gasthof Deutscher Kaiser links, Fremdenzimmer. Korinna und Vivian stiegen die Stufen hinauf und betraten die Gaststube. Zweimal zwei alte Männer saßen schweigend an zwei verschiedenen Tischen. Die Wirtin fuhrwerkte stumm hinter ihrem Tresen herum. Linker Hand eine wuchtige Hammondorgel. Daneben eine Tafel, auf der das Wort Heute stand. Ein ganz enormes elektrisches Summen, unmittelbar an der Grenze zur Unerträglichkeit, erfüllte den Raum, wahrscheinlich im Verlauf der vergangenen Jahrzehnte unmerklich angeschwollen, in den Köpfen der Ortsansässigen längst weggerechnet, von keiner Seele mehr wahrgenommen. Welch eine Spannung, bemerkte die Frau im Tenniskleid. Dann bestellte Korinna zwei Gläser Tee. Die Männer an ihren Tischen begannen zu murmeln, wahrscheinlich über uns, raunte Vivian ihrer Freundin zu. Nein, über Golems, Homunculi, Androiden, Cyborgs. Die Wirtin beschrieb ihnen den Weg zum Judenwald hinauf. Korinna zahlte. Noch kurz in die Bäckerei Bernauer, Proviant kaufen. Ein Anruf bei der Amorbacher Frauenärztin, von einer Telefonzelle vor dem Sportheim des SV 02 aus; Vivian sollte derweil draußen warten, Korinnas Bauch sei viel zu dick für zwei in einer Zelle. Schließlich der Aufstieg.

The She-Man. The She-Male. Die phallische Frau. Der lesbische Phallus. Keine Angst, Viv, sagte Korinna Kohn, als sie den Dildo aus ihrem Rucksack zog, dies hier ist auch ein Zeichen meiner persönlichen Akzeptanz heterosexueller Muster, nenne mich meinetwegen, mit Frauke Stöver, zwangsheterosexuell. Vivian Atkinson erinnerte sich, vor gar nicht langer Zeit bei Judith Butler gelesen zu haben, mit dem sinnbildlich lesbischen Phallus werde das Verhältnis zwischen der Logik des ausgeschlossenen Widerspruchs und der Gesetzgebung der Zwangsheterosexualität auf der Ebene der symbolischen und körperlichen Morphogenese angefochten. Ich weiß, ich weiß, sagte Korinna, und sie schreibt weiter, daß das Einbringen des lesbischen Phallus einen diskursiven Ort eröffne, an dem die stillschweigenden politischen Beziehungen überprüft würden, welche die Aufteilung zwischen Körperzonen und Körperganzem, mein Thema, Vivian, zwischen der Anatomie und dem Imaginären, der Körperlichkeit und der Psyche konstituierten und in diesen Aufteilungen Bestand hätten. Also hob die Richterstochter ihre metallisch glänzende Purpur-Robe und schnallte sich das permanent erigierte, lehmfarbene Kunststoffglied um den nackten Körper.

Die perplexe Soldatentochter im weißen Tenniskleid legte sich, den V-Ausschnitt-Pullover ausgebreitet unter dem Kopf, ins feuchte Laub des Judenwalds. Ohne ein Wort zu sagen, zog sie ihre Strumpfhose hinunter, auch ihren Slip, die einzigen ihr gehörenden Kleidungsstücke, die sie trug. Die bisexuelle Tennisspielerin hatte ihre Zärtlichkeit zunächst auf die als erogene Zonen bezeichneten Leibesinseln der amerikanischen Deutschen verwendet, nun stieß sie den Fetisch vorsichtig in den Unterleib ihres willfährigen Gegenübers. Der Bauch, die Brüste der Schwangeren schaukelten rhythmisch über der Mulde, dem schlanken, unbefruchteten Leib, den aufgerichteten Brustwarzen der aufreizend geschminkten Vivian. Abweichende Körper. Abschweifende Augen. Was sollte an Homosexualität perverser sein als an Heterosexualität mit Verhütungsmitteln? Wo wäre Daniel Paul Schrebers unbefleckte Empfängnis dichotomisch einzuordnen? Gilt denn der Dildo als Dekonstruktion oder Rekonstruktion des männlichen Kostüms, und was steckt da nun eigentlich in mir drin: ein Penis oder der Phallus? Die Erinnerung an den Penis oder die Parodie der Kastration? Hat sich der Judenwald als diskursiver Ort geöffnet? Und was spricht aus Korinna Kohns koitaler Konstruktion: das zweischneidige Zwischenprodukt organischen Penisneids oder des synthetischen Cyborgs sprichwörtliche Eigenständigkeit? Frauke wie Angela Stöver begriffen Angelas Schwanz ja als etwas Zusätzliches. Eine Kopulation war immer, ganz klar, auch eine phantasmatische bis phantasmagorische Resignifizierung im Koordinatenkreuz von Haben, Sein und Scheinen. Würde Vivian Atkinson diesen denkwürdigen, sich momentan vollziehenden Sexualakt später einmal beschreiben können? Und in wessen Worten?

Der flüchtige Anblick der ehemaligen Synagoge Neckarsteinachs, zwischen Neckar und Steinach, dann auf die B 37 nach Heidelberg, keine zwanzig Kilometer bis Edingen, wo Vivian Atkinson, die sich besudelt vorkam in dem erdverschmierten Tenniskleid, der zerrissenen Strumpfhose, dem tränenverschmierten Make-up, Korinnas Kleid, Korinnas Schminke, Korinnas Tränen, sich etwas anderes, etwas Eigenes anziehen wollte, bevor sie mit ihrer Studienfreundin ins Bauland zurückkehrte. Diese parkte ihren Tatra in der Feuerwehrzufahrt vor dem Tabakspeicher, wollte am liebsten gar nicht erst mit hochkommen. Dann aber saß sie doch auf Vivians Bettkante und schaute der flugs Abgeduschten beim Umkleiden zu: Unkomplizierte schwarze Schlaghose, Sleater-Kinney T-Shirt; in anderthalb Wochen würde das sensationelle, von Olympia, Washington, nach Portland, Oregon, gezogene Trio in Karlsruhe, Baden-Württemberg, auftreten. Darüber eine graue Strickjacke von Benetton und Korinnas Übergangsmantel, den sie im Wald an einem abgebrochenen Ast aufgehängt hatte. Schwarze Halbschuhe. Und jetzt möchte ich bitte endlich einmal sehen, wo du eigentlich herkommst, sagte die ondulierte Kommilitonin in ihrer exzentrischen Robe, auf den Fahrstuhl wartend. Okay, die Hauptstraße links hoch, nach der Kirche in die Grenzhöfer Straße, durch Grenzhof und durch Plankstadt durch, danach, an der großen Kreuzung, nicht nach Schwetzingen, sondern links, in Richtung Heidelberg, abbiegen und unmittelbar vor der Autobahn, abermals links, kaum zu verfehlen, ins Patrick Henry Village rein. Komme ich denn da überhaupt so ohne weiteres hinein, und kommst du denn nicht mit, Vivian? Na gut, murrte diese und ließ sich mit ihrem kleinen, grünen Koffer, einem seit Äonen ausgedienten Boardcase Rodney Atkinsons, sowie noch immer nassen Haaren, in Korinnas Tatra gleiten. Der Army Brat war seit Jahren nicht im Patrick Henry Village gewesen.

Als sich die beiden Frauen, eine knappe Viertelstunde später, unmittelbar auf ihr militärisches Ziel zu bewegten, sahen sie in den weiten, sandigen Feldern zu beiden Seiten der Landstraße große handbemalte Holztafeln stehen, welche die Aufschrift Pumpkins trugen. Natürlich, genau, bald ist ja Halloween, rief Vivian aus, der Tag vor Allerheiligen. Auch meine Eltern kauften ihre Kürbisse immer bei badischen Bauern; und jetzt bitte links hinein. Willkommen, Korinna, in der Heidelberg Military Community, sprach Vivian Atkinson. Hier gleich die erste Schule und rechts, hinter den Sportplätzen, an der South Gettysburg Avenue, die nächste. Aber jetzt kommen erst einmal, schier endlos, proletarische Mietskasernen aus den fünfziger Jahren, meine Hanauer Großmutter sagt immer: das Glasscherbenviertel des Patrick Henry Village. Korinna Kohn ließ ihren Tatra langsam die Lexington Avenue entlangrollen. Um sie herum ausschließlich Autos mit amerikanischen Militärkennzeichen. An einer ziemlich belebten Kreuzung regelte ein freundlicher afroamerikanischer M.P. den Verkehr nach den Regeln der deutschen Straßenverkehrsordnung. Warum hält der uns nicht an, fragte Korinna Kohn unsicher, befinden wir uns etwa auf deutschem Gelände? Die BRD stellt das Areal der US Army zur Verfügung, erwiderte Vivian kühl, nur in Zeiten erhöhter Alarmbereitschaft wird hier noch gründlich kontrolliert. Schon zu meiner Kindheit gab es regelmäßig Volksfeste, auch für die Deutschen, auf dem Gelände. Bis heute sind dies hier alles, so viel ich weiß, Unterkünfte der United States Army Europe, ist gleich die glorreiche Siebte Armee. Deren Status sich nach dem Ende des Kalten Krieges, trotz umfangreicher Truppenabzüge und -umzüge, nicht wirklich geändert hat. Das strategische Headquarter der Seventh Army liegt, strengstens bewacht, rund zwei Meilen östlich von hier, im Herzen des Heidelberger Mark Twain Village, wie übrigens auch das Hauptquartier der multinationalen NATO-Landstreitkräfte Zentraleuropas. Wow, machte Korinna Kohn und sah ihre Freundin von der Seite an. Ein großes, über eine Parkplatz-Einfahrt gespanntes Transparent wies auf den Holiday Bazaar im Village Pavilion hin; hier gab es endlich eine militärische Ausweiskontrolle. Fahr lieber daran vorbei, Korinna, sagte Vivian, gleich kommen wir in die besseren Gegenden der Ortschaft: Die geschwungenen Sträßchen des Nordens, den San Jacinto Drive, wo ich aufgewachsen bin, mit seinen kleinen freistehenden Häusern. Korinna Kohn bog in den nördlichen San Jacinto Drive ein. Idyllische Villen, sattgrüne, säuberlich gemähte Rasenflächen davor, Fähnchen, Kinderspielzeug, die gewundene Straße von schattenspendenden Baumkronen überdacht. Im Hintergrund, nur eine halbe Meile entfernt, die Peripherie von Eppelheim.

Kurz darauf stromerten die beiden Studierenden durch Lexington's Grill und den gerammelt vollen Book Mark, beides am selben Platz, dem Kino gegenüber, neben dem Tennis Center, wo es für die Karlsruherin einiges zu sehen gab. Die vereinzelten Tennisspieler starrten allerdings nicht weniger interessiert, Vivian fand: komplett entgeistert, auf die purpurn metallische Robe der großen Schwangeren. Im Burger King bekamen die beiden keine Hamburger serviert, denn sie besaßen keine Identitätskarten der US Army. Bei welcher Ausweiskontrolle würde Identität je als Effekt diskursiver Praktiken durchgehen? Nicht schade drum, befand Korinna Kohn, draußen besorgen wir uns zwei dicke Amerikaner mit Zukkerguß. Nachdem sie dies wenig später in einer kleinen Kirchheimer Konditorei, unweit der Goldenen Rose, in welcher das 411th Base Support Battalion seinen deutsch-amerikanischen Kontakt-Stammtisch abhielt, getan und lauwarmen Pfirsich-Eistee dazu getrunken hatten, fuhren die Freundinnen in der Abenddämmerung gegen Heidelbergs Innenstadt, durch Rohrbachs Römerstraße, zu deren beiden Seiten das Mark Twain Village lag, am Rand harmlos in deutsche Wohngebiete übergehend, zentral, bis an die Zähne waffenklirrend, hinter sehr hohem Stacheldraht gesichert. Das Nervenzentrum der europäischen US-Streitkräfte. Es war Rush Hour auf der Römerstraße; mindestens jedes fünfte Auto, fiel Korinna auf, besaß ein Nummernschild der US Army. Wo fahren die alle hin, fragte die Richterstochter, warum sehe ich diese Leute nie in der Fußgängerzone? Höchstens ihre Ehefrauen, mit ihren Töchtern beim Shopping, europäische Klamotten kaufen, italienische Pumps, französische Lingerie. Warum, beklagte sich die Studentin, sah ich, als ich in dieser Stadt wohnte, immer nur zigtausende von Studenten? Beinahe wäre Korinna Kohn auf eine träge vor einer Ampel ausrollende Militär-Ambulanz aufgefahren. Meine letzte Information, sagte Vivian Atkinson, ist, daß rund sechzehntausend Soldaten, Angestellte, Zivilisten und deren Familienmitglieder zur Heidelberg Military Community gerechnet werden; bei einer Heidelberger Gesamtbevölkerung von einhundertvierzigtausend. Zur Hälfte leben die in den mehr als zweihundert Häusern des Patrick Henry Village, dem PHV, sowie hier im MTV, zur anderen Hälfte, wie wir sagen, on the economy, nämlich mit Deutschen unter einem Dach, beziehungsweise neben Deutschen. Und vergiß nicht, daß auch Mannheim seine großen Housing Areas hat; ich erzählte dir ja, wie ich im dortigen Benjamin Franklin Village entjungfert wurde. Wären wir eben rechts abgebogen, hättest du übrigens die Nachrichten-Kaserne gesehen, das US Army Hospital, in dem mein Daddy Rodney seinen Blinddarm herausoperiert bekam.

Wußtest du eigentlich, bemerkte Vivian, daß Adolf Hitlers Möbel aus der Berchtesgadener Außenstelle der Reichskanzlei, die 1945 in amerikanische Hände fiel, seit letztem Jahr hier in Heidelberg, im European Headquarter der US Army, stehen? Hitlers Möbel? Und nicht nur herumstehen, sondern, frage mich nicht, wie, benutzt werden? Davon hatte Korinna noch nie gehört. Insgesamt, sagt mein Vater, sagte Vivian, handelt es sich um dreiundzwanzig Schreibtische, Stühle, sogar Gemälde; vierundzwanzig weitere Stücke sollen an die Oberfinanzdirektion München gegangen sein, womit wir das alte, magische Dreieck zwischen Heidelberg, München und den Alpen wieder einmal beisammen hätten. Vivian Atkinson lotste Korinna Kohn dann noch in der Tom-Sawyer-Straße an einem Beauty Shop vorbei, dessen begeisterte Kundin ihre Mutter gewesen war, und anschließend, jenseits der hermetisch abgeriegelten Campbell Barracks, zu einem German-American Gewerbegebiet, in dessen Mitte eine schmucklose Baptist Church stand. Als kleines Mädchen hatte sie hier bei einer kleinen Hochzeit Blumen gestreut, die Ehe zwischen einem Bostonian und einer Schwetzingerin war allerdings nach nicht einmal zwei Jahren wieder geschieden worden. Ich habe wohl komplett auf eure Seite hinübergewechselt, sagte Vivian, plötzlich ganz nachdenklich, und drehte sich, als suchte sie etwas, um ihre eigene Achse, ich habe tatsächlich überhaupt keinen Kontakt mehr zur Military Community. Und habe ihn noch nicht einmal vermißt. Nun komm schon, steig wieder ein, sagte Korinna. Sie fand sogar das Handschuhsheimer Gewerbegebiet, an dessen Rand Ilse, Pat, Frauke und Angela wohnten, einladender als dieses. Vivian fiel ein, daß Bodo Petersens Edinger Briefkasten total übergequollen war. Lag der Mann womöglich tot in seiner Wohnung?

Aus Vivian Atkinsons Weininger-Exzerpten: Und so ist die Frau auch nie nackt oder stets nackt, wie man es haben will: nie nackt, weil sie nie zum echten Gefühle einer Nacktheit wirklich gelangt; stets nackt, weil ihr eben das andere fehlt, das vorhanden sein müßte, um ihr je zum Bewußtsein zu bringen, daß sie objektiv nackt ist, und so ein innerer Impuls zur Bedeckung sein könnte. Und eine Frau ist objektiv stets nackt, selbst unter der Krinoline und dem Mieder. Wenn man eine Frau fragt, was sie unter ihrem Ich verstehe, so vermag sie nichts anderes sich darunter vorzustellen als ihren Körper. Ihr Äußeres, das ist das Ich der Frauen. Die Freude, die sich, selbst beim häßlichsten Mädchen, sowohl bei der Selbstbetastung als bei der Selbstbetrachtung im Spiegel, als auch bei vielen Organempfindungen einzustellen scheint. Die weibliche Art der Eitelkeit erklärt sich aus dem Fehlen des Eigenwertes der menschlichen Persönlichkeit. Das absolute Weib ist zerlegbar, ist ein Aggregat und daher dissoziierbar, spaltbar. Das lebende nackte Weib kann schon aus dem Grunde von niemand schön gefunden werden, weil der Geschlechtstrieb jene bedürfnislose Betrachtung unmöglich macht, welche für alles Schönfinden unumgängliche Voraussetzung bleibt. Das nackte Weib ist im einzelnen schöner denn als Ganzes; als solches nämlich erweckt es unvermeidlich das Gefühl, daß es etwas suche, und bereitet darum dem Beschauer eher Unlust als Lust. Am stärksten tritt dieses Moment des Insichzwecklosen, des einen Zweck außer sich habenden, am aufrecht stehenden nackten Weibe hervor; durch die liegende Position wird es naturgemäß gemildert. In aller Liebe liebt der Mann nur sich selbst. Er projiziert sein Ideal eines absolut wertvollen Wesens, das er innerhalb seiner selbst zu isolieren nicht vermag, auf ein anderes menschliches Wesen. Alles, was man selbst sein möchte und nie ganz sein kann, auf ein Individuum häufen, es zum Träger aller Werte zu machen, das heißt lieben. Die Introjektion der Seele des Mannes in das Weib. Der Versuch, sich im Weibe selbst zu finden, statt im Weibe eben nur das Weib zu sehen, setzt notwendig eine Vernachlässigung der empirischen Person voraus. Der Geschlechtstrieb negiert das körperliche und das psychische, die Erotik noch immer das psychische Weib. Die ganz gemeine Sexualität sieht im Weibe einen Apparat zum Onanieren. Die Madonna ist eine Schöpfung des Mannes, nichts entspricht ihr in der Wirklichkeit. Eine völlige Umschaffung des Weibes. Wäre in der Frau an sich irgendwelche Schönheit, so würde sie nicht vom Manne immerfort es sich versichern lassen, daß sie schön sei.

Weininger weiter: Der Phallus ist das, was die Frau absolut und endgültig unfrei macht. Es ist also gerade jener Teil, welcher den Körper des Mannes recht eigentlich verunziert, welcher allein den nackten Mann häßlich macht, derselbe, der die Frau am tiefsten aufregt und am heftigsten erregt, und zwar gerade dann, wenn er wohl das Unangenehmste überhaupt vorstellt, im erigierten Zustande. Das Bedürfnis, selbst koitiert zu werden, ist zwar das heftigste Bedürfnis der Frau, aber es ist nur ein Spezialfall ihres tiefsten, ihres einzigen vitalen Interesses, das nach dem Koitus überhaupt geht; des Wunsches, daß möglichst viel, von wem immer, wo immer, wann immer, koitiert werde. Die Frauen haben keine Existenz und keine Essenz, sie sind nicht, sie sind nichts. Man ist Mann oder man ist Weib, je nachdem ob man wer ist oder nicht. Weil in der Frau kein Ich ist, darum ist für sie auch kein Du, darum gehören, nach ihrer Auffassung, Ich und Du zusammen als Paar, als ununterschiedenes Eines: darum kann die Frau zusammenbringen, darum kann sie kuppeln. Das Weib sucht seine Vollendung als Objekt. Der Mann ist Form, das Weib Materie. Die Nullität der Frauen, die mit allem beliebigen imprägniert werden können. Das Weib ist nichts, und darum, nur darum kann es alles werden; während der Mann stets nur werden kann, was er ist. Aus einer Frau kann man machen, was man will; dem Manne höchstens zu dem verhelfen, was er will. Die Frauen haben nicht diese oder jene Eigenschaft, sondern ihre Eigenschaft beruht darauf, daß sie gar keine Eigenschaften haben; das ist die ganze Kompliziertheit und das ganze Rätsel des Weibes, darin besteht seine Überlegenheit und Unfaßbarkeit für den Mann. Das Weib sündigt nicht, denn es ist selbst die Sünde, als Möglichkeit im Manne. Ein hohles Gefäß, eine Zeitlang überschminkt und übertüncht. Das Weib ist die Schuld des Mannes.

Noch Weininger: Wie man im anderen nur liebt, was man gern ganz sein möchte und doch nie ganz ist, so haßt man im anderen nur, was man nimmer sein will und doch immer zum Teil noch ist. Wer immer das jüdische Wesen haßt, der haßt es zunächst in sich: daß er es im anderen verfolgt, ist nur ein Versuch, vom Jüdischen auf diese Weise sich zu sondern. Dies ist es, was der Arier dem Juden zu danken hat; durch ihn weiß er, wovor er sich hüte: vor dem Judentum als Möglichkeit in ihm selber. Der echte Jude hat wie das Weib kein Ich und darum auch keinen Eigenwert. Der echte Jude wie das echte Weib, sie leben beide nur in der Gattung, nicht als Individualitäten. Männer, die kuppeln, haben immer Judentum in sich. Kuppelei als Grenzverwischung. Die Juden müßten erst das Judentum überwunden haben, ehe sie für den Zionismus reif würden. Es ist auch kein Zufall, daß die Chemie heutzutage in so weitem Umfang in den Händen der Juden sich befindet. Das Aufgehen in der Materie, das Bedürfnis, alles in ihr aufgehen zu lassen, setzt den Mangel eines intelligiblen Ich voraus, ist also wesentlich jüdisch. Sicherlich aber wird niemals das Organische aus dem Unorganischen, sondern höchstens dieses aus jenem zu erklären sein. Was dem echten Juden in alle Ewigkeit unzugänglich ist: das unmittelbare Sein, das Gottesgnadentum, der Eichbaum, die Trompete, das Siegfriedmotiv, die Schöpfung seiner selbst, das Wort: ich bin. Zwischen Judentum und Christentum, zwischen Geschäft und Kultur, zwischen Weib und Mann, zwischen Gattung und Persönlichkeit, zwischen Unwert und Wert, zwischen irdischem und höherem Leben, zwischen dem Nichts und der Gottheit hat abermals die Menschheit die Wahl. Das sind die beiden Pole: es gibt kein drittes Reich.

Korinna Kohn kam in einer Art Tunika, womöglich einer Gardine, zum Frühstück herunter; auf dem unfrisierten Kopf trug sie eine Fellmütze: War es die von Freuds Vater oder die von Sacher-Masochs Herrin? Mehr als eine Woche lang hatten die beiden Kommilitoninnen mit Fieber im Bett gelegen, jede in einem anderen Zimmer, wenngleich auf demselben Stockwerk, hatten sogar das Sleater-Kinney-Konzert in Karlsruhe verpaßt; seit gestern standen sie wenigstens zu den Mahlzeiten wieder auf. Frauke und Angela Stöver, die noch nicht einmal wußten, daß Korinna schwanger war, hatten aus Handschuhsheim angerufen und aufgeregt berichtet, daß sich Corin Tucker von Sleater-Kinney die Achselhöhlen rasierte, die Achseln ausrasierte, wie Angela sagte. Das klang wie ausradierte, fand Korinna. Außerdem sei die neue Schlagzeugerin, Janet Weiss, heterosexuell. An der Uni hatte ein kalifornischer Austauschstudent, bis über beide Ohren in einer germanistischen Arbeit über Laurence Rickels' These von Goethes Werther als erstem Beach Boy der Geschichte steckend, Materialien eines Forschungsprojekts über die unglaublichen Be-Bop-Nazis mitgebracht, welche, unter Ausschluß der gleichgeschalteten Öffentlichkeit, sowohl die jüdische Psychoanalyse weiterentwickelt als auch die Homosexualität als heilbar, nämlich neurotischen Ursprungs, erklärt und nächtelang auf Acetat-Platten mitgeschnittene Jam Sessions aus Minton's Playhouse durchgehört hätten: Dizzy Gillespie an der Trompete, Thelonious Monk am Klavier, Charlie Christian an der Gitarre, Kenny Clarke am Schlagzeug.

Frauke Stöver hatte, im Foyer des Hörsaalgebäudes, vorsichtig zu bedenken gegeben, ob derlei Entwürfe nicht letzten Endes auch dem von der Auschwitz-Lüge Vorschub leisteten, damit aber nur des Kaliforniers verächtliches Gewieher geerntet. Auf dem Universitätsplatz Plakate, welche den Auftritt eines Freiherrn von Richthofen im Deutsch-Amerikanischen Institut ankündigten. Hans Mühlenkamm hatte, nachdem Vivian auf seinem Anrufbeantworter gelandet war, zurückgerufen und begeistert davon erzählt, wie er den Übungsraum der Monks, einer aus amerikanischen GIs gebildeten Proto-Punkband der Jahre 1965 bis 1967, lokalisiert und, quasi um die Ecke, höchst seltene Schallplatten der Mannheimer Modern Jazz-Legende Wolfgang Lauth erworben hatte. Ein Teil der alten Industriegebäude um das MS Connexion herum sei abgerissen worden; eine völlig ungewohnte, neue Zufahrt zum HD 800. Der Speisewagen und seine Insassen auf der Fahrt von Mannheim nach Frankfurt als ästhetisches Purgatorium. Eine rauschende Ballnacht mit Grete in Offenbachs Fahrradhalle; und so weiter. Auch wollte Hans mit Vivian einmal detailliert darüber reden, weshalb ein Sissy Boy, ein effeminierter Junge, selbst von aufgeklärtesten Erwachsenen, von Heranwachsenden ganz zu schweigen, bis heute so viel weniger Achtung erführe als ein Tomboy, ein burschikoses Mädchen. Sobald Korinna und Vivian wieder wohlauf wären, wollten Frauke, Angela und Hans, womöglich mit Ilse, endlich einmal vorbeischauen. Nein, Pat sei schon seit Wochen verschollen.

Die Vierundzwanzigjährige notierte: Eine Tunika aus alabasterfarbener Seide, zum Teil mit schwarzen Querstreifen. Sandfarbene lange Westen aus Baumwolle über einer hellen Hose aus Georgette und einem Body aus Jersey, Blousons aus muskatnußfarbener Baumwolle. Indische Hemden, ein Sari aus Jersey-Dévoré, ein kastanienbrauner langer Safarimantel über khakifarbener Hose, ein sandfarbener Wickelrock mit Bustier. Ein eierschalfarbenes Hochzeitskleid aus Seidentüll mit leicht drapiertem tiefem Ausschnitt und Applikationen auf dem Rücken. Langes, enganliegendes Trägerkleid aus englischer Stickerei. Das zarte Elfenbein an den Oberschenkeln von einer handbreiten durchsichtigen Inkrustration unterbrochen, darunter aber bis auf den Boden weitergehend. Eine kurze, drapierte Jacke im schwarzen Allover-Blumenmuster, vier Jackenknöpfe mit echten gepreßten Blumen, vorne tief und hinten hoch reichende Kragen in Stola-Optik, mit quadratischen Stickerei-Einsätzen, das Ganze über und über mit kleinen Goldperlen und Pailletten übersät, getragen über einem cremefarbenen, mit gelben, himmelblauen, roten und violetten diagonalen Streifen überzogenen Kleid aus Seidenchiffon, das am Rücken mit schwarzen criss-cross-Streifen und an den Seiten mit schimmernden Einsetzarbeiten versehen ist. Kopfgepränge. Ein schwarzer Dornenkranz. Büstenhalter. Bustier. Vivian Atkinson saß, in einem von Korinna geborgten belgischen Pyjama, am Küchentisch und exzerpierte, während sie ihren Erkältungstee ziehen ließ, einen umfangreichen Artikel Alfons Kaisers aus der Frankfurter Allgemeinen Zeitung vom 20. Oktober, welche die Amorbacher Frauenärztin vor einigen Tagen dagelassen hatte. Das Prêt-à-porter sucht ethnische Korrektheit überschrieben, faßte er die neunzig neuen Pariser Modenschauen zusammen, darunter, lediglich erwähnt, auch eine von Lolita Lempicka.

Stammte diese vielleicht von der Malerin der Chemise rose ab?

Was genau ist eigentlich, fragte Vivian Korinna, ein Cul de Paris? Ganz einfach, ein unter dem rückwärtig aufgebauschten Kleid auf dem Po getragenes, die hintere Partie betonendes Gesäßpolster, ein Kissen, auf dem nur Blicke ruhen dürfen, antwortete ihre Freundin und setzte hinzu: Du weißt, daß es hier im Odenwald eine Ortschaft mit Namen Weiten-Gesäß gibt? Aber da hatte sich die Magistrandin bereits in eine aus der Zeitung gefallene Werbebeilage vertieft, deren Text den folgenden Wortlaut offenbarte: Ein Blickfang für Ihre Beine. Raffinierte, blickdichte Feinstrumpfhosen mit Lycra, ganz aktuell mit Karos, Rauten oder Häkelmustern. Der begehrende männliche Blick wurde hier abermals auf der Oberfläche der weiblichen Hülle eingefangen, dachte Vivian. Korinna drehte das Radio an, lüftete ihre Pelzhaube umständlich, um die fettig gewordenen Locken besser darunter zu verstauen, brühte sich gleichfalls einen Tee auf und verschwand für einen Moment in ihrem Arbeitszimmer. Der Wetterbericht kündigte eine sogenannte Inversionslage an. Und hier kam Korinna auch schon, mit einer Mappe unter ihrem Arm, zurück. Ein perfect schön Weibes=Bild muß haben ein Engelländisch Gesicht, einen Deutschen Leib, und einen podex aus Paris, hatte der Leibdiener der Schönheit, die Studierende besaß ein Faksimile davon, schon 1747 eingefordert. Keinen oder einen schlechten Hintern haben, sei immer ein ästhetisches Unglück, hatte Friedrich Theodor Vischer 1878 festgestellt; Korinna arbeitete, unter anderem, daran, herauszufinden, was genau Vischer wohl mit der bemerkenswerten Formulierung: keinen Hintern bezeichnet haben wollte.

Am 9.November waren dann Frauke, Angela und Hans tatsächlich aufgetaucht, wie zu erwarten, ohne Ilse, und mit einem Zwischenstop im Sensbachtal am Wildeleuthäusel, hatten einen schönen gemeinsamen Herbsttag mit Korinna und Vivian im Katzenwald verbracht und angeregt über die unterschiedliche gesellschaftliche Bewertung von Sissy Boys und Tomboys gestritten. Nachdem Frauke und Angela erst einmal angesichts Korinnas Schwangerschaft aus allen Wolken gefallen waren. Dabei waren sie selbst drauf und dran, ein Einfamilienhaus im Westen des Handschuhsheimer Gewerbegebiets zu beziehen. Der Offenbacher eher gelassen, mit nur gespieltem Erstaunen. Ihm gegenüber hatte Vivian einfach nicht dichthalten können. Am Abend, als der Lancia, mit Hilfe eines Fernstarts aus dem Tatra, bereits lief, hatte sich Hans Mühlenkamm, der pünktlich am nächsten Morgen in einer Röntgenpraxis auf dem Boxberg einen neuen Dienst antreten sollte, ziemlich spontan entschlossen, noch ein paar Tage im Bauland bei den genesenen Freundinnen zu bleiben. Jeden Morgen schlüpfte er, der unten im Wohnzimmer kampierte, in seinen speckigen blauen Overall von Ford Kurpfalz, darunter trug er, tagtäglich frisch von der Gastgeberin herausgelegt, um einiges zu große, schneeweiße Unterwäsche Heiners. Heute stürmte und regnete es draußen, Vivian wertete am Kachelofen ihre Weininger-Exzerpte aus, Hans und Korinna waren für ein Stündchen zum Penny Markt nach Mudau hineingefahren. Im Küchenradio der Bericht über einen Mann, der sich ausschließlich für Frauen-Jobs bewarb und nun in Mannheim wegen Betrugs vor Gericht stand. Vivian horchte auf und ging in die Küche hinüber. Besagter Mann, ein Jura-Student aus Trier, hatte sich bundesweit um Arbeitsplätze beworben, die für Sekretärinnen und Telefonistinnen ausgeschrieben worden waren, darunter sogar einen im Nonnenkloster der Franziskanerinnen zu Neuwied. Wann immer die jeweiligen Arbeitgeber seine Bewerbung mit der Begründung abgelehnt hatten, er sei als Mann für die betreffende Stelle ungeeignet, hatte er drei Monatsgehälter Entschädigung gefordert. Insgesamt siebzehnmal war der Sechsundzwanzigjährige vor ein Arbeitsgericht gezogen, um seine Forderungen einzuklagen. Viermal war es zu einem Vergleich gekommen, bei dem der Student je zweitausend Mark hatte einstreichen können, meistens war seine Klage jedoch abgewiesen worden. Nun hatte sich das Blatt gewendet, und der Mann stand in Mannheim unter Anklage, das im Bürgerlichen Gesetzbuch verankerte Diskriminierungsverbot in siebzehn Fällen mißbraucht zu haben. Vivian Atkinson ließ sich das kurz auf der Zunge zergehen: Mißbrauch des Diskriminierungsverbots; das war ja wirklich ein interessanter Casus. Hey, hört mal her, rief sie deshalb auch und drehte, als sie das herannahende Geklapper Hänschens und Korinnas vernahm, das Radio lauter, schnell, schnell, ein wirklich interessanter Fall.

Einige Tage später war es Korinna Kohn, die, mit der zerknüllten Ausgabe der Heimatzeitung vom Vortag, in welche ein Salatkopf gewickelt gewesen war, wedelnd, ins gut beheizte Wohnzimmer platzte, wo Hans noch tief schlief und Vivian an ihrem gleichmäßig schnurrenden Texas Instrument saß: Das Wall Street Journal hatte, im örtlichen Käseblatt zitiert, auf seiner Titelseite angekündigt, daß der Spielzeughersteller Matell seiner weltberühmten Glamour-Puppe Barbie 1998 ein neues Aussehen, ein sogenanntes natürlicheres Design, verpassen wolle. Die legendäre Oberweite werde schwinden, las Korinna vor, dafür an Barbies Taille, bei gleichzeitig deutlich schlankeren Hüften, etwas zugelegt werden. Ihre nach wie vor hyperfeminine Haarpracht werde spürbar weicher sein sowie, bislang selbstredend blond, dunkler, mit nur vereinzelten goldenen Strähnen drin, ins fast Brünette spielend. Und jetzt kam das, was für Korinna Kohn die eigentliche Revolution im Hause Matell ausmachte: Barbies seit den siebziger Jahren nicht wegzudenkendes Dauerlächeln sollte, quasi ersatzlos, abgeschafft werden. Hast du dir, Viv, eigentlich schon einmal die Differenz zwischen Lächeln und Grinsen vor Augen gehalten? Bei Lewis Carroll gibt es ja diese Stelle, wo das Grinsen der Katze ohne den Körper der

Katze erscheint. Und: Hast du dir einmal die Kongruenz zwischen den Grübchen im Gesicht und jenen am Po überlegt? Die andauernde sprachliche Gleichsetzung von Wangen mit Backen, doch niemals die von Backen mit Wangen? Hänschen Pompadour schlug seine blauen Augen auf und wußte für einen Augenblick gar nicht, wo er sich befand. Weiße Zimmerdecke. Verdorrte Gladiolen. Ein Blumenfenster. Darin ein vernebelter Höhenzug. Tief hängende Wolkenfetzen. Ein Hochspannungsmast. Hans hob seinen Kopf und nahm Korinna in ihrem senfgelben Kaftan wahr, mit aufreizend ondulierter, fast ordinärer Mähne sowie enormen Ohrgehängen aus Bergkristall, im Rundbogen stehend. Und hier saß, wenn er sich zur Seite drehte, ganz nah vor ihm auch seine Angebetete, Vivian Atkinson, am niedrigen Couchtisch, in einem abenteuerlichen, rotsamtenen Hausanzug, über ihr elektronisches Notizbuch gebeugt. Bonjour, die Damen. Gedankenlos schlug Hans die Wolldecke, unter der er lag, zurück, und beide Frauen wurden schlagartig seiner morgendlichen Erektion ansichtig. Die fordernde Eindringlichkeit dieser maskulinen Schwellung, bemerkte Korinna Kohn abschätzig und mit unterdrückter Stimme, stellt sie nicht das paradigmatische Sinnbild zur ewigen Vergewaltigung der Frau dar? Lord have mercy, erwiderte Vivian Atkinson, und da kam Hans Mühlenkamm auch schon vom Klo zurück.

Im Faxgerät die von Frauke Stöver gesendete Fernkopie einer Berichterstattung der Süddeutschen Zeitung über das Comeback des Modeschöpfers Wolfgang Joop mit Comeback-Fotos des Supermodels Claudia Schiffer, blasses Gesicht, fast ungeschminkt, die Haare glatt. Joop begeisterte sich vor der SZ: Sieht sie nicht ethnisch aus? Und gab sich selbst die Antwort: Eine weiße Schwarze. Irre. Korinna versuchte sofort, im Gegenzug ihren Barbie-Artikel nach Handschuhsheim zu faxen, aber das zerknüllte, von Schneckenschleim verkleisterte Blatt wollte einfach nicht durch den Apparat gehen.

Statt dessen legte sie einen Kupferstich für Angela ein, welcher die Perforation von Brustwarzen illustrierte, mit denen Pariser Frauenzimmer einst ihren Busen zu akzentuieren, nicht selten auch zu vergrößern getrachtet hatten. Der Untertitel des galanten Bildchens lautete: Gestern erst hatte ich die Ehre, einer Prinzessin aus königlichem Geblüt die Brüste zu durchbohren. Säuglinge konnten aus derartig manipulierten Mammae jedenfalls keinen Tropfen mehr gewinnen. Auch Angela, womöglich schon Angelo, hatte sich ihre, respektive seine mageren Brustwarzen durchbohren lassen, um an besonderen Tagen Ringe hindurchziehen und eine Kette zwischen beiden spannen zu können. Korinna fand das zwar, sozusagen fachlich, hochinteressant, hätte ihrem eigenen Busen derlei jedoch niemals antun wollen; auch vor ihrer Schwangerschaft nicht. Hans, der sich flugs angezogen hatte und unter seinem Overall, über einem Achselhemd Heiners, der kälteren Jahreszeit wegen, noch Korinnas hellblaues Cat Power T-Shirt trug, äußerte amüsiert die Vermutung, daß Angela Stöver wahrscheinlich die absolut einzige Monika-Abonnentin sei, die solch speziellen Schmuck trüge. Vivian fragte, ab welcher politischen Positionierung am kategorisierten Körper ein Ring als Intimschmuck, oder überhaupt als speziell, bezeichnet würde. Und Korinna setzte hinzu: Wenn selbst die funktionellen erogenen Zonen auf primitiv ausgehandelten Pakten beruhen, also nichts als Politika sind, wie kann ich mir mein, naja, persönliches Lustempfinden unter diesen Umständen wenigstens noch als meine Beute, mein Privateigentum, sichern? Eine fast betretene Stille erfaßte das Arbeitszimmer, von draußen ließ sich das Mittagsgeläut aus Mudau vernehmen, dann verließen die drei FreundInnen, durch Hans mit großem Binnen-I, das Faxgerät, um das herum sie die ganze Zeit gestanden hatten, nahmen gemeinsam am Frühstückstisch Platz und einigten sich abermals auf die, in Baden-Württemberg nicht weniger als in Ohio, äußerste Fragwürdigkeit der Einrichtung sogenannter primärer beziehungsweise sekundärer und tertiärer Geschlechtsmerkmale.

Aus Vivians Boardcase: Fragmentierung und Erlösung. Schon im Mittelalter galt allgemein der Geist als männlich, der Leib als weiblich. Caroline Walker Bynum sah in dieser Gleichsetzung von Frau und Fleisch aber nicht nur eine Grundlage der Misogynität, sondern auch einen Zusammenhang zwischen der Frau und dem Leib Christi. So konnte Hildegard von Bingen das Männliche als Symbol der Göttlichkeit Christi sehen und das Weibliche als Symbol seiner Menschlichkeit. Diese Verknüpfung lag Hildegards wiederholt geäußerter Position zugrunde, daß Frauen das Priesteramt zu Recht verwehrt bliebe, da sie sich auf eine andere Weise mit Christus vereinigen könnten. Siehe auch die Ekstase bei der Eucharistie. Als Bräute Christi waren die Frauen nicht bloß Repräsentanz Christi, sondern wurden in der unio mystica zu seinem Leib. Häufig wurde sogar das Fleisch Christi als etwas Weibliches angesehen, mindestens in seinen erlösenden Aufgaben, dem Bluten und Nähren. Das erhellt, schrieb die Mediävistin, wieso mehr Frauen als Männer Christus körperlich, insbesondere durch Stigmatisierung, imitierten. Und bringt uns, sage ich, sagte Vivian, zu unserem Problem der Impersonation. In weiterer Hinsicht auch zu dem unmännlichen Juden Daniel Boyarin. Womöglich sogar zu den Hippies; der erste Freund meiner Mutter soll, nach den Erzählungen meiner Hanau-Oma, frappant wie Jesus ausgesehen haben. Aber weiter: Da Christus, eingedenk Marias Unbefleckter Empfängnis, keinen menschlichen Vater hatte, kam sein ganzer Leib von Maria und war daher eng verbunden mit dem weiblichen Fleisch. Ich sehe aber nicht ein, erregte sich Korinna Kohn, daß mein mütterlicher Leib weiblich codiert werden muß. Das stimmt, sagte Hans, vor allem angesichts der sozialen Implikationen, welche das weiblich Codierte heutzutage mit sich bringt. Im Mittelalter dagegen, setzte Vivian fort, war es zumindest Klosterfrauen, Mystikerinnen, aber auch Geistlichen wie Anselm von Canterbury möglich, Jesus als Mutter zu betrachten. Wenn er sie in der Eucharistie mit der aus seiner Brust quellenden Flüssigkeit stillte, wenn er die Kirche aus seiner Seite gebar. Ihr wißt, daß ich das alles von Frauke habe? Demnächst Dr. Frauke Stöver. Korinna begeisterte sich darüber, wie die mittelalterlichen Nonnen den geschlechtlichen Binarismus unterliefen. Und dazu kam noch etwas ganz anderes.

Ein Großteil der Debatte um die Auferstehung des Leibes und die Beziehung zwischen Leib und Seele drehte sich im zwölften, dreizehnten Jahrhundert nicht um den Gegensatz zwischen Leib und Seele, sondern um die Kontinuität des Leibes. Fragen nach der Auferstehung von Embryonen, Vorhäuten oder Fingernägeln, nach der subtilitas der verherrlichten Körper, Fragen, wie und ob Gott den Amputierten oder den Dikken wiederherstellen werde, als Fragen nach der Wiederzusammenfügung von Körperteilen. Caroline Walker Bynum fragt nun: Wovon, Korinna, hängt die Identität des irdischen und des auferstandenen Körpers ab? Was von mir muß auferstehen, damit ich der auferstandene Körper bin? Du kannst dir vorstellen, welche Worte hier in Anführungszeichen gesetzt wurden. Auf damaligen Kreuzigungsbildern ist die Wunde an der Seite Christi häufig als unabhängiger Körperteil abgebildet, von seinem Körper losgelöst, frei schwebend, vulvaförmig. Der Betrachter, die Betrachterin, taucht in diese Wunde ein wie in einen Mutterschoß. Vivian blätterte Hans und Korinna einige Abbildungen in Fragmentierung und Erlösung herbei. Und dazu würde ich euch gern eine Stelle aus Willa Cathers Roman Der Tod kommt zum Erzbischof, 1927, vorlesen. Eine Leihgabe meines Professors übrigens, nachdem ich zum dritten Mal in seine Sprechstunde gekommen war.

Kommt, ich weiß einen Ort. Schnell, Padre. Der Bischof war geblendet und atemlos, er keuchte mit offenem Munde. Er kletterte über halb unsichtbare Felsen, fiel über gestürzte Bäume, sank in tiefe Löcher und arbeitete sich heraus, immer folgend den roten Decken auf der Schulter des Indianerjungen, die auch dann noch hervorstachen, wenn der Junge selbst dem Blicke verloren war. Plötzlich schien der Schnee spärlicher zu fallen. Der Führer blieb stehen. Sie befanden sich, wie der Bischof feststellte, unter einer überhängenden Felsenwand, die den Sturm abdämmte. Jacinto ließ die Dekken von seiner Schulter fallen und schickte sich anscheinend an, den Felsen hinaufzuklettern. Aufblickend nahm der Bischof eine sonderbare Gesteinsformation wahr: zwei gerundete Felsplatten, eine unmittelbar über der anderen, mit einer maulartigen Öffnung dazwischen. Sie erinnerten an zwei ungeheure, steinerne Lippen, ein wenig geöffnet und aufgeworfen. Jacinto kletterte geschwind empor zu diesem Maul auf Tritten, die ihm wohlbekannt waren. Oben angelangt, legte er sich auf die untere Lippe nieder und half dem Bischof emporklimmen. Er bat Pater Latour, auf diesem Vorsprung zu warten, bis er das Gepäck heraufgeschafft habe. Ein paar Augenblicke später schlüpfte der Bischof, hinter Jacinto mit den Decken, durch die Mündung in den Rachen der Höhle. Im Inneren stand eine Holzleiter, gleich jenen wie sie in Kivas benutzt werden, und über diese hinab gelangte man unschwer auf den Fußboden. Er fand sich in einer hohen Kaverne, die in ihren vagen Umrissen etwa an eine gotische Kapelle erinnerte, die einzige Öffnung kam von der schmalen Öffnung zwischen den Steinlippen. So groß auch sein Bedürfnis nach Obdach war, fühlte sich der Bischof beim Herabsteigen der Leiter doch von einem Zögern ergriffen, von einem äußersten Widerwillen gegen diesen Ort. Die Luft in der Höhle war eisig, sie drang bis auf die Knochen, und er spürte sogleich einen stinkenden Geruch, der nicht sehr stark, jedoch sehr unangenehm war. Etwa zwanzig Fuß über seinem Kopf ließ das offene Maul das graue Tageslicht herein wie einen bleichen Querbalken.

Eines ziemlich durchwachsenen Tages im späteren November spielten Korinna, Vivian und Hans Krocket im Garten hinter dem Haus; Korinna hatte das Spiel unter Heiners alten Sachen im Keller entdeckt, und Vivian sollte endlich einmal vom Flüssigkristall loskommen, in welchen sie während der letzten Wochen fast einhundert druckreife Seiten ihrer ohnehin schon als viel zu umfangreich erachteten Magisterarbeit gehauen hatte. Zu Versaces Disco Dirndl hatte sie sich eine Pelzstola Mutter Kohns um die Schultern gelegt, ihre Strumpfhose war blickdicht. Hans trug Heiners gräßliche, selbstredend weiße Lederjacke über dem mittlerweile gründlich gewaschenen Overall und hatte sich, wie einst als kleiner Junge, die Fingernägel blau lackiert. Korinna in einem synthetischen Teddybärenkostüm ohne Kopf; angeblich ein Mitbringsel ihres Vaters aus Leningrad, dem heutigen St. Petersburg, das ihr bislang immer bei weitem zu groß gewesen sei. Korinna lag haushoch in Führung, als das Telefon klingelte und Frauke Stöver eine uniweite Vollversammlung für kommenden Mittwoch, inklusive Streikabstimmung, ankündigte. Tags darauf, am 27. November, würde eine bundesweite Demonstration gegen den Bildungs- und Sozialabbau in Bonn stattfinden; vierzig Mark für die Hin- und Rückfahrt, ob sie denn nicht mitkommen wollten? Korinna hatte sofort auf Mithören geschaltet, aber Vivian und Hänschen, in der offenen Terrassentür, die Krocketschläger in den Händen, ließen keinen Muckser vernehmen. Auch Korinna, in ihrem sogenannten Zustand, wußte nicht so recht, was sie sagen sollte, und fragte kleinlaut nach, was denn überhaupt unter einem Uni-Streik zu verstehen sei. Na gut, schmollte Frauke, ihr wollt offenbar nicht kapieren. Ansonsten, fuhr sie aber gleich wieder unbekümmert fort, seien demnächst phantasievolle Aktionsformen wie alternative Vorlesungen in der OEG zu erwarten, ein Striptease im Schaufenster des Vinyl Only-Plattenladens, und so weiter; ich melde mich dann wieder.

Am selben Tag in der Rhein-Neckar-Zeitung: Der französische Soziologe Pierre Bourdieu hatte in Ludwigshafen den Ernst-Bloch-Preis verliehen bekommen, der amerikanische Rapper Coolio in einer Böblinger Boutique Klamotten mitgehen lassen sowie eine Verkäuferin in den Bauch geschlagen. Die Inderin Diana Hayden war auf der einst von Portugiesen, wie es hieß, entdeckten, später von Franzosen und Briten, wußte Korinna Kohn, kolonisierten, im Indischen Ozean liegenden Inselgruppe der Seychellen zur Miss World gekürt worden. Die Heidelberger Universität besaß nun schon seit zehn Jahren keine Frauenbeauftragte mehr; wobei über die Hälfte der Studierenden weiblichen Geschlechts sei. Die Zahl der Doktorandinnen betrage siebenunddreißig Prozent, jene der Habilitandinnen vierzehn Prozent. Bei vierundneunzig Prozent männlicher Professoren. Der Mannheimer Morgen brachte einen etwas ausführlicheren Bericht über die umstrittene Kür der Miss World; so unterhielte die Siegerin angeblich geschäftliche Beziehungen zu einem der Juroren. Der Literaturkritiker Marcel Reich-Ranicki hatte eine glänzende Rede in der Eichbaum-Brauerei gehalten. Und der Ludwigshafener Festakt für Pierre Bourdieu war dem Mannheimer Morgen ein großes Farbfoto im Querformat wert gewesen. Pünktlich zur Preisverleihung sei auch das tolle neue Ernst-Bloch-Zentrum ins Leben gerufen worden. Der Kultursoziologe habe zur Bildung einer neuen Internationalen aufgerufen. Super-Aufsatz auch von Bourdieu über la domination masculine, um den die Herausgeberinnen Irene Dölling und Beate Krais erst kürzlich einen ganzen Reader zur Geschlechterkonstruktion in der sozialen Praxis versammelt hatten, empfahl Hans Mühlenkamm. Liegt oben in meinem Boardcase, antwortete Vivian Atkinson, ein rotes Bändchen. Pierre Bourdieu im Gespräch: Ich hatte den Eindruck, daß die Idee der symbolischen Gewalt etwas war, das in der theoretischen Begründung der feministischen Kritik noch fehlte. Nicht, daß ich gedacht hätte, die feministische Kritik sei nicht von Interesse, weit entfernt. Je mehr Arbeiten von Historikerinnen, Soziologinnen, Ethnologinnen und so fort ich lese, desto mehr denke ich, daß es mit der feministischen Kritik eine gänzlich neue, enorme empirische Arbeit gibt, die einen bedeutenden Schritt voran in den Sozialwissenschaften darstellt. Aber mir scheint, daß eine systematische und kohärente theoretische Konstruktion fehlt, die alle diese Ergebnisse empirischer Forschung begründen könnte. In meinem Artikel habe ich eine solche Konstruktion versucht. Frechheit, sagte Korinna Kohn, schneuzte sich in ein Papiertaschentuch und trug das rote Bändchen wieder hoch. Brachte Batterien mit herunter, denn Heiners islamische Küchenuhr war stehengeblieben.

Als ob die Krocketspielerinnen und der Krocketspieler es geahnt hätten, verliefen die folgenden Protestbewegungen nach einem außerordentlich gemäßigten Muster; die verantwortlichen Politiker offenbarten sogar Verständnis für die Forderungen der eifrigen Studenten, kein SPK war irgendwo ins Leben gerufen, nicht ein Polizeiauto angezündet worden, der gesamte Begriff des Politischen hatte sich gleichsam verflüchtigt. Der gehört jetzt ganz uns, stellte Hans Mühlenkamm feierlich fest, ich arbeite zum Beispiel politisch auf den Tag hin, an dem ich meine Heterosexualität mit der gleichen Nichtselbstverständlichkeit affirmieren kann wie Frauke ihre Homosexualität. Die Dekonstruktion der Identität bedeute eben keine Dekonstruktion der Politik, sagt Judith Butler, sondern sie stelle gerade jene Termini, in denen sich die Identität artikuliert, als politische dar. Ich habe zwar ein gebrochenes Verhältnis zur Macht, aber es handelt sich dabei um dieselbe Macht, welche mir erst erlaubt, Ich zu sagen. Politik kann ich einfach nicht mehr als Satz von Verfahren betrachten, die aus den angeblichen Interessen vorgefertigter Subjekte abgeleitet werden. Kurzum: Identitätsstiftung, so Hans, funktioniert nur über schmutzigste Ausschlußverfahren. Schau mir über die Schulter, Kleiner, erwiderte, gut gelaunt, Vivian, die soeben ihr Texas Instrument eingeschaltet hatte, um die folgenden Stichworte in den Kontext ihrer Magisterarbeit zu flechten: Otto Weiningers phallogozentrische Formel, der Mann sei um jenen Anteil weiblich, um den er nicht männlich sei, als primäre Konstituante der Heterosexualität. Luce Irigaray: Es gibt nur ein Geschlecht, und das ist das männliche. Die Frau als dieses männliche Geschlecht, welches lediglich im Gewand der Andersheit auftritt. Simone de Beauvoir: Die Frau ist das Andere, das andere Geschlecht. Irigaray: Die Frau ist das Abwesende, das abwesende Geschlecht. Die angeblich binäre Beziehung zwischen den Geschlechtern als maskuline List, welche Weiblichkeit insgesamt ausschließt. Judith Butler: Frauen sind weder das Subjekt noch dessen Anderes, sondern eine Differenz von der Ökonomie des binären Gegensatzes, die ihrerseits die monologische Ausarbeitung des Männlichen verschleiert. Nach Claude Lévi-Strauss: Die Frau als Zierde des Mannes, Tauschobjekt männlichen homosozialen Begehrens. Luxusweibchen. Die den Namen des Mannes reproduzierende Braut reflektiere, in einem Verhältnis zwischen Männern, die männliche Identität, indem sie den Schauplatz ihrer Abwesenheit darstelle. Lacan: Ausgerechnet um dessentwillen, was sie nicht ist, meint sie, begehrt und zugleich geliebt zu werden.

Hans Mühlenkamm hatte sich hinter die Magistrandin gestellt und ließ nun seinen Blick auf ihrem Bildschirm ruhen. Vivian saß, in einem hellblauen, dekolletierten Cocktailkleid aus Korinnas reichem Fundus, auf einem beigefarbenen mauretanischen Puff, an dem von Zetteln, Disketten sowie aufgeschlagenen Büchern übersäten Couchtisch und überlegte sich, wie sie Irigarays Kritik an Lacan und Butlers Kritik an Irigaray in den Dienst ihrer eigenen interrogativen Argumentation stellen könnte. Luce Irigaray hatte, las Hans, den Phallogozentrismus Jacques Lacans entlarvt. Kein Fragezeichen. Die Eigennamen und die Vokabel Phallogozentrismus, der Rechtschreibung von Windows 95 unbekannt, mit einer roten Wellenlinie unterstrichen. Nach zwei Minuten tauchten, von rechts, die Worte Vivian Atkinsons Bildschirmschoner auf. Vivian seufzte und strich sich mit beiden Händen die Haare nach hinten. Der arbeitslose Gelegenheitsarzthelfer vertiefte sich in die rückwärtige Betrachtung der Studentin. Ihrer Silhouette, ihres Halses, ihrer Ohrläppchen? Ging ansatzweise in die Hocke und stützte sich auf seinen Oberschenkeln ab. Sein zierlicher Körper schemenhaft, matt, auf Vivians automatisch verdunkeltem Bildschirm. Das Lodern der Flammen im Kachelofen. Die Nachdenkende spürte den Hauch von Hänschens Atem in ihrem Nacken. Er womöglich den etwas aufdringlichen Duft ihres amerikanischen Shampoos in seiner Nase. Hans, Cat Power T-Shirt, weit ausgestellte Blue Jeans, barfuß, reckte den Kopf ein wenig nach vorn, nahm ihn dann aber augenblicklich wieder zurück. Hatte er sich verboten, sein Augenmerk in Vivians Ausschnitt zu versenken? Die Frau am Computer schaute impulsiv an sich selbst hinunter. Ihr etwas hochgerutschter Saum. Die Knie in hauchdünnem, hautfarbenem Kunstgewebe. Fleischfarbenem, wie Gerlinde Atkinson immer gesagt hatte.

Vivian Atkinson tippte: Monique Wittig behauptet nun, vor Judith Butler, die Kategorie Geschlecht sei unter den Bedingungen der Zwangsheterosexualität immer weiblich. Die Frau fungiere als Term, der eine Binarität und gegensätzliche Beziehung zu einem Mann stabilisiere. Eine Lesbierin sei demnach keine Frau und habe auch kein Geschlecht. Hast du ein Geschlecht, fragte Hans Mühlenkamm übermütig, noch immer hinter ihr, bist du denn eine Frau? Der Army Brat fragte sofort zurück: Und du? Und reichte ihm, habe ich letzte Woche aus der Zeitung rausgerissen, eine weitere Meldung zum Thema Männer in Frauen-Jobs nach hinten. Hans las: Kann ein Mann Geschäftsführerin beim Deutschen Müttergenesungswerk sein? Mit der Frage möglicher sexueller Diskriminierung eines Mannes beschäftigt sich seit Freitag das Arbeitsgericht Nürnberg. Ein vierzigjähriger Jurist hatte das Müttergenesungswerk auf Schadenersatz verklagt, weil seine Bewerbung abgelehnt worden war. Für die Position war ausdrücklich eine Frau gesucht worden. So wie die Doktorin Ancelet und eigentlich alle bisherigen Arbeitgeber des aschblonden Hänschens eine schmucke Arzthelferin gesucht hatten. Die Güterverhandlung habe ohne Annäherung zwischen den Parteien geendet, berichtete die dpa. Ein nicht ganz alltäglicher Fall, der vielleicht noch den Europäischen Gerichtshof beschäftigen werde, resümierte der Arbeitsrichter. Entscheidend sei, ob der Kläger ausschließlich wegen seines Geschlechts abgelehnt worden sei. Was das Müttergenesungswerk nun absolut bestritt. Der Bewerber habe ganz einfach nicht dem Anforderungsprofil entsprochen. Hans atmete tief durch und heftete seinen Blick erneut auf Vivians Bildschirm. Butlers Kritik an Wittig: Wenn sich das Lesbentum in radikaler Ausschließung von der Heterosexualität definiert, beraubt es sich selbst der Fähigkeit, jene heterosexuellen Konstrukte zu resignifizieren, die es selbst zum Teil konstituieren. Damit würde die lesbische Strategie gerade die Zwangsheterosexualität in ihren repressiven Formen festigen.

Vivian ließ Hans einen Tee aufbrühen, erhob sich und ging zum Telefon: Wenn eine Lesbierin keine Frau war, konnte Luis Trenker doch erst recht lesbisch gewesen sein. Frauke Stöver freute sich über den Anruf Vivian Atkinsons, und die bat darum, daß die Stövers bei ihrem nächsten Besuch im Bauland doch bitte Angelas Bibel mitbringen sollten; sie müsse daraus unbedingt etwas exzerpieren. Ich schenke dir eine aus meiner Sammlung, rief Angela von hinten und griff nach dem Hörer. Sie hatte, daheim in der Po-Ebene, einen großen Bruder, der im priesterlichen Zölibat lebte und seine kleine Schwester sehr regelmäßig mit allerlei kirchlichem Zubehör versorgte. Selbst eine schüttere Kutte, die sie allerdings kaum je herausnahm, hatte die Kellnerin in ihrem Handschuhsheimer Schrank hängen. Wie ein Kleid sei die zu tragen. So auch die festlichen Gewänder ihres großen Bruders; der habe sich überhaupt immer schon irre gern verkleidet. Aber ein Geistlicher im Ornat ist doch nicht verkleidet, wandte Hans ein, nachdem Vivian den Hörer aufgelegt hatte, und er ist auch, mit Verlaub, im womöglich voreiligen Umkehrschluß zu deiner Monique Wittig, ich meine das hier durchaus positiv, kein Mann. Dann rief Hans nach oben, ob Korinna auch Tee trinken wolle.

Dritter Advent. Im Angesicht eines Spiegels, begrüßte Vivian Frauke und Angela, was würdet ihr sagen: Ich sehe in den Spiegel, auf den Spiegel, durch den Spiegel hindurch, oder wird mein Blick seitenverkehrt auf mich selbst, beziehungsweise auf sich selbst, zurückgeworfen? Frauke wußte auf Anhieb keine Antwort und blieb wie angewurzelt stehen. Angela machte einen Knicks und fand, daß die katholische Kirche eine reflektierende Oberfläche darstelle, welche den gläubigen Blick hindurchlasse. Donna Haraway hätte mit ihrer Erkenntnis des narrativen Charakters der sogenannten Naturwissenschaften endlich auch den Darwinismus zu Fall gebracht, die postmoderne Auflösung des modernen Subjekts die Auferstehung der Seele ermöglicht. Ein Gottesbeweis, strahlte Angela Stöver. Stimmt, rief Korinna von oben, mit tollen Haaren und goldener Tunika, an Heiners Eingangstür, schon Foucault sagte, man sage nicht, die Seele sei eine Illusion oder ein ideologischer Begriff. Und Judith Butler fügte hinzu, ergänzte Frauke, in diesem Sinne sei die Seele eine Oberflächenbezeichnung, welche die Unterscheidung zwischen Innen und Außen selbst anfechte und verschiebe. Die ach so dumme Subjekt-Prädikat-Objekt-Formel: auch für

Hans und Korinna die Wurzel allen Übels. Ich bin eine Frau, das läßt sich tatsächlich so nicht sagen, sagte Vivian. Du bist keine Frau, ergänzte Frauke und überreichte der Brünetten einen fetten Blumenstrauß, aber du tust eine Frau sein. Mann, war das kompliziert. Jetzt sollten Frauke und Angela aber erst einmal hereinkommen; Schluß mit dem Quiz auf der Grundstückseinfahrt. Die abermals in Hemingways Partnerlook platinblond coiffierten Besucherinnen entledigten sich ihrer Jacken, unter denen sie steife, gefütterte Lodenkleider trugen, rieben ihre Hände aneinander und sagten unisono: Schön warm habt ihr es hier. Offensichtlich war die Heizung ihres Lancia ausgefallen. Noch nie gegangen, lachte Frauke. Und wie der kubanische Kaffeeduft an die Garderobe wehte.

Angela hatte die mitgebrachte Bibel, ein antiquarisches, einigermaßen gut erhaltenes Stück aus Südtirol, sogar in einen rosafarbenen Bogen Seidenpapier gewickelt, auf den sie mit ihrem purpurfarbenen Lippenstift Love geschrieben hatte, und Vivian mußte ganz festlich tun, ehe sie endlich an das ersehnte Zitat herankam. Am anderen Ende des Tisches drang derweil Frauke in Korinna, daß sie ihr unbedingt endlich ihren teuren Dildo zurückgeben solle. Brauchte sie den für ihre ominösen Einsätze als Hosteß? Hans, heute ganz Ganymed, servierte aufgetautes Quarkgebäck aus Walldürn zum Kaffee. Okay, Apostel Paulus' erster Brief an die Korinther, 13, 11 bis 13: Als ich ein Kind war, redete ich wie ein Kind, dachte wie ein Kind und urteilte wie ein Kind. Als ich ein Mann wurde, legte ich ab, was Kind an mir war. Jetzt schauen wir in einen Spiegel und sehen nur rätselhafte Umrisse, dann aber schauen wir von Angesicht zu Angesicht. Jetzt erkenne ich unvollkommen, dann aber werde ich durch und durch erkennen, so wie ich auch durch und durch erkannt worden bin. Für jetzt bleiben Glaube, Hoffnung, Liebe, diese drei; doch am größten unter ihnen ist die Liebe. So weit das Bozener Buch der Bücher. Und wißt ihr, fragte Vivian, während die anderen vier in ihre Buchteln bissen, was Augustinus in De Trinitate vor bald eintausendsechshundert Jahren in seiner Zelle dazu einfiel? Angela schlug ihre makellos rasierten Beine übereinander und klatschte, der Botschaft vorauseilend, entzückt in ihre manikürten Hände. Manche, trug Vivian Atkinson feierlich, ein Meter achtzig, stehend vor, sehen zwar den Spiegel, aber so wenig sehen sie durch den Spiegel jenen, der jetzt durch den Spiegel zu sehen ist, daß sie nicht einmal vom Spiegel, den sie sehen, wissen, daß er Spiegel, das heißt Bild ist. Meint ihr, fragte die Magistrandin in die Runde, das ist als Motto für eine wissenschaftliche Arbeit zu religiös? Überhaupt nicht, fand Angela Stöver, und die anderen stimmten ihr ausnahmsweise zu.

Well. Diejenigen jedoch, las Vivian eine andere Stelle von Aurelius Augustinus, die Angela offenbar kannte, vor, welche in diesem Spiegel, also Dativ, und Rätselbilde zu schauen vermögen, soweit uns in diesem Leben eine Schau gewährt wird, sind nicht jene, die das, was wir ausgeführt und aufgezeigt haben, in dem Bestande ihres Geistes erblicken, sondern jene, die den Geist in seiner Abbildhaftigkeit sehen, so daß sie, was sie sehen, irgendwie auf jenen beziehen können, dessen Bild er ist, und durch das Bild, das sie erblicken und schauen, auch jene Wirklichkeit sehen, wenn auch nur in schwachem Ahnen, da sie dieselbe ja noch nicht von Angesicht zu Angesicht schauen. Denn nicht sagt der Apostel: Wir sehen jetzt in einen Spiegel, sondern: Wir schauen jetzt durch einen Spiegel. Right on. Was für eine Konstruktion, schloß die Studierende begeistert ab. Was für eine Religion, jubelte Angela, deren großer Bruder Augustinus angeblich komplett im Kopf hatte. Dann schwebte, zwei, drei Minuten lang, ein Engel durch den Raum. Das Radio, das so gut wie ständig in der Küche lief, vermeldete, in Ludwigshafen am Rhein seien, wegen des akuten, äußerst riskanten Entschärfens einer Bombe aus dem letzten Weltkrieg, rund zwanzigtausend Bürger evakuiert worden.

Aus aller Welt: In den USA war eine einmotorige Piper Comanche, vom Autopiloten gesteuert, noch vierhundert Kilometer weitergeflogen, nachdem der Pilot ohnmächtig geworden war. Dieser, ein Arzt, hatte sich auf einem Flug von seinem Heimatort Hoisington ins zweihundertsechzig Kilometer entfernte Topeka befunden, als er durch das Einatmen von Abgasen, die in das Cockpit gelangt waren, sein Bewußtsein verlor. Das Kleinflugzeug blieb auf Kurs und flog mehr als vierhundert Kilometer weit in den benachbarten Bundesstaat Missouri. Dort ging es, nachdem der Treibstoff verbraucht war, auf einem Acker nieder. Die viersitzige Maschine schlitterte über ein abgeerntetes Weizenfeld und wurde von einer Baumreihe gestoppt. Als der Pilot aufwachte, stellte er nur leichte Schnittverletzungen und ein gebrochenes Handgelenk fest. Cockpit, beantwortete Vivian Hänschens diesbezügliche Frage, ließe sich allenfalls als Hahnengrube ins Deutsche bringen. An der Nordseeküste belastete die Zerlegung zahlreicher gestrandeter Pottwale die Psyche freiwilliger Helfer. Der Direktor eines Meeresaquariums bekundete per O-Ton, während der qualvollen Tage, an denen er diese wundervollen, mächtigen Säugetiere zerlegt hatte, sei ihm ganz schön etwas durch den Kopf gegangen. Womöglich auch der Unterschied zwischen erlegt und zerlegt, bemerkte Korinna trocken. Sie blätterte in der Programmvorschau, die sie, halb unter dem Tisch, auf ihren Knien ausgebreitet hatte, und suchte sich den niederträchtigsten Talkshow-Nachmittag der kommenden Woche aus. Nach wenigen Seiten wurde sie fündig und deklamierte, zur allgemeinen wissenschaftlichen Erheiterung: Zuerst SAT 1 um eins, Sonja mit ihrem Thema: Rund und sexy, Doppelpunkt, einhundertsiebzig Kilogramm in Dessous. Dann, vierzehn Uhr, gleichzeitig, auf RTL sowie Pro Sieben, Bärbel Schäfer mit der bekannten

Trope: Kinderkriegen versaut die Figur, respektive Arabella Kiesbauers Dauerbrenner: Immer Ärger mit dem Busen.

Also noch einmal, Angela, denn Angela, Male als auch Female Impersonator, wollte es nunmehr wirklich wissen, und Korinna hatte ihr deutsches Exemplar von Gender Trouble, Das Unbehagen der Geschlechter, herbeigeholt: Der Phallus sein bedeutet für die Frauen, so Butler nach Lacan, daß sie die Macht des Phallus widerspiegeln, diese Macht kennzeichnen, den Phallus verkörpern, den Ort stellen, an dem der Phallus eindringt, und den Phallus gerade dadurch bezeichnen, daß sie sein Anderes, sein Fehlen, die dialektische Bestätigung seiner Identität sind; sein und sind natürlich in Anführungszeichen, betonte Korinna Kohn. Wenn Jacques Lacan behauptet, daß das Andere, dem der Phallus fehlt, der Phallus ist, letzteres Wort kursiv, will er offenbar darauf hinweisen, daß die Macht des Phallus durch die weibliche Position des Nicht-Habens bedingt ist und daß das männliche Subjekt, das den Phallus hat, hier jetzt hat in Anführungszeichen, die Andere braucht, die den Phallus bestätigt und somit im, jetzt wieder Anführungszeichen, erweiterten Sinne der Phallus ist. Vivian konnte sich gar nicht erinnern, daß Judith Butler, Lacan referierend, tatsächlich den Terminus Subjekt verwendet hatte. Frauke schon eher. Wie aber entsteht der, witzigerweise, blickte Korinna auf, in Anführungszeichen, Schein, daß eine Frau der Phallus beziehungsweise der Mangel ist, der den Phallus verkörpert und bestätigt? Nach Lacan ist dies der Maskerade geschuldet, dem Effekt der Melancholie, die der weiblichen Position als solcher wesentlich ist. Wie sollte sich aber auch ein Mann, fragte Angela Stöver aufgekratzt zurück, so einen Dildo umschnallen können? Vivian war sich nicht sicher und sprach dies auch den Anwesenden gegenüber aus, ob Angela jetzt alles oder gar nichts verstanden hatte. Schon beim Eintreffen ihre auffallend fachkundige Randbemerkung zu Donna Haraway.

Wer hat eigentlich wann den SS-Offizier in Strapsen erfunden, Angela, bohrte Hans Mühlenkamm nach, und wer die landauf, landab verherrlichte bestrapste Nonne? Da bin ich überfragt, hob Angela Stöver, nachdem sie sich gesammelt hatte, an, und schon fiel ihr Korinna Kohn ins Wort, redete von der Leibesinseln signifizierenden, diese durchmessenden und, Tusch, kolonialisierenden Funktion des elastischen Strumpfhalters, von spitzenbesetzten Demarkationslinien, verminten Hüftgürteln gar sowie den vielbeschworenen Streifen schneeweißen Fleisches zwischen den alliierten Besatzungszonen pechschwarzen und blutroten Nylons. Das sind ja die Farben der Reichskriegsflagge, warf Vivian ein. Der Reizkriegswäsche, kalauerte Korinna, außer Atem. Angela hatte die großdeutsche Trikolore tatsächlich noch nie zu Gesicht bekommen. Der weltberühmte Helmut Berger jedenfalls sei, im straffen Strapskorsett, mit sensationeller Wespentaille, schwärmte die Kellnerin, wenn auch eher häßlichen, behaarten Beinen, als phallische Marlene Dietrich eines ihrer frühesten Vorbilder gewesen. La caduta degli dei, in deutschen Lichtspielhäusern gezeigt als Götterdämmerung, auch Die Verdammten, Jahrgang 1968, ein opulenter Film Luchino Viscontis, den alle gern gesehen hatten.

Hast du denn als Schauspielerin gearbeitet, fragte Hans neugierig, damals in Italien? Zunächst, verbesserte Angela den Arbeitslosen und tippte ihm mit ihrer Zeigefingerspitze auf die Nase, ganz offiziell als Schauspieler, in unserer sündigen Stadt manche führende Nebenrolle spielend, bis eines schönen Tages bei den Kommunisten eine blutjunge, drogenabhängige Go-Go-Tänzerin ausfiel, der ich, seit einer nicht unkomplizierten Liebesnacht, meine bis dahin ausschließlich private Ausrüstung geliehen hatte. Habe verstanden, sagte Hans, von der befrackten Maria Magdalena Dietrich, schwupps, zum bestrapsten Helmut Berger. Und zurück. Und wieder hin. Ein Oszillogramm, half Angela Stöver, geborene

Angelo Guida, weiter, in dem der eine die andere nicht ausschloß. Schon gar nicht vor dem Altar: Wie der Mann, so ist auch die Frau Bild Gottes; und so sehen wir Gott wie in einem Spiegel. Miss Guy, The Misstress Formika, RuPaul, Joey Arias, Bambi Lake, Sylvester, Sherry Vine, Candy Darling, Jackie Curtis, Mario Montez, Peki d'Oslo, Barbette, The Only Leon und der Abbé de Choisy, zählte Angela fröhlich auf, sie alle machten mir unmißverständlich klar: Der Fummel ist nun einmal reine Männerphantasie; weshalb sollten ihn Frauen tragen? Okay, dann trage ich ihn eben auch als Mann, konterte, eins zu eins, Vivian, Tomboy aus dem San Jacinto Drive, heute in einem bei weitem fraulicheren Kleid als Angela. Dein hübsches Oszillogramm vermag dich zwar von den Zwängen, welche uns der Binarismus auferlegt, zu entlasten, aber es bleibt doch selbst binär. Also begann ich in Nachtlokalen zu arbeiten, setzte die Angesprochene ihre Lebensbeichte fort, zunächst einmal in der Po-Ebene. Und der Rest ist Geschichte, kürzte Frauke Stöver, sich ostentativ erhebend, den weiteren, durchweg turbulenten, über den Brennerpaß und Kitzbühel nach Handschuhsheim führenden Werdegang ihrer ungewöhnlichen Braut ab. Stapelte das Porzellan und drängte zum baldigen Aufbruch.

Hans Mühlenkamm hatte seine Sachen packen wollen, aber außer dem wenigen, was er bei seiner Ankunft am Leib getragen hatte, dem Ford Kurpfalz-Overall, einer Garnitur Unterwäsche, Socken und den sandfarbenen Fila Sneakers, gar nichts dabeigehabt. Woraufhin ihm unmittelbar eingefallen war, einfach noch eine Weile bei Korinna zu bleiben, sie könne ihn, den arbeitslosen Gelegenheitsarzthelfer, womöglich gebrauchen. Tatsächlich: Ich werde dich, Hans, meine zukünftige Amme, durchfüttern, hatte die Schwangere gesagt, und Vivian war, als sich die Stövers schon verabschiedeten, kurz entschlossen nach oben gehuscht, um ihren grünen Boardcase zu packen. Ihn schwungvoll, zu aller Überraschung, im Kofferraum des fauchenden Lancia zu verstauen. Nach all den Wochen einmal wieder zu Hause nach dem Rechten zu schauen. So waren Frauke, Angela und Vivian wie Andy Warhols Lonesome Cowboys abgezogen, die amerikanische Deutsche sogar mit ihrem prallvollen Texas Instrument. Auch ihr Briefkasten war prallvoll gewesen, als sie nach Hause kam, wenngleich nicht so heillos übergequollen wie der ihres offenbar noch immer abwesenden Nachbarn.

Und sie hatte sich schnell wieder eingelebt im alten Tabakspeicher. Die Magisterarbeit auf der Rokoko-Platte so gut wie fertig geschrieben. Gleichzeitig viel Schlaf nachgeholt. Ihr Professor hatte sie, im Anschluß an eine aufpulvernde Sprechstunde, oben am Schloß in einem romantischen koreanischen Lokal, während er neben ihr den Kurzen Buckel, die Treppen zur Altstadt, zur Universität, hinuntertrippelte, für einen der kommenden Tage nach Mannheim einladen wollen, in dessen Landesmuseum für Technik und Arbeit eine weltweit aufsehenerregende Ausstellung namens Körperwelten gastierte. In Japan habe diese eine ganze Million Besucher verzeichnen können. Tote Menschen, Frau Atkinson, sind dort zu besichtigen, fragmentiert, doch keinesfalls erlöst, dafür konserviert wie noch nie dagewesen, mit Hilfe eines hier an der Heidelberger Universität entwickelten Vakuumverfahrens, bei dem die Körperflüssigkeiten durch Spezialkunststoffe ersetzt werden. Kurz stehenbleiben, verschnaufen. Wobei Sprechen und Schreiten, so der Professor, ja eigentlich prima zusammengehen. Dort drüben die Dächer des Germanistischen sowie des Theologischen Seminars, die Heiliggeistkirche, der Marstall, Saal West, Saal Ost, das Marstall Café. Der Neckar, der Philosophenweg, die Physikalischen Institute, das Gartenhäuschen. Mittelalterliche Musik ganz in der Nähe der Verweilenden. Nicht lokalisierbar. Esoterisch an- und abschwellend. So konnte das Mittelalter unmöglich gewesen sein. Gehen wir weiter. Alle Körperzellen, auch ihre Struktur, seien in ihrer ursprünglichen Form, nämlich jener zu Lebzeiten, erhalten geblieben, die ausgestellten Präparate, nach Körperfunktionen geordnet, vom Bewegungsapparat über den Blutkreislauf bis zur Entwicklung des Menschen im Mutterleib, Frau Atkinson, nach der konservierenden Behandlung geruchsfrei und trocken geblieben, im wahrsten Sinne des Wortes begreifbar. Einige Exponate seien tatsächlich zur Berührung freigegeben; das müsse man sich einmal vorstellen. Und zu jedem Funktionskreis seien auch Präparate mit krankhaften Veränderungen, etwa durch Herzinfarkt oder Krebserkrankung, zu sehen. Demnächst solle ein ganzes Menschen-Museum eingerichtet werden. Mitkommen möchte ich lieber nicht, hatte Vivian vorsichtig zu ihrem Professor gesagt, aber vielleicht könnten Sie mir ja einen Katalog mitbringen.

Montag, 22. Dezember 1997. Altenstadt bei Schongau, Franz-Josef-Strauß-Kaserne: Jüdische Frauen mit Sex-Szenen verhöhnt. Großer Aufmacher der Bild-Zeitung; Vivian Atkinson hatte sich noch nie zuvor eine gekauft. Ein Sex-Foto, Nazi-Bilder sowie alle peinlichen Einzelheiten sollten auf den Seiten 10 und 11 zu finden sein. Die Studentin wollte sich das erst in ihrer Wohnung anschauen und ließ sich aus dem Kiosk noch zwei Candy Bars, ein Snickers und ein Bounty, aushändigen. Sie fror, hatte versäumt, sich vor dem kurzzeitigen Verlassen ihrer Räume etwas überzuziehen. Übermorgen würde sie für einige Tage nach Hanau fahren. In wenigen Wochen ihr fünfundzwanzigstes Lebensjahr vollenden. Israel würde 1998 fünfzig Jahre alt werden. Der Verkäufer nannte einen Preis. Vivian zahlte und blickte im Vorübergehen die Alte Neckargasse zum Fluß hinunter, erkannte die Steinbrüche in ihrer fahlen, morgendlichen Blässe durch die kahlen Baumwipfel der Uferbäume hindurch. Als sie zu ihrem Speicher zurückkehrte, standen Einsatzfahrzeuge der Polizei vor der Haustür. Oben angekommen, erschrak Vivian über Bodo

Petersens aufgebrochene Wohnungstür; mehrere Kriminalbeamte durchsuchten seine Schränke, verwüsteten seine Einrichtung. Auf dem zerwühlten Bett lag eine Stehlampe quer. Ihr Schirm, des Brunsbüttelers ganzer Stolz, zerknittert; die darauf abgebildete blanke See entstellt. Efeu, entwurzelt, lose, trockene Blumenerde, tönerne Scherben vor der Fensterbank. Ein aufwendiger Bildband über japanische Motorrad-Satteltaschen auf dem Teppichboden, achtlos zertreten. Diverse Krawatten, eine in Cellophan gewickelte Zigarre, in der Mitte durchgebrochen. Einige alte Playboy-Magazine, Das Beste aus Reader's Digest, Erdnußkerne. Nichts, meldete ein junger Polizist einem älteren und zuckte ratlos mit seinen Schultern, rein gar nichts. Der Ältere bückte sich mühselig nach der Zigarre, schälte ihre Hälften aus der Verpackung, hielt sie sich prüfend unter die Nase, heftete seine Miene, nahezu ausdruckslos, fand Vivian, an Petersens Zimmerdecke. Dort stand auch nichts geschrieben. Havanna, mutmaßte er schließlich. Zwei weitere Beamte starrten stumm aus dem Fenster, Richtung Odenwald. In ihren Funkgeräten rauschte es. Vivian fiel die Bild-Zeitung zu Boden. Das gab ein Geräusch. Die Männer drehten sich um. Vivian dachte: Jetzt sehen sie die Brünette im Türrahmen stehen. Hob die Zeitung auf, rannte in ihre Wohnung und schloß sich ein.

Das Altenstädter Dekor: Hakenkreuze, Hitlerbilder, Soldaten des Dritten Reiches im Kampfeinsatz, mit Stahlhelmen, Sturmgewehren. Die Musik: Hard Rock. Drehort: Die Franz-Josef-Strauß-Kaserne. Darsteller: Elite-Soldaten der Deutschen Bundeswehr. Kamera: Kameraden. Der Terminator, ein hünenhafter Landser mit dem G3-Gewehr der Bundeswehr, tritt auf. Hält eine drohende, rassistische Ansprache. Klopft an eine Tür. Sarah, ein als Jüdin verkleideter Unteroffizier, mit Kopftuch, Zigarette zwischen den Lippen, öffnet ihm. Der Terminator, fragt, ob sie Sarah heiße. Die Frau nickt verängstigt. Abblende. Folgende Szene: Der Terminator rücklings, genüßlich mit seinem Sturmgewehr hantierend, auf einem Bett. Zwischen seinen gespreizten Schenkeln kauert Sarah und befriedigt ihn mit ihrem Mund. Sarah als jener Name, den deutsche Behörden jüdischen Frauen, um sie als solche brandmarken zu können, angehängt hatten. Frau Abrahams, Stammutter Israels. Vivian, auch Vivien: Englische Form des weiblichen Vornamens Viviane. Bekannte Namensträgerin: Vivien Leigh, englische Filmschauspielerin, zwanzigstes Jahrhundert. Vivian: Englischer männlicher Vorname, der dem französischen männlichen Vornamen Vivien entspricht. Viviane: Aus dem Französischen übernommener weiblicher Vorname, der auf den Namen einer Gestalt aus der Artussage zurückgeht. Die Fee Viviane hält den Zauberer Merlin gefangen. Sie ist die Erzieherin des jungen Ritters Lanzelot. Duden, Bibliographisches Institut Mannheim, Wien, Zürich. Vivien Leigh hieß eigentlich Vivian Mary Hartley und Blanche DuBois in Gerlinde Atkinsons Lieblingsfilm: Elia Kazans Verfilmung von Tennessee Williams' Bühnenstück A Streetcar Named Desire.

Vivian Atkinson schaute, an ihrem Fenster stehend, zu, wie die Polizeifahrzeuge in Edingens Hauptstraße einbogen. Dann legte sie den Duden beiseite, ging an ihr Telefon und rief in Handschuhsheim an. Hier sind sie auch schon gewesen, sagte Angela. Ilse sei ihnen viel zu unterwürfig entgegengetreten. Im Hintergrund: Kammermusik der Mannheimer Schule. Vorgestern im MS Connexion: Logical Progression. Morgen: Die Nacht der Engel. Wir könnten dich abholen. Ich werde bereit sein, sagte Vivian. Was werden wir tragen?

Thomas Meinecke
im Suhrkamp Verlag

Mode & Verzweiflung
st 2821. 129 Seiten

Das Multitalent Thomas Meinecke ist Schriftsteller, Journalist und Musiker. Mit seiner legendären Gruppe *Freiwillige Selbstkontrolle* (FSK) machte er bereits in den 80er Jahren auf sich aufmerksam. Darüber hinaus ist er Discjockey und Moderator – aber auch Chronist der 70er und 80er Jahre.
Forum für seine skurrilen Zeitgeiststudien war zunächst die 1978 von ihm mitgegründete Zeitschrift *Mode & Verzweiflung*. Später publizierte er u.a. in der *Zeit*.
Nun liegen die aberwitzigen Kurzgeschichten aus Provinz und Metropole, Fernsehen und Wohnzimmer des »pop- und dialektgeschulten Musikanarchisten« (Hubert Winkels) in erweiterter Auswahl vor.

»Thomas Meineckes skurrile Zeitgeiststudien sind kurze Prosatexte, deren Direktheit, Eingängigkeit und Tempo sie zu literarischen Popsingles machen. Er hat sie wie Kassiber eingeschmuggelt in die literarische E-Kultur.« *Hubert Winkels*

NF 205/1/4.00

The Church of John F. Kennedy
Roman
es 1997. 245 Seiten

»Eines der intelligentesten und sprachlich reizvollsten Bücher des Jahres«, schrieb die *Badische Zeitung* über Thomas Meineckes 1996 erschienenen Roman *The Church of John F. Kennedy*. Die *Frankfurter Rundschau* verglich den Roman mit dem *Steinernen Herz* von Arno Schmidt. Er sei »eine traumwandlerisch gelungene Anknüpfung an ein fast schon vergessenes Meisterwerk der 50er Jahre«.

In seinem literarischen Roadmovie macht sich Meinecke auf die Suche nach deutschen Spuren in Amerika Anfang der 90er Jahre.

Dem Reisenden Wenzel Assmann bewahrheitet sich die These, daß die USA zwar imstande sind, die ganze Welt über den Einheitskamm ihres »Way of Life« zu scheren, daß sie nach innen jedoch eine bis heute äußerst heterogene Kulturlandschaft voller weißer Flecken und schwarzer Löcher aufweisen.

NF 205/2/4.00

Holz
Erzählung
st 3013. 112 Seiten

Kein Ort gilt so sehr als Gegenstand der Literatur und als Tummelplatz für Literaten wie die ehemalige Reichshauptstadt – die Stadt im permanenten Ausnahmezustand. Der Traum des Dichters, sollte man meinen, doch da hat man, kurz vor der deutschen Vereinigung, einen Dichter ganz anderen Zuschnitts mit einem Stipendium versorgt und in eine schöne Villa am Wannsee gesetzt; einen offensiven Liebhaber der Normalität, der nun folgerichtig eine groteske Leidensgeschichte hinter sich zu bringen hat.

»Das Timing ist perfekt, der Sprachstil eine Ohrfeige für alle Vertreter des Expressionistisch-Lautmalerischen und das Buch an sich mein liebstes des Jahres, auch und gerade im internationalen Vergleich.«
Hans Nieswandt, Musiker und Journalist

NF 205/3/4.00